LE BRACONNIER DU LAC PERDU

Titre original :
The Chessmen

© Éditions du Rouergue, 2012

© ACTES SUD, 2013
pour la présente édition
ISBN 978-2-330-02695-0

PETER MAY

LE BRACONNIER DU LAC PERDU

roman traduit de l'anglais
par Jean-René Dastugue

BABEL NOIR

C'est un échiquier de nuits et de jours
Où le destin joue des hommes comme de
    pièces :
Çà et là les déplace, les assemble et les tue,
Et l'un après l'autre les remise.

    Les Rubaiyat *d'Omar Khayyām.*

En mémoire de la petite Jennifer.

PROLOGUE

Il est assis à son bureau, le visage gris de peur, écrasé par le poids de cette étape capitale qui, une fois franchie, n'offre pas de retour en arrière. Comme le temps et la mort.

Il écrit et le stylo tremble dans sa main.

« Cela fait quelque temps que j'y pense. Je sais que la plupart des gens ne comprendront pas pourquoi, particulièrement ceux qui m'aiment et que j'aime. Tout ce que je peux dire, c'est que personne ne sait quel enfer j'ai vécu. Ces dernières semaines, c'est devenu tout bonnement insupportable. Il est temps pour moi de partir. Je suis profondément désolé. »

Il signe de son nom. L'habituel gribouillis extravagant. Illisible. Il plie la feuille, comme si, en cachant les mots, il pouvait les faire disparaître. Comme un mauvais rêve. Comme le pas qu'il s'apprête à effectuer dans les ténèbres.

Il se lève et, pour la dernière fois, balaye sa chambre du regard tout en se demandant s'il aura vraiment le courage d'aller jusqu'au bout. Doit-il laisser le mot ou pas? Cela fera-t-il une différence? Il regarde la feuille dépliée, appuyée sur l'écran de l'ordinateur, bien en évidence. Ses yeux suivent les boucles des lettres qu'il a appris à former tant d'années auparavant, quand sa vie était encore devant lui. Un souvenir doux-amer de jeunesse et d'innocence. L'odeur de la craie et du lait chaud distribué à l'école.

Comme tout cela a été vain!

CHAPITRE 1

Quand Fin ouvrit les yeux, une étrange lumière rose inondait l'intérieur du vénérable refuge en pierre qui les avait abrités de l'orage. Dans l'air immobile, de la fumée s'élevait paresseusement du foyer presque éteint. Whistler n'était plus là.

Fin se dressa sur les coudes et vit que la pierre qui fermait l'entrée avait été roulée sur le côté. Dehors, s'étendait la brume de l'aube, suspendue au-dessus des montagnes. L'orage était terminé. Il avait déversé ses torrents de pluie et laissé dans son sillage un calme insolite.

Avec difficulté, Fin sortit de sous les couvertures et rampa vers le feu jusqu'à ses vêtements qui séchaient, étalés sur la pierre. Ils étaient encore un peu humides, mais suffisamment secs pour qu'il puisse les enfiler. Il se coucha sur le dos et se glissa en gigotant dans son pantalon avant de s'asseoir pour boutonner sa chemise et enfiler son pull. Il remonta ses chaussettes, mit ses chaussures de marche sans prendre la peine de les lacer et se glissa à l'extérieur, vers le flanc de la montagne.

La vue qui l'accueillit était presque surnaturelle. Les montagnes du sud-est de Lewis se dressaient tout autour de lui et allaient se perdre dans l'obscurité des nuages les plus bas. À ses pieds, la vallée semblait plus large que pendant la nuit, à la lueur des éclairs. Semblables à des spectres, les gigantesques éclats rocheux jonchant le fond émergeaient de la brume qui progressait en volutes depuis l'est où le soleil, encore caché, projetait une inquiétante lueur rouge. On se serait cru à l'aube des temps.

Derrière les abris en ruines qu'on appelle des ruches en raison de leur forme, la silhouette de Whistler debout sur une crête dominant la vallée se découpait contre la lumière. Fin, d'un pas mal assuré sur le sol détrempé, le rejoignit avec peine.

Whistler ne sembla pas remarquer sa présence. Il paraissait statufié, figé dans l'espace et le temps. Son visage, dont toute couleur avait disparu, inquiéta Fin. Sa barbe évoquait des touches de peinture noire et argentée déposées sur une toile blanche. Son regard, sombre et impénétrable, se perdait dans l'ombre.

« Qu'est-ce qu'il y a, Whistler ? »

Whistler ne répondit pas. Fin se tourna pour voir ce qu'il observait. Dans la vallée, la vue qui s'offrait à ses yeux le dérouta. Il comprenait ce qu'il voyait, mais ce qu'il voyait n'avait aucun sens. Il pivota sur lui-même et son regard courut au-delà des ruches, jusqu'au tas de rochers qui les surplombait et à la pente caillouteuse qui escaladait l'épaule de la montagne où il s'était tenu la nuit précédente et d'où il avait vu les éclairs se refléter dans le lac en contrebas.

Ses yeux revinrent vers la vallée. Il n'y avait plus de lac. Juste un grand trou vide. Son contour était clairement visible là où, au fil du temps, l'eau avait lentement rongé la tourbe et la roche. À en juger par la dépression qu'il avait laissée dans le sol, il devait mesurer un kilomètre et demi de long, huit cents mètres de large, et entre quinze et vingt mètres de profondeur. Le lit était couvert d'une bouillie épaisse de vase et de tourbe, constellée de rochers de toutes tailles. À son extrémité est, là où la vallée s'enfonçait dans la brume matinale, une traînée marron, large de dix à quinze mètres, traversait la tourbe, comme une trace laissée par une limace géante.

Fin jeta un coup d'œil vers Whistler. « Qu'est-il arrivé au loch ? »

Whistler se contenta de hausser les épaules tout en secouant la tête. « Il est parti.

— Mais comment un loch peut-il disparaître comme ça ? »

Pendant un long moment, Whistler, comme envoûté, continua à scruter le lac vide. Puis, soudainement, comme si Fin venait juste de parler, il dit : « Il est déjà arrivé quelque chose de semblable, Fin, il y a très longtemps. Ni toi ni moi n'étions nés. C'était dans les années 1950. À Morsgail.

— Je ne comprends pas. De quoi parles-tu ? » Fin était complètement perdu.

« De la même chose. Chaque matin, le facteur avait pour habitude de longer un loch, sur le chemin qui allait de Morsgail à Kinlochresort. Un coin complètement paumé. Loch nan Learga. Un matin, il descend le chemin, comme d'habitude, et le loch n'est plus là. Juste un gros trou à la place. J'y suis passé de nombreuses fois, moi aussi. Ça avait fait du foin à l'époque. Les gens de la télévision et des journaux étaient venus de Londres. Les hypothèses qu'ils ont échafaudées… aujourd'hui, elles paraissent dingues, mais on n'a entendu parler que de ça sur les ondes et dans la presse. L'idée la plus en vogue était que le loch avait été frappé par une météorite et s'était évaporé.

— Et que s'était-il vraiment passé ? »

Whistler haussa les épaules et les laissa retomber brusquement. « La meilleure théorie est qu'il s'agissait d'une poussée de tourbière.

— Et de quoi s'agit-il ? »

Whistler fit la moue, les yeux toujours rivés sur le bassin rempli de vase. « Eh bien… cela peut arriver après une longue période sans pluie. Ce n'est pas courant par ici. » Il sourit presque. « La tourbe en surface sèche et se craquelle. Et, comme le savent tous ceux qui taillent la tourbe, une fois sèche elle devient imperméable. » Il fit un signe de tête en direction de la traînée géante qui se perdait dans le brouillard. « Il y a un autre loch, plus bas dans la vallée. Si j'avais de l'argent, je parierais que ce loch s'est déversé dans l'autre.

— Comment ?

— La plupart de ces lochs se trouvent sur de la tourbe qui repose sur le gneiss de Lewis. Assez souvent, ils sont séparés par des crêtes constituées d'un matériau moins stable, comme l'amphibolite. Si la période de sécheresse est suivie de fortes pluies, comme hier soir, l'eau s'engouffre dans les craquelures de la tourbe et crée un lit de boue sur le soubassement rocheux. Ce qui a dû se passer ici c'est que la tourbe située entre les lochs a simplement glissé sur la boue, le poids de l'eau contenue dans le loch supérieur a pulvérisé l'amphibolite et tout s'est déversé dans la vallée en glissant. »

À l'horizon, le disque solaire était monté d'un cran. Il y eut un déplacement d'air et la brume se leva légèrement. Suffisamment pour révéler, là où devait se trouver la partie la plus profonde du lac, une chose blanche et rouge qui accrochait la lumière.

« Qu'est-ce que c'est que ça ? » demanda Fin et, comme Whistler restait silencieux, il ajouta : « Tu as des jumelles ?

— Dans mon sac à dos. » La voix de Whistler n'était plus qu'un murmure.

Fin se hâta jusqu'à leur ruche et rampa à l'intérieur pour récupérer les jumelles de Whistler. Lorsqu'il regagna la crête, ce dernier n'avait pas bougé d'un pouce. Impassible, il continuait de fixer l'espace où s'était trouvé le lac. Fin cala les jumelles et fit le point sur l'objet rouge et blanc. « Seigneur ! », s'entendit-il chuchoter presque involontairement.

Il vit un petit avion monomoteur, légèrement penché sur le côté, posé au milieu d'un amas de rochers. Il avait l'air à peu près intact. Les vitres du cockpit étaient couvertes de boue et de vase, mais le rouge et le blanc du fuselage étaient clairement visibles. Ainsi que les lettres de son indicatif d'appel, peintes en noir.

G-RUAI.

Fin sentit les poils de sa nuque se hérisser. RUAI, le diminutif de Ruairidh, Roderick en gaélique. Dix-sept ans auparavant, cet indicatif s'était retrouvé dans tous les journaux des semaines durant, quand l'avion avait disparu et, avec lui, Roddy Mackenzie.

Teintée par la lumière de l'aube, parfaitement immobile, la brume planait au-dessus des montagnes comme de la fumée. Pas un son ne venait briser le silence. Pas même un chant d'oiseau. Fin abaissa les jumelles. « Tu sais à qui appartient cet avion ? »

Whistler fit oui de la tête.

« Mais que diable fait-il là, Whistler ? Ils ont dit qu'il avait enregistré un plan de vol pour Mull et qu'il avait disparu quelque part en mer. »

Whistler haussa les épaules mais ne fit aucun commentaire.

« Je vais descendre jeter un coup d'œil », dit Fin.

Whistler lui saisit le bras. Il avait une drôle d'expression dans le regard. Si Fin ne l'avait pas aussi bien connu, il aurait dit que c'était de la peur. « Nous ne devrions pas.

— Pourquoi ?

— Parce que cela ne nous regarde pas, Fin. » Il soupira. Un long soupir de résignation, sinistre. « J'imagine que nous allons devoir le signaler, mais on ne devrait pas s'en mêler. »

Fin le dévisagea pendant un long moment, mais décida de ne pas poser de questions. Il dégagea son bras de la main de Whistler et répéta : « Je descends jeter un coup d'œil. Tu fais comme tu veux. » Il fourra les jumelles entre les mains de Whistler et commença à se diriger vers le bassin vide.

La descente, sur des débris de rochers et de la tourbe durcie rendue glissante par les herbes couchées par la pluie, était raide et malaisée. Les rives de ce qui avait été autrefois un lac étaient bordées de rochers. Fin les franchit en glissant, luttant pour conserver son équilibre et rester sur ses pieds, s'aidant de ses bras pour ne pas tomber. Il progressait dans les entrailles du lac disparu, pataugeant dans la boue et la vase, parfois jusqu'aux genoux, se servant des rochers comme appuis pour traverser la vaste dépression.

Il avait presque atteint l'avion quand il se retourna et vit que Whistler le suivait, à peine quelques mètres en arrière. Whistler s'arrêta, essoufflé. Pendant près d'une minute, les deux hommes se dévisagèrent sans bouger. Enfin, Fin dévia le regard pour observer l'empilement des couches de tourbe et de pierre, semblables aux lignes de contour des cartes d'état-major, là où, une douzaine d'heures auparavant, se trouvait le rivage. Si le lac avait encore été là, les deux hommes se seraient retrouvés à quinze mètres sous sa surface. Il fit demi-tour pour franchir les derniers mètres qui le séparaient de l'avion.

Il était à peine incliné au milieu du chaos de rochers et de pierres qui couvraient le fond du lac, comme s'il avait été posé là délicatement par la main de Dieu. Fin entendit la respiration de Whistler à ses côtés. « Tu sais ce qui est bizarre ? dit-il.

— Quoi ? » Whistler ne donnait pas l'impression d'avoir envie de savoir.

« Il n'y a aucun dégât.

— Et alors ?

— Eh bien, si l'avion s'était écrasé dans le loch, il devrait être sacrément endommagé, non ? »

Whistler ne fit pas de commentaire.

« Regarde-le. A peine une éraflure. Toutes les vitres sont intactes. Le pare-brise n'est même pas fendu. »

Fin escalada péniblement les derniers rochers et se hissa sur l'aile la plus proche. « Pas beaucoup de trace de rouille non plus. J'imagine qu'il doit être surtout constitué d'aluminium. » N'étant pas sûr de réussir à rester debout sur la surface glissante et traîtresse de l'aile, il progressa à quatre pattes vers la porte gauche du cockpit. La vitre était couverte d'une vase verdâtre qui masquait totalement l'intérieur. Il agrippa la poignée et essaya d'ouvrir la porte en tirant dessus. Elle ne broncha pas.

« Fin, laisse tomber. » Whistler l'appelait d'en bas.

Mais Fin était déterminé. « Grimpe et viens me filer un coup de main. »

Whistler ne bougea pas.

« Nom de Dieu, mec, c'est Roddy qui est là-dedans.

— Je ne veux pas le voir, Fin. Ce serait comme de profaner une tombe. »

Fin secoua la tête et porta de nouveau son attention sur la porte. Il posa ses pieds de part et d'autre, sur le fuselage, et tira de toutes ses forces. Soudain, il y eut un bruit de métal que l'on déchire, et la porte céda. Fin tomba en arrière, sur l'aile. Pour la première fois en dix-sept ans, la lumière du jour pénétra dans le cockpit. Fin se mit à genoux et agrippa l'embrasure pour se hisser et regarder à l'intérieur. Derrière lui, il entendit Whistler qui grimpait sur l'aile, mais il ne se retourna pas. Le spectacle qu'il découvrit était choquant et son odorat fut assailli par une puanteur qui rappelait le poisson pourri.

Sous le pare-brise, le tableau de bord s'étalait sur toute la largeur du cockpit. Un amas de jauges et de cadrans aux vitres tachées et boueuses, dont les indications avaient été décolorées par l'eau et les algues. Côté gauche, le siège du copilote, ou du passager, était vide. Entre les sièges, les poignées rouge, noir et bleu des contrôles des gaz étaient encore visibles, ramenées en position d'arrêt. À côté, harnachés dans le siège du pilote, se trouvaient les restes d'un homme. Avec le temps, l'eau et les bactéries avaient consumé toute la chair et seuls les résidus blanchis de quelques tendons et ligaments épais qui ne s'étaient pas décomposés en raison de la température suffisamment froide de l'eau tenaient encore ensemble les morceaux du squelette. Son blouson de cuir était plus ou moins intact. Son jean, bien que totalement décoloré, avait également survécu. Ses baskets aussi, bien que Fin pût constater que le caoutchouc avait gonflé, les distendant autour de ce qui restait des pieds.

Le cartilage du larynx, des oreilles et du nez avait disparu et le crâne était totalement dénudé. Quelques mèches de cheveux subsistaient, accrochées à des restes de chair.

L'ensemble était déjà suffisamment dérangeant pour deux vieux amis se rappelant le jeune Roddy, plein de vie et de talent, avec sa tignasse blonde et bouclée. Mais ce qui les troubla le plus, c'était les terribles blessures qui avaient été infligées au côté droit du visage et à l'arrière du crâne. La moitié de la mâchoire manquait, laissant apparaître une rangée de dents jaunies et brisées. La pommette et la partie supérieure du crâne avaient été écrasées au point d'être méconnaissables.

« Nom de Dieu. » La voix de Whistler arriva jusqu'à Fin dans un souffle blasphématoire.

Il ne fallut à Fin qu'un bref instant pour absorber la scène après avoir ouvert la porte et, presque instantanément, il eut un mouvement de recul incontrôlé qui envoya l'arrière de sa tête heurter l'épaule de Whistler. Il claqua la porte, se retourna et se laissa glisser en position assise, adossé contre la paroi. Whistler était accroupi face à lui et le regardait, les yeux écarquillés.

« Tu avais raison, dit Fin. Nous n'aurions pas dû ouvrir. » Il leva les yeux vers Whistler dont le visage était si pâle qu'il y distingua pour la première fois de minuscules cicatrices, sans doute provoquées par un accès de varicelle dans l'enfance. « Mais pas parce que nous profanons une tombe. »

Whistler fronça les sourcils. « Pourquoi alors ?

— Parce que nous contaminons une scène de crime. »

Whistler le fixa un long moment, le regard troublé, avant de soudain faire demi-tour, de glisser au bas de l'aile et de rebrousser chemin en direction du rivage, grimpant d'un pas assuré hors du cratère en direction des ruches de pierre.

« Whistler ! » appela Fin. Mais celui-ci ne modifia pas son allure et ne regarda pas une seule fois en arrière.

CHAPITRE 2

Fin s'installa dans le bureau de Gunn et laissa son regard courir sur le fouillis de paperasse entassée sur le bureau de l'inspecteur comme une congère en hiver. De temps à autre, le grondement d'une voiture résonnait dans Church Street et, même à cette distance, il entendait les cris des mouettes qui tournoyaient au-dessus des chalutiers dans le port. Des maisons sinistres aux façades crépies, surmontées de toits aux pentes abruptes, occupaient la vue qu'il avait depuis la fenêtre. Il se leva et s'en approcha pour élargir son champ de vision. Macleod & Macleod le boucher, pas de descendance. La boutique caritative Blythswood Care, avec sa note écrite à la main affichée en vitrine : « Nous n'acceptons pas les invendus des soldes ». Le restaurant indien Bangla Spice et le Café Thaï. Des gens bien loin de chez eux.

La vie continuait comme si de rien n'était. Pour Fin, cependant, la découverte des restes de Roddy dans cet avion au fond du lac avait mis ses souvenirs sens dessus dessous, altérant à jamais la mémoire de cette histoire, et de la manière dont les choses s'étaient déroulées.

« Cela a en effet l'air d'être une poussée de tourbière. Votre ami Whistler connaît son affaire », dit Gunn en entrant dans son bureau, une liasse de papiers à la main. Son visage rond, surmonté par une pointe de cheveux noirs sur le front, était rasé de près et sa peau rose dégageait une odeur tonique et puissante d'après-rasage. « Il n'y a pas grand-chose que Whistler ne sache pas. » Et Fin songea à ce que Whistler savait et qu'il ne disait pas.

« Il y a en effet un loch qui a disparu à Morsgail. Et, apparemment, il y a eu deux poussées de tourbière importantes au début des années 1990 sur les pentes raides orientées au nord à Barra et Vatersay. C'est donc un phénomène connu. » Il laissa tomber les papiers sur son bureau, ajoutant une couche supplémentaire à la congère, et soupira. « En revanche, c'est le désert complet du côté de la famille du défunt. »

Fin ne comprenait pas bien pourquoi, mais d'entendre parler de Roddy en ces termes était presque douloureux. Pourtant, cela faisait dix-sept ans qu'il était mort. La star du rock celtique la plus talentueuse et la plus renommée de sa génération, fauchée dans la fleur de l'âge.

« Son père est mort il y a cinq ans et sa mère est décédée l'année dernière dans un service gériatrique à Inverness. Ni frères ni sœurs. Je suppose qu'il doit y avoir des parents éloignés car il semble que la maison de Uig a été vendue par des avocats chargés de la succession. Cela risque de prendre du temps pour retrouver les héritiers. » Gunn passa sa main dans ses cheveux noirs et gominés puis, machinalement, s'essuya sur la jambe de son pantalon. « Votre copain, le professeur Wilson, est en train d'embarquer en ce moment même sur un vol au départ d'Édimbourg.

— Angus ? »

Gunn hocha la tête. Il ne conservait pas un souvenir très agréable de sa seule rencontre avec le légiste à la langue acerbe. « Il va vouloir examiner le corps *in situ*, et nous allons faire photographier toute la scène. » Il se frotta le menton, l'air pensif. « Ça va se retrouver dans tous les journaux, monsieur Macleod. Cette foutue presse va fondre sur nous comme des vautours. Ouais, et les galonnés, aussi. D'Inverness. Ça ne me surprendrait pas que les pontes eux-mêmes se déplacent. Ils adorent se retrouver devant les caméras et voir leurs bouilles bien nourries à la télé. » Gunn marqua une pause puis, avant de se retourner pour fermer la porte, lança : « Dites-moi, monsieur Macleod, qu'est-ce qui vous fait penser que Roddy Mackenzie a été assassiné ?

— Je préfère garder mes impressions pour moi, George. Je ne veux pas influencer votre interprétation. Je pense que c'est une conclusion à laquelle vous devriez aboutir par vous-même.

— Très bien. » Gunn se laissa tomber sur sa chaise et la fit pivoter pour faire face à Fin. « Et que diable faisiez-vous dans les montagnes, au milieu d'un orage, en compagnie de Whistler Macaskill, monsieur Macleod ?

— C'est une longue histoire, George. »

Gunn leva les bras et croisa ses doigts avant de les caler à l'arrière de son crâne. « Eh bien, nous avons un peu de temps à tuer avant que l'avion du légiste n'arrive… » Il laissa sa phrase en suspens, attendant que Fin enchaîne. À cet instant, Fin réalisa que deux jours seulement s'étaient écoulés depuis que Whistler et lui s'étaient retrouvés pour la première fois depuis des lustres. Cela lui paraissait déjà une éternité.

CHAPITRE 3

I

L'été paraissait ne pas vouloir finir. La longue période chaude et sèche avait largement débordé sur le mois de septembre. Un phénomène rare sur cette île des Hébrides extérieures. L'île de Lewis, l'endroit d'Europe le plus au nord et le plus à l'ouest, était roussie par des mois de soleil d'été et une sécheresse inhabituelle. Et cela semblait parti pour continuer.

Ce jour-là, Fin avait mis près de deux heures pour se rendre de Ness à Uig en longeant la côte ouest. Dès Siadar, pourtant loin au nord, il avait pu apercevoir, sur le plus pâle des ciels bleus, la silhouette sombre et menaçante des montagnes qui s'élevaient au sud-ouest, dans la direction de Harris. De tout l'horizon, c'était le seul endroit où traînaient encore des nuages. Pas menaçants, ils étaient posés là, paressant au milieu des sommets. L'éclat jaune des potentilles sauvages qui poussaient parmi les fougères agrémentait d'une touche dorée le paysage où même la bruyère avait perdu ses couleurs. Les minuscules pétales se balançaient dans la brise qui forcissait, venue de l'océan, chargée de l'odeur de la mer et du parfum encore léger de l'hiver.

En ce premier jour de sa nouvelle vie, Fin songeait à quel point celle-ci avait changé en à peine plus de dix-huit mois. Il était alors marié, il avait un fils, une vie à

Édimbourg, un boulot d'inspecteur à la division A de la Criminelle. Maintenant, il n'avait plus rien de tout cela. Il était revenu dans la matrice, l'île de sa naissance, mais il n'était pas sûr d'en connaître la raison. À la recherche de celui qu'il avait été, peut-être. La seule chose certaine, c'était que ce changement était irrévocable et qu'il avait commencé le jour où, dans une rue d'Édimbourg, un conducteur avait pris la vie de son petit garçon avant de s'enfuir.

Au moment où il s'apprêtait à contourner la pointe du loch Ròg Beag, Fin quitta la route à une voie et engagea son 4×4 Suzuki maculé de boue sur un chemin au revêtement en asphalte défoncé trop étroit pour que deux véhicules puissent se croiser. Il passa devant un groupe de vaches de race highland aux longues cornes courbes et à la robe brune hirsute, puis remonta la rivière en direction d'un lac à peine plus grand qu'une mare où, chose inhabituelle, poussaient des arbres, abrités par quelques collines et dans l'ombre protectrice desquels se dressait l'auberge Suaineabhal.

Cela faisait longtemps que Fin n'avait pas revu Kenny John Maclean. Big Kenny avait quitté l'île en même temps que lui. Mais sa vie avait suivi un tout autre cours. Il vivait maintenant dans une vieille fermette, agrandie et modernisée, de l'autre côté du chemin, face à l'auberge. Fin se gara sur l'aire de stationnement et un groupe de chiens en liberté surgit en aboyant d'une grange surmontée d'un toit en tôle ondulée. L'auberge était construite autour d'une ancienne ferme et lorsque sir John Wooldridge avait acheté le domaine de Red River, il avait fait construire des extensions sur les côtés et à l'arrière ainsi qu'une véranda à l'avant dont la vue donnait sur le lac. Contrairement à l'auberge Cracabhal, à la pointe du lac Tamnabhaigh, qui pouvait accueillir plus de vingt personnes pendant les saisons de chasse et de pêche, Suaineabhal ne comptait qu'une poignée de chambres exclusivement réservées aux pêcheurs. Mais on y trouvait aussi un bar et il était, à cette période de l'année, rempli chaque soir de pêcheurs, de gardes des domaines et de gens du coin venus boire une pinte et un verre de whisky.

Ce matin-là, il semblait ne pas y avoir âme qui vive jusqu'à ce que Kenny arrive du lac à grandes enjambées et ordonne aux chiens de se taire. Intimidés par les réprimandes de leur maître, ils se contentèrent de renifler Fin avec calme et curiosité, respirant ses odeurs inconnues. La lumière du soleil dessinait autour d'eux des taches semblables à de la pluie. Kenny portait un pantalon kaki épais, glissé dans des bottes Hunter vertes, et un gilet multipoche passé sur un pull militaire en laine verte renforcé aux coudes et aux épaules. Tout en s'approchant, il ôta sa casquette, révélant une tignasse rousse coupée court qui perdait de son éclat. Il tendit une grosse main calleuse dans laquelle il serra chaleureusement celle de Fin.

« Eh bien, ça fait une paye, Fin. » Bien qu'il s'exprimât en anglais la plupart du temps, avec Fin, il revenait au gaélique sans même y penser. C'était le langage de leur enfance, le premier qui leur venait naturellement à la bouche.

« Ça fait plaisir de te voir, Kenny », répondit Fin avec sincérité.

Ils restèrent un instant à s'observer, face à face, évaluant les traces que le temps avait laissées sur chacun d'eux. La cicatrice de cinq centimètres qui prolongeait la ligne de la pommette gauche de Kenny, résultat d'un accident survenu dans l'enfance et qui avait failli lui coûter un œil, s'était atténuée avec le temps. Kenny avait toujours été un grand gaillard, plus grand que Fin. À présent, il était énorme, tout son corps s'était empâté. Il semblait également plus âgé que lui. Issu de la campagne, il avait toujours été un garçon un peu vieux jeu et pas très raffiné. Suffisamment intelligent, en tout cas, pour partir étudier à l'institut agronomique d'Inverness et revenir sur l'île pour s'occuper du domaine sur lequel il avait grandi.

Fin, sans être chétif, avait conservé son physique d'adolescent et ses cheveux blonds aux boucles serrées étaient encore abondants. Ses yeux verts fixaient le regard sombre de son ami d'enfance où planait de la méfiance.

« J'ai entendu dire que tu étais de nouveau avec Marsaili, que tu vivais avec elle. »

Fin acquiesça. « Au moins jusqu'à ce que j'aie fini de restaurer la ferme de mes parents. »

— Et on dit aussi que son fils est le tien et pas celui d'Artair.

— C'est ce que l'on dit ?

— C'est ce que j'ai entendu.

— Tu as une bonne audition, semble-t-il. »

Kenny sourit. « Je garde mon oreille collée au sol. »

Fin lui sourit en retour. « Fais gaffe, Kenny. De la boue pourrait y entrer. Et tu n'entendras plus aussi bien. »

Kenny rigola. « Tu as toujours été un gros malin, Macleod. » Il marqua une pause et son sourire s'effaça, comme lorsqu'un nuage masque le soleil. « J'ai aussi entendu dire que tu as perdu un fils. »

Le tour des yeux de Fin s'assombrit légèrement. « C'est vrai », répondit-il avant de se taire. Il n'avait à l'évidence pas envie d'en dire plus.

Kenny replaça sa casquette sur son crâne, bien enfoncée sur le front, marquant ainsi la fin du caractère personnel de leur échange. Même le ton de sa voix changea. « Il faut que je te mette au courant de tes fonctions. J'imagine que Jamie t'aura expliqué les points principaux. Mais comme beaucoup de propriétaires de domaines, il ne connaît pas grand-chose à la terre. »

La remarque n'échappa pas à Fin. Jamie avait beau être son patron, Kenny se considérait comme son supérieur.

À présent, il était celui de Fin. Leur bref échange sur un pied d'égalité était terminé.

« Si cela avait dépendu de moi, je ne suis pas sûr que je t'aurais choisi comme chef de la sécurité. Sans vouloir te blesser, Fin. Je suis convaincu que tu étais un bon flic, mais je ne crois pas que cela te qualifie pour attraper les braconniers. Enfin… ce n'est pas à nous de décider, hein ?

— Le travail serait peut-être mieux fait si tu le faisais toi-même », répliqua Fin.

« Ce n'est pas une question de "peut-être". Gérer un domaine de plus de deux mille hectares sur lequel on pratique la chasse, la pêche au saumon, à la truite saumonée et à la truite de mer me prend déjà tout mon temps. » Ses paroles sonnaient comme une publicité pour le domaine. « Et le problème que nous avons est loin d'être insignifiant. »

II

La Range Rover de Kenny rebondissait et brinquebalait sur le chemin défoncé qui suivait le tracé de la rivière. Autour d'eux, le terrain s'élevait en pente raide. Des collines nues, accidentées, parsemées de pierres et entaillées de ravines, se transformaient en sommets montagneux qui se perdaient dans les nuages. Des rochers se cramponnaient aux flancs des collines, de gros morceaux de gneiss vieux de quatre milliards d'années. Kenny jeta un coup d'œil vers Fin et suivit son regard. « Les plus vieilles pierres du monde », dit-il. « Ces blocs reposent parmi ces collines depuis la dernière ère glaciaire. » Il désigna un point dans l'ombre que projetait la montagne placée à leur gauche. « Tu vois ces cours d'eau qui coulent au milieu de la roche ? Au départ, ce n'étaient que des fissures. Lorsque l'eau y gelait, elle augmentait de volume et le rocher éclatait, libérant ces putains de morceaux énormes dans toute la vallée. Ça a dû être un sacré spectacle. Mais je suis bien content de ne pas avoir été là pour y assister. »

Devant eux, la surface ridée par le vent d'un petit lac reflétait le bleu intense du ciel, et Kenny se gara à côté d'un abri en tôle ondulée peint en vert. « Une cabane pour déjeuner, expliqua-t-il, un endroit où les pêcheurs et les gardes peuvent s'abriter pour manger leurs sandwichs. » Le chemin carrossable s'arrêtait là. Un sentier menait vers le plan d'eau tandis qu'un autre remontait à flanc de colline en serpentant en pente raide entre des amas de rochers. Il franchissait des cours d'eau claire qui, à cette époque de l'année, auraient dû être en crue. Mais après des semaines de sécheresse, la plupart avaient été réduits à l'état de filets.

Pour un homme de son gabarit, Kenny était en forme et Fin avait du mal à le suivre pendant qu'il remontait à grandes enjambées la pente du sentier, se faufilant entre les sinuosités des collines et longeant le côté sud d'une paroi rocheuse à pic. Kenny quitta le sentier, enjamba un ruisseau presque à sec et s'enfonça dans les herbes hautes et la bruyère en direction du sommet d'une colline située sur leur gauche. En quelques enjambées, il atteignit le sommet avec plusieurs minutes d'avance sur Fin.

Ce n'est que lorsqu'il l'eût rejoint que Fin réalisa à quel point ils étaient montés haut, d'abord avec la Range Rover puis à pied. Il sentit le vent s'engouffrer dans sa veste et dans sa bouche, lui coupant la respiration. À leurs pieds, le terrain descendait, révélant un panorama saisissant de terre et d'eau, baigné par la lumière du soleil. Du brun, du bleu pâle, du vert et du mauve qui s'estompait progressivement vers le lointain.

« Le loch Suaineabhal », dit Kenny. Il se tourna vers Fin, le sourire aux lèvres. « On a l'impression d'être un dieu ici. » Quelque chose attira son attention au-dessus du lac. « Ou un aigle. » Fin suivit son regard. « Nous avons vingt-deux couples nicheurs entre ici et le domaine de North Harris. La plus importante densité d'aigles royaux de toute l'Europe. »

Ils observèrent l'oiseau qui se laissait porter par les courants ascendants, presque au même niveau qu'eux, une envergure de près de deux mètres, les plumes écartées aux extrémités des ailes, en éventail à la queue, comme des doigts jouant avec chaque mouvement de l'air. Soudain, il partit en piqué, comme une flèche tirée depuis le ciel, disparaissant brièvement au milieu du patchwork de couleurs en contrebas, avant de resurgir sans crier gare, un petit animal prisonnier de ses serres, sans doute déjà mort.

« Regarde là-bas, en direction de l'extrémité du loch. Tu verras une série de constructions en pierre avec des toits en métal. Un shieling et deux granges. Deux de nos guetteurs vivent là. On ne peut pas y aller en voiture. Seulement en bateau ou à pied. Et dans ce cas-là, il faut toute une journée. Il faudra que tu ailles te présenter à eux.

— Qui sont-ils ?

— Des étudiants. Ils se font un peu d'argent pendant les vacances. Je peux te dire qu'ils vivent à la dure. Pas d'eau courante, pas d'électricité. J'en sais quelque chose, je l'ai fait quand j'étais à l'institut agronomique. » Il se tourna vers l'ouest et pointa le doigt en direction des quatre sommets qui délimitaient l'autre côté de la vallée, le mont Mealaisbhal, le point culminant de Lewis, dépassant largement les autres. « On avait aussi des guetteurs de l'autre côté dans un vieux shieling, au loch Sanndabhan. Tu le trouveras sur la carte topographique. Mais ils sont partis. Ils se sont fait casser la gueule il y a trois nuits quand ils sont tombés sur des braconniers occupés à poser des filets à l'embouchure de l'Abhainn Bhreanais. Et je ne trouve personne pour les remplacer.

— J'imagine que tu as prévenu la police ? »

Kenny se mit à rire, le torse en avant, sincèrement amusé. « Bien sûr. Mais comme tu le sais, ça nous fait une belle jambe ! » Sa bonhomie s'évanouit en un instant, comme si l'on venait d'actionner un interrupteur. « Ces bâtards ne rigolent pas. Il y a beaucoup d'argent en jeu. Le prix du saumon sauvage, en dehors de l'île, en Europe et encore plus en Extrême-Orient, atteint des sommes astronomiques, Fin. J'ai entendu dire qu'une partie était fumée avant d'être emportée par bateau. Cela rapporte encore plus. Ils posent des filets à l'embouchure des rivières et prennent des centaines de poissons. Les réserves diminuent et ça ruine notre activité. Il y a des associations d'hommes d'affaires qui sont prêts à payer plusieurs milliers de livres pour une partie de pêche dans nos rivières. Mais pas s'il n'y a plus un seul putain de poisson dedans ! »

Il fit quelques pas vers le sud en direction du bord de la pente et ils virent au loin, au-delà du replat de Cracabhal, le grand pavillon qui se dressait sur les rives du lac Tamnabhaigh. Il s'adressa à Fin par-dessus son épaule. « Nous entretenons les rivières et les lacs, nous nous assurons que le poisson remonte le courant pour déposer ses œufs afin de maintenir la population. Ces bâtards prélèvent aveuglément. Dans dix ans, il ne restera plus rien. » Il se tourna vers Fin, une sombre détermination dans le regard. « Il faut que cela cesse. »

— Tu as une idée de qui se cache derrière ça ? »

Kenny secoua la tête avec tristesse. « Si c'était le cas, il y aurait déjà eu quelques jambes cassées sur l'île. Il faut qu'on les prenne sur le fait. Jamie a repris la direction du domaine depuis que son père a eu une attaque au printemps et il est prêt à faire le nécessaire pour y mettre fin. C'est la raison pour laquelle tu es là. » La désapprobation se lisait clairement dans le regard qu'il lança à Fin. « Mais peut-être souhaiteras-tu commencer doucement. Avec une cible facile. »

Fin fronça les sourcils. « Que veux-tu dire ? »

Le sourire de Kenny fit presque sa réapparition. « Whistler », dit-il.

« John Angus ? »

L'air consterné de Fin fit glousser Kenny. « Ouais. Ce grand idiot ! »

Fin n'avait pas revu Whistler après avoir quitté l'île. Whistler avait été le garçon le plus intelligent de sa promotion à Nicolson, peut-être de toutes les promotions. Doté d'un QI si élevé qu'il était presque impossible de le mesurer, Whistler aurait pu aller dans l'université de son choix. Et pourtant, d'entre eux tous, il était le seul qui avait choisi de rester.

« Whistler est de mèche avec les braconniers ? »

Le ricanement de Kenny se transforma en un rire franc. « Grand Dieu, non ! L'argent n'intéresse pas Whistler Macaskill. Il braconne depuis des années. Tu le sais bien. Cerf, lièvre variable, saumon, truite. Mais seulement pour sa consommation personnelle. Pour ma part, j'ai toujours fermé les yeux. Mais Jamie… eh bien, Jamie voit les choses autrement. »

Fin secoua la tête. « Pour moi, c'est du temps perdu.

— Ouais, peut-être bien. Mais ce grand crétin a foutu Jamie en rogne.

— Que s'est-il passé ?

— Jamie est tombé sur lui il y a quelques semaines, alors qu'il pêchait sur le loch Rangabhat. En plein jour, ce qui est assez culotté. Quand Jamie lui a demandé ce qu'il était en train de fabriquer, il s'est fait insulter en beauté et quand il a essayé de l'arrêter, Whistler lui a botté le cul. » Kenny sourit. « Ça ne m'aurait pas dérangé d'assister à la scène. » Son sourire s'évanouit. « Le problème, c'est que Jamie est également son propriétaire et qu'il cherche un moyen de l'expulser.

— Je pense qu'il risque de s'apercevoir que Whistler est protégé par le Crofter's Act, la loi sur les fermiers.

— Pas s'il ne paye pas son loyer. Et il ne l'a pas fait depuis des années. Le vieux sir John ne s'en préoccupait peut-être pas, mais pour Jamie c'est une excuse parfaite.

Et comme il loue sa maison à Whistler… » Kenny se racla la gorge et cracha dans le vent. « En vérité, Fin, il est devenu une putain de nuisance. Vous avez toujours été proches tous les deux. Ce pourrait être une bonne idée que tu en discutes calmement avec lui. Ensuite on pourra passer aux choses sérieuses. »

III

La ferme de Whistler se trouvait au bord de la route, à proximité du cimetière d'Ardroil, une bande de terre en pente raide qui remontait vers une *blackhouse* restaurée avec vue sur les dunes et l'immensité de la plage de Uig en contrebas. Une poignée de moutons paissait en bas de la pente et, à côté de la maison, d'anciens lazybeds, des rangées de terre retournée, fertilisée par des couches d'algues prélevées sur les rochers et remontées au sommet de la colline, avaient été remis en culture pour y faire pousser des pommes de terre.

Fin s'y était souvent retrouvé durant son adolescence, assis sur la colline en compagnie de Whistler, à fumer et à parler des filles, pour éviter monsieur Macaskill, considérant ce qu'ils avaient sous les yeux comme banal. Les années passées en ville avaient appris à Fin à quel point ils étaient alors privilégiés.

Mais l'endroit avait changé. Le vieux toit de tôle rouillée avait disparu, remplacé par ce qui ressemblait à du chaume fait maison, bizarrement associé à des panneaux solaires sur le pan qui faisait face au sud. Le tout était protégé des tempêtes qui arrivaient de l'Atlantique par des filets de pêche tendus sur le toit, lestés de rochers retenus par des cordes épaisses. C'était comme faire un bond dans le passé.

Les restes cannibalisés de trois ou quatre vieux véhicules rouillés, parmi lesquels un tracteur, gisaient çà et là comme des carcasses d'animaux morts depuis long-temps. Un tas de blocs de tourbe en train de sécher, magnifiquement disposés en chevrons, avait été monté à quelques mètres du pignon ouest et, culminant à cinq mètres au-dessus, les pales de deux éoliennes maison tournaient à toute vitesse.

Fin se gara sur le bas-côté de la route et remonta la colline à pied. Il n'y avait pas de véhicule garé à côté de la maison. Il frappa à la porte et, n'obtenant pas de réponse, souleva le loquet et ouvrit. L'intérieur était sombre, les minuscules fenêtres traditionnelles laissaient à peine entrer la lumière. Au fur et à mesure que ses yeux s'accoutumaient à l'obscurité, Fin vit que l'endroit était un véritable capharnaüm. Un vieux canapé et des fau-teuils, crasseux et fatigués, dont le crin s'échappait par les trous qui en parsemaient la toile. Une table était enva-hie d'outils divers et de copeaux de bois qui débordaient sur le sol. Étrangement, des reproductions des figurines de Lewis, ces pièces d'échecs datant du Moyen Âge et découvertes dans la baie de Uig, se tenaient en rangs ser-rés le long d'un mur. Certaines faisaient huit à dix fois la taille des originaux.

Les restes d'un feu se consumaient dans l'âtre, là où un conduit avait été construit contre le mur opposé, et la senteur de grillé typique de la fumée de tourbe chaude emplissait la maison. L'endroit donnait vraiment l'im-pression que l'on avait remonté le temps.

Fin se retourna en entendant un bruit derrière lui. Un homme de grande taille se tenait dans l'embrasure de la porte, bouchant presque l'ouverture. Le temps sembla un instant suspendu puis l'homme avança dans la lumière de la fenêtre et Fin vit son visage pour la première fois. Large, mangé par une barbe d'une semaine. De longs cheveux noirs, zébrés d'épais fils d'argent, ramenés en arrière, et un front aux rides profondes. Il portait un jean rapiécé et délavé, effiloché aux chevilles, et un pull en laine noire épaisse sous une veste en toile cirée. Ses bottes étaient trempées et couvertes de tourbe. De là où il était, Fin pouvait sentir son odeur.

« Eh bien, que je sois damné ! Mais c'est ce sacré Niseach de Fin Macleod. » Sa voix emplit la ferme. Au grand embarras de Fin, il fit deux enjambées dans sa direction et le serra si fort dans ses bras qu'il lui coupa presque le souffle. Ses joues mal rasées frottaient contre celles de Fin. Puis, il fit un pas en arrière et tout en lui posant les mains sur les épaules, les bras tendus, il l'observa en détail, ses yeux marron baignés de larmes, pleins du plaisir de revoir son vieil ami. « Diable ! Enfer et damnation ! Où étais-tu passé pendant toutes ces années ?

— Ailleurs. »

Whistler sourit. « Ouais, ça, depuis le temps, je m'en étais douté. » Il le dévisagea, l'air curieux. « À quoi faire ? »

Fin haussa les épaules. « Pas grand-chose. »

Whistler planta son doigt dans la poitrine de Fin, dur comme une tige de métal. « T'étais chez les poulets. Tu pensais que je n'étais pas au courant ?

— Alors, pourquoi me le demandes-tu ?

— Parce que je voulais l'entendre de ta bouche. Qu'est-ce qui t'a pris, mec ?

— Je n'en ai aucune idée, Whistler. À un moment, je suis parti dans la mauvaise direction.

— Ça, tu l'as dit. Tu étais intelligent, Fin Macleod. Tu aurais pu aller loin. »

Fin regarda ostensiblement autour de lui. « Pas aussi loin que tu aurais pu aller. Prix du mérite à l'école. Le garçon le plus brillant de sa génération, disaient-ils. Tu aurais pu faire tout ce que tu aurais voulu, Whistler. Pourquoi vis-tu comme cela ? »

À une autre époque, Whistler aurait pu se sentir offensé, se mettre à jurer abondamment, voire devenir violent. Au lieu de cela, il se mit à rire. « Je suis très exactement celui que j'ai envie d'être. Et ils ne sont pas nombreux ceux qui peuvent dire cela. » Il ôta un sac en toile de son épaule et le jeta sur le canapé. « Le foyer d'un homme, c'est son château. Et je suis un roi parmi les rois. Tu as vu les panneaux solaires sur le toit ? » Il n'attendit pas la réponse. « Je les ai faits moi-même. Et les éoliennes. J'ai toute l'électricité dont j'ai besoin. Je suis le roi du soleil et du vent. Et l'eau. J'ai ma propre source. Et le feu aussi, Dieu tout-puissant. La tourbe est gratuite, comme tout le reste. Cela ne te coûte que ton travail. Viens voir… »

Il alla jusqu'à la porte et sortit dans le vent. Fin le suivit.

« Je fais pousser ma nourriture aussi, et j'élève des bêtes.

— Ou tu braconnes sur le domaine. »

Whistler lança un sale regard à Fin, mais l'hostilité qui l'assombrissait s'évanouit immédiatement. « Comme on l'a toujours fait. Un homme est en droit de prendre à la terre que le Seigneur nous a donnée. Et il l'a donnée à chacun de nous, Fin. Tu ne peux pas l'emporter avec toi quand tu meurs, alors comment quelqu'un peut-il penser la posséder de son vivant ?

— Le domaine investit du temps, de l'argent et des hommes pour gérer les poissons et les cerfs, Whistler. Et c'est l'homme qui a introduit les lapins et les lièvres variables, pour la chasse.

— Cela ne gêne personne si je prélève un poisson par-ci ou un cerf par-là. Lorsque les poissons fraient, il y en a plein d'autres dans la rivière. Et les cerfs, après le rut, il y en a toujours. Et les lapins ? » Il sourit. « Eh bien, ils se reproduisent comme de foutus lapins, non ? Je ne vole personne, Fin. Je prends ce que Dieu donne. Et je ne dois rien à personne. »

Fin le regarda avec attention. « Et ton loyer ? » Il vit une ombre passer sur le visage du colosse.

« Je m'en occupe », répondit-il avant de retourner dans la maison, heurtant l'épaule de Fin au passage, comme s'il n'était pas là. Fin se tourna lui aussi et s'appuya contre le chambranle, les yeux fouillant l'obscurité de la maison.

« Comment gagnes-tu ta vie, Whistler ? »

Whistler lui tournait le dos, mais Fin sentit que son assurance vacillait. « Je gagne ce dont j'ai besoin.

— Comment ? »

Son vieil ami fit un demi-tour sur lui-même et le fusilla du regard. « Ce ne sont pas tes oignons, bordel ! » Voilà, il était de retour. Le Whistler que Fin avait toujours connu. Irritable, soupe au lait. Mais il fit presque immédiatement marche arrière, et Fin vit la tension s'envoler de ses épaules, comme une veste que l'on ôte à la fin de la journée. « Si tu tiens à le savoir, je ramasse du bois flotté sur la plage. Du bois de bonne qualité, délavé, bien sec. Et j'en tire des reproductions des figurines de Lewis que je vends aux touristes. »

Il jeta un coup d'œil en direction des reproductions géantes alignées contre le mur. Et il rit de nouveau.

« Souviens-toi, Fin, comment ils nous ont appris à l'école que lorsque Malcolm Macleod a découvert ces petites figurines de guerriers dans la baie qui se trouve juste là, au bout de la plage de Uig, il a cru avoir affaire à des lutins ou des elfes et il était mort de trouille. Suffisamment pour les apporter au pasteur de Baile na Cille. Imagine sa frousse s'il était tombé sur l'un de ces gaillards-là ! » Il souleva un des fous et le posa sur la table.

Fin s'avança pour l'examiner de près. Apparemment, Whistler avait des talents inattendus. Le personnage était magnifiquement sculpté, une réplique minutieuse et exacte, jusqu'au plus petit détail. Les plis de la cape du fou, les lignes délicates des cheveux sous sa mitre. Les originaux mesuraient entre sept et dix centimètres. Les copies atteignaient soixante-dix centimètres à un mètre. Whistler aurait pu, sans aucun doute, trouver à s'employer dans les ateliers vikings de Trondheim où l'on pensait que les pièces originales avaient été sculptées dans de l'ivoire de morse au XIIe siècle. Mais, pensa Fin, il n'aurait probablement pas apprécié les horaires. Il examina toutes les pièces alignées contre le mur. « Tu n'as pas l'air d'en vendre beaucoup.

— C'est une commande », dit Whistler. « Sir John Wooldridge les veut pour le jour de la fête des figurines. Tu es au courant ? »

Fin hocha la tête. « J'ai entendu dire qu'on les rapportait à la maison. Les soixante-dix-huit pièces.

— Ouais, pour une seule journée ! Elles devraient être à Uig toute l'année. Une exposition spéciale. Pas bloquées dans des musées à Édimbourg et à Londres. Les gens viendraient les voir ici et ça procurerait des revenus. » Il se laissa tomber dans l'un des fauteuils et se frotta les joues avec les mains. « Quoi qu'il en soit, sir John voulait ces copies pour organiser un genre de tournoi d'échecs géant sur la plage. Le domaine participe au financement de la journée. Je suppose qu'il y a vu l'occasion de se faire une bonne publicité. »

Le regard de Fin fut attiré par l'anneau d'or à la main de Whistler. « Je ne savais pas que tu étais marié, Whistler. »

Il eut l'air décontenancé puis ôta sa main de son visage et observa son alliance. Une étrange mélancolie sembla l'envahir. « Ouais. Étais. Au passé. » Fin attendit la suite. « Seonag Maclennan. Tu l'as sûrement connue à l'école. Elle m'a quitté pour Big Kenny Maclean. Tu te souviens de lui ? Cet enfoiré est devenu le régisseur du domaine de Red River. » Fin acquiesça. « Et elle a pris ma gamine avec elle. La petite Anna. » Il resta silencieux quelques instants. Puis, il poursuivit : « Enfin, ce bâtard n'en a pas profité bien longtemps. Seonag a eu un cancer du sein et elle est morte. Elle l'a abandonné lui aussi. »

Il lança un coup d'œil furtif en direction de Fin puis détourna rapidement le regard, comme s'il craignait que Fin ne voie son émotion.

« Le problème, c'est que cela fait de Kenny le responsable légal d'Anna. Ma fille. Je n'ai rien contre lui. C'est un type bien. Mais c'est ma fille et elle devrait être avec moi. On est en train de régler ça au tribunal.

— Et quelles sont tes chances ? »

Le sourire de Whistler se teinta de tristesse. « À peu près nulles. Franchement, regarde autour de toi. » Il haussa les épaules. « Bien sûr, je pourrais changer de manière de vivre et peut-être que cela aurait une influence. Mais il y a un problème plus grave.

— Lequel ?

— Anna. La gamine me hait. Et je n'y peux pas grand-chose. »

Fin vit de la douleur dans ses yeux et dans la contraction de sa mâchoire, mais rapidement Whistler chassa tout cela, se levant soudainement de sa chaise, un sourire malicieux aux lèvres.

« Mais je me suis sculpté une vengeance secrète. » Il remit le fou à sa place le long du mur et prit une autre figurine qu'il posa sur la table. « Le berserk. Tu sais ce que c'est ? »

Fin secoua la tête.

« Les berserks étaient des guerriers nordiques qui se fouettaient jusqu'à entrer en transe pour pouvoir combattre sans connaître la peur ou la douleur. Les plus redoutables des guerriers vikings. Eh bien, les artisans de l'époque ont donné à la tour les traits d'un berserk. Des yeux exorbités, ce fou furieux mord même le haut de son bouclier. » Tandis qu'il dirigeait la sculpture vers la lumière, Whistler souriait de plaisir. « J'ai pris quelques libertés avec ma version. Regarde. »

Fin fit le tour de la sculpture pour mieux se placer par rapport à la lumière et réalisa soudain que Whistler avait sculpté son berserk à l'image de Big Kenny. Il n'y avait pas d'erreur possible. Les mêmes traits de visage épatés, l'ossature large. La cicatrice sur la joue gauche. Il ne put s'empêcher de sourire. « Espèce de gros malin. »

Le rire de Whistler envahit la pièce. « Bien sûr, personne n'y verra que du feu. Mais je saurai. Et toi aussi. Et peut-être que lorsque la fête sera terminée, je la lui offrirai. » Il regarda Fin, l'air soudainement interrogateur. « Tu as des gosses, Fin ?

— J'ai eu un fils de Marsaili Macdonald, dont j'ignorais encore l'existence il y a un an de cela. Elle l'a appelé Fionnlagh. »

Whistler fixa la main gauche de Fin. « Jamais marié, donc ? »

Fin hocha la tête. « Si. Pendant environ seize ans. »

Whistler essayait d'accrocher le regard de Fin qui se fermait sur lui-même. « Et pas d'enfants ? »

Fin avait toujours du mal à en parler sans que cela le fasse souffrir. Il soupira. « On avait un petit garçon. Il est mort. »

Whistler ne le quitta pas des yeux et Fin pensa qu'il aurait bien aimé que Whistler le prenne à nouveau dans ses bras. Ne serait-ce que pour partager la douleur, et peut-être l'atténuer. Mais aucun d'eux ne bougea. Whistler reposa le berserk sur le sol. « Alors, qu'est-ce qui t'amène à Uig, mon pote ? Tu n'es pas seulement venu me voir, hein ?

— J'ai un nouveau boulot, Whistler. » Il hésita un instant. « Chef de la sécurité du domaine. »

Fin faillit grimacer quand il lut dans le regard de Whistler à quel point celui-ci se sentait trahi. Là encore, cela ne dura qu'un instant. « Donc, tu es là pour me donner un avertissement.

— Apparemment, tu as réussi à mettre le patron hors de lui.

— Cette petite merde de Jamie Wooldridge n'arrive pas à la cheville de son père, laisse-moi te le dire. Je me souviens quand il était môme et que son père l'amenait ici. C'était déjà un sale petit morveux.

— Eh oui, Whistler, mais à présent, c'est ce sale petit morveux qui dirige le domaine. Son père a eu une attaque au printemps. »

Whistler ne semblait pas au courant et, l'espace d'une seconde, son regard se posa sur les reproductions le long du mur.

« Il gère des problèmes de braconnage bien plus graves que le tien. Mais tu en as fait une affaire personnelle. Et c'est ton propriétaire, ne l'oublie pas. Tu ne veux pas perdre ton château. » Fin prit une profonde inspiration. « Et je n'ai pas envie d'être celui qui t'attrapera en train de braconner. »

À la surprise de Fin, le visage mal rasé de Whistler bascula en arrière et il éclata d'un rire franc, teinté d'ironie. « M'attraper, Fin ? Toi ? » Il rit de plus belle. « Même pas en un putain de million d'années ! »

CHAPITRE 4

Ils survolèrent la jetée de l'usine de poissons à Miabhaig dans un brouillard. Les hors-bord gonflables Seatrek amarrés dans la baie dessinaient des taches rouges. Les eaux du lac Ròg ne s'avançaient que très peu dans le sillon profond que formait le Glen Bhaltos et la route à une voie le longeait en ligne droite, bordée de vert, de rose et de marron, rompus par le gris couleur de lichen du gneiss qui surgissait par endroits.

Fin vit l'ombre de leur hélicoptère glisser sous eux à la surface du sol. Les nuages la pourchassaient et l'avalaient par intermittence. Le bruit des rotors l'assourdissait. Devant eux s'étendaient le sable doré de la plage de Uig et le turquoise miroitant de la marée montante, à la beauté trompeuse. Même après un été long et chaud, les eaux de l'Atlantique Nord restaient fraîches.

Des montagnes se dressaient au sud, sombres et menaçantes, projetant leurs ombres sur la terre, dominant l'horizon depuis les airs.

Fin et Gunn étaient assis à l'arrière, serrés l'un contre l'autre, tandis que le professeur Wilson se tenait à l'avant. Coiffé d'une paire d'écouteurs, il discutait avec le pilote. Lorsqu'ils arrivèrent au-dessus de la plage, il les ôta et les passa à Fin en criant : « Il veut savoir dans quelle direction aller ! »

Fin guida le pilote de la seule manière qu'il connaissait, en suivant la route qui se déroulait sous eux. Ils survolèrent Ardroil et les carrières de gravier, serrèrent à gauche pour passer au-dessus des bâtiments de la distillerie Red River, avant de suivre la route menant vers Cracabhal Lodge au sud. Ils aperçurent, entre les flancs des montagnes, un convoi composé de trois véhicules cahotant au milieu des nids-de-poule. Une Land Rover de la police, une camionnette blanche et une ambulance. Il s'agissait de l'équipe de terrain qui essayait de s'approcher au plus près de là où reposait l'avion de Roddy. Il leur resterait encore un bon bout de chemin à effectuer à pied dans la vallée.

Tout semblait si différent vu du ciel. Fin vit le lac Raonasgail dans l'ombre de Tathabhal et Tarain et reconnut Mealaisbhal à l'est. Puis, se penchant en avant, il pointa le doigt. « Par là, à travers la vallée. »

Le pilote vira abruptement vers la droite et perdit de l'altitude. Ils virent les amas de rochers de la taille d'une maison qui jonchaient le sol de la vallée, résultats des explosions glaciaires primitives, et qui se trouvaient maintenant dans l'eau, là où le lac inférieur avait pulvérisé ses rives et inondé la zone en aval. Au-dessus, avant la traînée géante qui traversait la tourbe, se tenait le trou noir laissé par le lac disparu. Depuis les airs, le décor semblait encore plus surnaturel, comme une cavité laissée par une dent géante que l'on viendrait d'arracher.

L'avion qui se trouvait au fond, parfaitement visible au milieu des rochers, sa dernière demeure, semblait exagérément petit.

Le pilote fit le tour de la vallée à la recherche d'un endroit où poser l'hélico avant de finalement choisir une corniche relativement plate et stable au-dessus du lac, là où Whistler et Fin s'étaient abrités de l'orage. L'atterrissage fut doux au milieu des hautes herbes et des antiques abris de pierre écroulés. Quand les rotors cessèrent enfin de tourner, ils sautèrent de l'engin pour embrasser du regard la vallée qui s'ouvrait sous leurs pieds.

L'après-midi était déjà bien entamé. Le soleil était haut dans le ciel et basculait doucement vers l'ouest, provoquant un changement subtil de l'angle et de la direction des ombres dans la vallée. Ils étaient équipés de bottes, de cuissardes et de cannes solides. Fin les guida le long du chemin qu'il avait emprunté le matin même avec Whistler, avançant avec précaution au milieu des rochers qui avaient séché au soleil. Au fond du lac, la surface de la tourbe avait déjà commencé à former une croûte et à se craqueler.

Il n'y avait pas un souffle de vent là où ils se trouvaient et les puces se jetaient sur eux par grappes, s'insinuaient dans leurs cheveux et leurs vêtements, mordaient encore et encore, comme des myriades d'épingles leur transperçant la peau, sans que cela soit vraiment douloureux, mais irritant presque au-delà du supportable.

« Nom de Dieu, personne n'a songé à apporter un putain de répulsif ? » Le professeur Wilson fusilla Gunn du regard comme s'il était responsable. Son visage était cramoisi sous l'effet de la colère et de l'effort, sa barbe en bataille couleur cuivre ressemblait aux filaments en bouquet sortant de la gaine d'un câble. Une couronne de cheveux roux et frisés encerclait le sommet de son crâne chauve, blanc et parsemé de grosses taches de rousseur brunes. Il abattait dessus ses mains grandes ouvertes. « Bordel de merde ! »

Toutefois, lorsque Fin l'eût aidé à se hisser sur l'aile gauche, il cessa de penser aux nuages de puces et se laissa happer par la scène. Ses yeux furetaient, enregistrant chaque détail de l'avion. Il enfila ensuite une paire de gants en latex et ouvrit la porte du cockpit. Même lui, pourtant coutumier des parfums les plus divers que l'on pouvait rencontrer lors des autopsies, eut un mouvement de recul lorsque l'odeur les frappa comme une agression physique. Dans l'espace confiné du cockpit, après des heures passées à chauffer au soleil, la décomposition s'était accélérée, rattrapant dix-sept années perdues. L'odeur était bien pire que lorsque Fin et Whistler avaient ouvert l'habitacle le matin même.

« Nous allons devoir le rapatrier à Stornoway fissa, ou nous allons perdre ce qu'il en reste », dit le professeur. « Procédons le plus vite possible. » Il escalada le toit du cockpit pour atteindre l'aile droite et tenta d'ouvrir la porte côté pilote. Elle était complètement bloquée. Fin et Gunn le rejoignirent et, en additionnant leurs forces, ils parvinrent à la faire céder. Ils se reculèrent pour laisser le légiste accéder au corps.

Le spectacle était sinistre. Le corps, presque totalement décomposé, était encore entièrement habillé, les fibres naturelles des vêtements s'étant mieux conservées dans l'eau froide que la chair du mort.

Le professeur Wilson écarta les pans du blouson et découvrit un tee-shirt blanc sur lequel était imprimé le logo du Grateful Dead. « Ça, le moins que l'on puisse dire, c'est qu'il est mort, mais j'ai des doutes quant au fait qu'il soit très reconnaissant. » Il remonta le tee-shirt pour mettre au jour les tissus blancs et mous qui restaient encore accrochés aux parties grasses du torse. Il explora les masses luisantes et savonneuses en enfonçant les doigts dedans. « Adipocire », dit-il sans gêne apparente. « Il y en aura aussi autour des cuisses et des fesses, mais je pense que les organes internes ont disparu depuis longtemps. »

Il tourna délicatement la tête du cadavre vers le côté, révélant les os de la colonne au niveau du cou. Seuls quelques restes de tissu grisâtre tenaient encore les os ensemble. Le légiste sortit un instrument long et pointu de sa poche de poitrine et s'en servit pour farfouiller au milieu des os. « Plutôt poreux et friables. Ils vont se briser très facilement, et les tissus résiduels n'y resteront pas accrochés quand on va commencer à le déplacer. Il vaut mieux lui laisser ses vêtements pour le transporter.

Il n'y a que cela qui permette de le garder en un seul morceau. Si l'eau avait été plus chaude, nous n'aurions retrouvé qu'un tas d'os. »

Il porta ensuite son attention sur le crâne.

« Traumatisme massif », dit-il. « La moitié de la mâchoire est manquante. La partie du cerveau située de ce côté a dû être pulvérisée.

— C'est ce qui l'a tué ? », demanda Fin.

« Impossible à dire, Fin. La blessure a pu tout aussi bien être infligée après la mort. Mais c'est tout à fait possible.

— Aucune idée de ce qui a pu faire ça ?

— Quelque chose de contondant. De grande taille. De la dimension d'une batte de base-ball, mais plus plat. Pour ce qui est de la force nécessaire pour infliger une blessure pareille… » Il secoua la tête.

« Cela n'est donc pas survenu au moment où l'avion s'est écrasé », dit Gunn.

Le professeur lui lança un regard agacé. « Dites-moi, inspecteur, à votre avis, cet avion a-t-il l'air de s'être écrasé ? »

Gunn jeta un coup d'œil à Fin. « Non, sir, il n'en a pas l'air.

— Eh non, bordel, il n'en a pas l'air ! Je ne suis pas expert en la matière, mais je dirais que cet avion ne s'est pas écrasé dans le loch. Il a atterri dessus avant de couler. Et il y a une chose de sûre, c'est que ce type ne le pilotait pas. » Il écarta la mâchoire à l'aide de sa tige en métal. « Les dégâts causés à la mâchoire et aux dents impliquent que nous ne pourrons pas l'identifier formellement à partir d'une empreinte dentaire existante.

— Et l'ADN ? », interrogea Fin.

« On peut certainement en extraire des os. Et il reste quelques cheveux. Mais avons-nous quelque chose pour faire des comparaisons ?

— Ses parents sont morts. Il n'a ni frères ni sœurs », précisa Gunn.

« Donc pas de correspondance avec un parent proche. Et je suppose qu'il ne figurera pas dans la base de données. Y a-t-il des effets personnels ? Un peigne, une brosse à cheveux, un rasoir ? Quoi que ce soit qui puisse nous fournir des fragments d'ADN. »

Gunn secoua la tête. « Je ne crois pas, sir. La maison familiale a dû être vidée pour la vente, après la mort des parents. Et Dieu sait ce qui est advenu des affaires personnelles de monsieur Mackenzie qui se trouvaient à Glasgow. »

Le professeur Wilson s'adressa à lui, l'air renfrogné. « Vous ne nous êtes pas d'une grande utilité, inspecteur. » Puis, il se pencha à nouveau sur le corps et glissa précautionneusement deux doigts dans la poche intérieure du blouson de cuir. Progressivement, il en extirpa un portefeuille en cuir délavé. « Il se peut que nous n'ayons pas d'autre choix que de compter là-dessus. » Il l'ouvrit. S'il avait un jour contenu des billets, ils avaient disparu depuis longtemps. Il y trouva une poignée de pièces et trois cartes de crédit, toutes au nom de Roderick Mackenzie. Dans un des rabats, le légiste dénicha une carte plastifiée sur laquelle figurait la photographie de Roddy. Une carte de membre d'un club de gym de Glasgow. Il se tourna vers Fin. « Vous le connaissiez ? »

Fin acquiesça.

« J'imagine donc que c'est lui ?

— Oui, c'est bien lui. » Fin se mit à scruter le visage à demi effacé de celui qui fut un jeune homme séduisant, aux cheveux blonds et au sourire légèrement de biais. Et, comme lorsque Gunn avait parlé de lui en employant les termes « le défunt », il ressentit un étrange sentiment de deuil.

« Bon… » Le professeur Wilson se tourna vers Gunn. « Qu'en pensez-vous, inspecteur ?

— Je pense qu'il a été assassiné, sir. »

Le légiste haussa les épaules, se trouvant, pour une fois, en accord avec le policier. « Ce n'est pas encore définitif, mais je dirais qu'il y a de fortes chances. Qu'en penses-tu, Fin ?

— C'est ce que j'ai pensé au moment où j'ai ouvert la porte du cockpit, Angus. Et je n'ai rien vu qui puisse me faire changer d'avis. »

Le professeur hocha la tête. « Très bien. Il faut que l'équipe de terrain travaille le plus rapidement possible. Qu'ils photographient le corps et qu'ils le ramènent à Stornoway. Nous verrons si nous pouvons découvrir autre chose sur la table d'autopsie. »

Pendant que le légiste se laissait glisser au bas de l'aile, Gunn agrippa le bras de Fin. « Alors, il était dans le coin en train de braconner, monsieur Macleod ? Votre copain, Whistler.

— En effet.

— En plein orage ? »

Fin fit oui de la tête, mais il savait que Gunn devait le trouver évasif.

« Ce n'est pas si simple, George. »

Quand cela concernait Whistler, rien n'était simple. Fin songea aux événements des deux jours précédents, se demandant comment il avait pu être assez stupide pour mordre à l'hameçon.

CHAPITRE 5

I

Lorsqu'il était rentré chez lui la nuit qui avait suivi ses retrouvailles avec Whistler, celui-ci occupait presque toutes ses pensées. La manière dont il vivait, le fait qu'il allait très prochainement se faire expulser de sa maison.

Alors qu'il passait le croisement menant à l'Église libre de Crobost, le soleil projetait des ombres grandissantes sur les herbes sèches qui tapissaient la montée. Il jeta un coup d'œil en direction du presbytère qui se dressait sur la colline en surplomb. La voiture du pasteur Murray était garée au pied des marches. Bien qu'ils n'aient jamais été d'accord au sujet de Dieu et de la foi, Fin ressentait une immense empathie à l'égard de son ami d'enfance et, chaque fois qu'il passait à côté de l'église, il partageait un peu de la douleur de Donald. En même temps qu'il éprouvait de la colère à l'idée que les gens puissent à ce point manquer de discernement.

L'ensemble de maisons et de fermes qui constituaient le village de Crobost, dénué d'arbres et livré aux assauts du vent, s'égrenait sur un kilomètre de corniche et dominait la plage de Port of Ness, le port de l'île situé le plus au nord. Endommagé par les tempêtes, il n'était plus utilisé qu'à l'occasion par un pêcheur de crabes de passage. De là où il était, Fin pouvait voir quelques petits bateaux que l'on avait tirés sur le sable. D'autres se balançaient lentement, à l'abri de la jetée, en faisant grincer leurs amarres.

Le pavillon de Marsaili se trouvait juste sous la route, plus proche d'une bonne centaine de mètres de Port of Ness que la ferme des parents de Fin. Il appartenait autrefois aux parents d'Artair. Mais ceux-ci étaient morts, ainsi qu'Artair, et à présent Marsaili y vivait avec son fils. Qui était aussi celui de Fin.

Plus haut sur la route, la vieille ferme où il avait vécu jusqu'à la mort de ses propres parents n'était que partiellement rénovée. À part les murs de pierre, Fin l'avait entièrement démolie. Il avait posé un toit neuf, mais elle n'était pas encore habitable et il s'était installé chez Marsaili. Ils avaient tous deux convenu que ce n'était que temporaire. Il était prévu qu'il dorme dans l'ancienne chambre de la mère d'Artair. Mais en un rien de temps, il s'était retrouvé dans le lit de Marsaili. Comme si les années qui s'étaient écoulées depuis « l'été de l'amour » qu'ils avaient partagé avant de partir pour l'université n'avaient pas existé. Les personnes qu'ils étaient devenus entre-temps, les vies qu'ils avaient menées, semblaient irréelles. Comme les fantômes d'un mauvais rêve. Et pourtant, Fin ressentait un manque. Était-ce en lui ? Ou chez Marsaili ? Ou dans le fait qu'ils n'avaient pas été capables de faire revivre la magie de cet été perdu ? Il n'aurait pas su le dire. Mais quoi que cela puisse être, cela le troublait.

La voiture de Marsaili était stationnée sur le gravier au sommet de l'allée menant au pavillon, le hayon ouvert. Fin se gara derrière. Le sol tourbeux avait durci à cause de la sécheresse et il avait l'impression que l'herbe s'effritait sous ses pas tandis qu'il rejoignait l'allée. La porte de la cuisine était ouverte et il pouvait entendre la voix de Marsaili, quelque part dans la maison. « Et n'oublie pas ton gros pull. Il fait encore chaud, mais il fera froid dans peu de temps, et tu en auras besoin. »

En entrant dans la cuisine, il entendit Fionnlagh crier sa réponse depuis sa chambre située à l'étage. « Il n'y a pas assez de place dans la valise. » Fin sourit. Les gros pulls tricotés n'étaient pas franchement à la mode et Fionnlagh était un jeune homme de son temps.

« Je peux monter si tu veux !

— Non, non, c'est bon. J'arriverai à le faire rentrer, d'une manière ou d'une autre. »

Fin était à peu près sûr que Marsaili retrouverait le pull au fond d'un tiroir dans les jours à venir. Elle débarqua dans la cuisine, soupirant d'exaspération. « Les mecs ! » Les mots semblaient exploser et elle lança un regard mauvais en direction de Fin qui riait. Ce regard, il l'adorait. C'était bien sa Marsaili, les cheveux auburn ramenés en arrière, son beau visage aux lèvres souriantes, ses yeux couleur de bleuet emplis de feu et de glace. « Qu'y a-t-il de si drôle ?

— Toi.

— Merci bien. » Elle le gratifia d'un petit sourire ironique dénué d'humour et s'installa à nouveau devant son plan de travail pour reprendre la confection des sandwichs destinés au voyage en ferry. « Alors, qu'est-ce que ça fait d'avoir à nouveau un vrai boulot ? »

Fin s'appuya contre le réfrigérateur. « Ça ne ressemble pas à un vrai boulot. Pas de bureau, pas de téléphone, personne pour compter mes heures.

— En général, quand ils ne comptent pas, c'est que tu en fais bien plus que ce que tu devrais. »

Fin sourit et hocha la tête. « Ça va probablement être le cas » Puis, il ajouta : « J'ai rencontré un ancien camarade d'école aujourd'hui.

— Ah oui ? » Marsaili était toujours concentrée sur ses sandwichs et il sentit que son histoire ne l'intéressait pas vraiment.

« John Angus Macaskill. Tout le monde l'appelait Whistler.

— Oh, oui. Il jouait de la flûte avec – comment s'appelaient-ils à l'époque – Sòlas ?

— C'est bien lui.

— Un beau mec, bien bâti. Mais avec un problème au ciboulot, je pense. »

Fin eut un sourire crispé en entendant sa description. « Il était trop intelligent, ça l'a desservi. Et c'est toujours le cas.

— Je ne l'ai pas vraiment connu. On ne fréquentait pas les mêmes cercles à l'école. » Elle commença à emballer les sandwichs dans du papier aluminium.

« Non, tu étais trop occupée avec Artair à l'époque. »

Pendant une fraction de seconde elle marqua une pause et cessa d'emballer les sandwichs, mais elle ne se retourna pas. « Et que fait-il à présent ?

— Il vit comme un clodo dans un gourbi ressemblant de loin à une ferme, vers Uig. »

Elle pivota sur elle-même, les sandwichs emballés dans une main, un air de curiosité dans le regard. « Comme un clodo ? »

Fionnlagh apparut dans la cuisine, tirant une énorme valise marron derrière lui. Il était aussi grand que Fin. Peut-être plus. Avec des boucles blondes serrées, dressées en pointes avec du gel, et les yeux bleus de sa mère. Il salua son père d'un signe de tête pendant que Fin continuait sa description de Whistler à l'attention de Marsaili. « Il a décidé de vivre en marge. En autarcie. Il braconne, bien sûr. En plus d'être empêtré dans une bataille compliquée pour la garde de sa fille.

— Avec sa femme ?

— Non, elle est morte. Kenny John Maclean est son tuteur légal. »

Fionnlagh se mêla à la conversation. « Vous êtes en train de parler d'Anna Bheag ? »

Fin le regarda, l'air surpris. « Tu la connais ?

— Anna Macaskill, de Uig ?

— Ça doit être elle. »

Fionnlagh hocha la tête. « Plutôt du genre à attirer les ennuis. Elle est en troisième à Nicolson. Jamais vu autant de tatouages au centimètre carré sur une fille. Elle est jolie, mais elle a les cheveux coupés court comme un mec, et le visage percé de partout. »

Fin était interloqué. Ce n'était pas l'image que lui avait évoquée la « petite Anna » de Whistler. « Quel âge a-t-elle ? »

Fionnlagh haussa les épaules. « Quinze ans, peut-être ? Mais elle n'est plus vierge, ça, c'est sûr. Elle traîne avec une bande de camés. Dieu seul sait à quoi elle carbure. Dommage. C'est une gosse intelligente. Mais elle n'en fait rien. » Il jeta un coup d'œil à sa mère. « Je porte ça jusqu'à la voiture ?

— Vas-y », répondit Marsaili. « Je mettrai les sandwichs dans ton sac à dos. »

Fionnlagh commença à tirer sa valise hors de la maison. « Je n'ai pas besoin de sandwichs. Je m'achèterai quelque chose sur le bateau. »

Marsaili se dirigea vers le salon et lui lança sans se retourner : « L'argent ne pousse pas sur les arbres, Fionnlagh. Tu t'en rendras compte bien assez tôt quand tu essaieras de joindre les deux bouts à Glasgow. »

Un quart d'heure plus tard, ils remontaient tous en direction de la route avec les dernières affaires de Fionnlagh quand la voiture de Donald se gara devant eux. Fionnlagh aida Donna à sortir sa valise du coffre. Ces derniers temps, à chaque fois que Fin voyait Donald, il semblait avoir perdu du poids. Son charme de jeune homme s'était envolé, et ses cheveux fins et blonds prenaient le même chemin. Comme toujours, Fin était étonné de voir à quel point Donna paraissait jeune. À peine assez âgée pour être la mère de la petite-fille de Fin. À dix-sept ans, on lui en aurait donné douze. En dépit de l'été long et chaud, elle conservait une pâleur hivernale comme si elle ne sortait jamais. Il se demanda à quel point Fionnlagh lui ressemblait et si sa relation avec Donna survivrait à leurs années d'université. Au moins, pensa-t-il, ils avaient le ciment d'un enfant pour les faire rester ensemble. Contrairement à Fin et à Marsaili. Les choses auraient peut-être été différentes alors, si Fin avait su que Marsaili était enceinte de son enfant.

Ils transférèrent la valise de Donna dans la voiture de Marsaili qui devait les conduire jusqu'au ferry à Stornoway. Puis ils restèrent tous debout, en cercle, mal à l'aise, aucun d'eux ne souhaitant entamer les adieux, même s'ils allaient devoir s'y résoudre. Finalement, ils échangèrent les accolades et les baisers rituels et, avant de s'installer derrière le volant, Marsaili dit à Donald : « Préviens Catriona que je passerai prendre Eilidh dans la matinée. » Le bébé allait passer sa dernière nuit chez les Murray. Marsaili avait accepté de s'occuper de sa petite-fille pendant que Fionnlagh et Donna seraient à l'université. Une deuxième maternité non désirée qui anéantissait le souhait qu'elle avait exprimé, à peine quelques mois auparavant, de reprendre ses études et de partir en quête de la jeune femme dont elle avait gâché les espoirs. Elle sacrifiait la seconde chance que lui donnait la vie pour qu'ils puissent tenter la leur.

Fin et Donald, debout côte à côte, regardèrent la voiture passer le virage en direction du bazar de Crobost pour rejoindre la route principale qui menait à Stornoway. À la même heure, le lendemain, leurs enfants seraient à Glasgow, entamant de nouvelles vies, laissant leurs parents se débrouiller avec le foutoir qu'ils avaient fait des leurs.

Fin leva les yeux vers le soleil qui plongeait vers l'ouest. Les jours étaient encore longs et il restait probablement encore plusieurs heures de clarté. Mais, sous peu, ils commenceraient à raccourcir et les insulaires devraient se faire à l'idée qu'un autre hiver, long et lugubre, allait commencer après le plus bel été dont, de mémoire d'homme, l'île ait bénéficié.

Le craquement d'une allumette attira l'attention de Fin qui tourna la tête et constata, étonné, que Donald allumait une cigarette, les mains ramenées en coupe autour de la flamme vacillante. Cela semblait discordant, le geste jurait avec le coton noir et le col romain, qui eux-mêmes détonaient avec le jean et les baskets. Son visage s'amincit quand il tira sur la cigarette. Cela devait faire près de dix-huit ans que Fin n'avait pas vu Donald fumer, et à l'époque il devait certainement s'agir d'un joint.

« Quand t'es-tu remis à fumer ? »

Donald envoya une autre bouffée de fumée dans ses poumons. « Quand j'ai arrêté de faire attention.

— À quoi ?

— À moi. » Il expira la fumée qui s'évanouit dans le vent. « Oh, ne t'inquiète pas, Fin. Je ne suis pas encore en train de me complaire dans mon malheur. » Il lui jeta un coup d'œil. « Allons marcher sur la plage. J'ai un service à te demander. »

La marée était en train de remonter. L'écume crémeuse filait sur le sable compact et vierge de traces, hormis celles laissées par les becs des mouettes à la recherche de nourriture sous la surface. Fin et Donald laissaient aussi leur propre piste qui, par intermittence, obliquait vers le sommet de la plage lorsqu'ils avaient évité les vagues qui venaient mourir sur le sable. Profitant des derniers rayons de soleil qui illuminaient les pignons des maisons alignées au-dessus du port, les mouettes tournoyaient dans le ciel en criant. Le vent avait forci, mais il procurait encore une sensation de tiédeur sur leurs visages.

Ils marchaient depuis un moment quand Donald dit : « J'ai appris l'autre jour qu'ils pourraient me demander de quitter le presbytère. »

Fin fut surpris. « Et qu'en est-il d'"innocent jusqu'à preuve du contraire"? Tu n'es que suspendu, nom de Dieu!

— Ce n'est pas au nom de Dieu, Fin, mais au nom de l'Église. Pour son bien. » Donald fixait un point à l'horizon, loin devant eux. « Apparemment, certains des aînés estiment que le pasteur qu'ils ont envoyé pour prêcher à ma place devrait aussi avoir ma maison.

— Ce sont sans doute les mêmes aînés qui ont porté plainte contre toi. »

Pendant une seconde, l'ombre d'un sourire apparu sur les lèvres de Donald. « Évidemment. » Il s'évanouit presque instantanément. « Je crois que Catriona va me quitter. »

Fin s'arrêta net, planté sur le sable. Donald fit encore quelques pas avant de s'en rendre compte et de s'arrêter à son tour. Il se retourna. « Pourquoi? », lui demanda Fin.

Donald haussa les épaules. « Parce que je ne suis plus l'homme qu'elle a épousé. C'est ce qu'elle dit.

— Tu es l'homme qui a sauvé la vie de sa fille.

— En tuant un autre homme.

— Le procureur lui-même a dit que pas un jury ne te condamnerait pour avoir tué dans le but de sauver des vies innocentes. Tu n'as rien fait de mal.

— Aux yeux de la loi, peut-être.

— Tu n'avais pas le choix.

— On a toujours le choix.

— Entre deux maux, tu as choisi le moindre.

— Dieu est très clair à ce sujet, Fin. Tu ne tueras point. Ce n'était pas une requête, c'était un commandement. » Il prit une profonde inspiration. « Et de toute façon, c'est l'argument que vont employer mes accusateurs. Et c'est de cela dont je voulais te parler.

— Du sixième commandement? »

Donald eut un petit rire. « Non, Fin. Je pense être suffisamment au courant de ton opinion sur tout ce qui touche Dieu et l'Église.

— De quoi s'agit-il alors ? »

Le sourire de Donald disparu. « Le Consistoire a décidé de porter l'affaire devant la Cour disciplinaire. Un procès en fait. Sous la loi de l'Église. Si je veux conserver mon boulot, il va falloir que je me défende. Et ils veulent appeler des témoins. Ils veulent te faire comparaître. » Pour la première fois, il semblait ne pas être sûr de lui. « Tu témoigneras ? »

Revinrent alors à la mémoire de Fin tous ces moments de leur enfance où Donald l'avait défendu, quitte à se mettre lui-même en danger. Il sentit l'émotion l'envahir comme une rivière en crue. Pendant un instant il se demanda s'il allait réussir à parler. Puis, enfin, il retrouva sa voix. « Donald, comment as-tu pu imaginer que je refuserais ? »

II

Le jour suivant, Fin se rendit à son premier rendez-vous avec Jamie dans le bureau personnel du propriétaire du domaine. Fin et Kenny se tenaient debout, au-dessus de la carte topographique n° 13 de Lewis Est et Harris Nord, déployée sur le bureau, tandis que Jamie, à l'aide d'un marqueur orange surlignait les différentes parties du réseau hydrographique du domaine de Red River.

À l'évidence, Big Kenny s'ennuyait. Il connaissait le domaine et le réseau hydrographique mieux que personne, mais Jamie était son patron et il voulait mettre Fin au courant lui-même.

La pièce était encombrée et le bureau, immense, occupait presque toute la place. Des vitrines où étaient exposés des poissons empaillés et des mouches pour la pêche s'alignaient sur le mur et une tête de cerf à l'air impérieux, montée sur une plaque, trônait au-dessus de la porte.

Fin se souvenait de Jamie à cause de ses années d'adolescence passées à Uig avec Whistler. Chaque Noël, à Pâques et pendant les vacances d'été, sir John Wooldridge sortait son fils de son pensionnat et l'amenait sur l'île pour qu'il découvre le domaine. Il avait deux ans de plus que la plupart d'entre eux mais, adolescent déjà, il avait acquis cette attitude discrètement paternaliste du propriétaire terrien. Cela ne faisait pas si longtemps que l'ensemble des terres de Lewis n'appartenaient plus à un seul propriétaire, une époque où les habitants qui louaient les fermes et travaillaient la terre étaient à peine mieux traités que des serfs. Ainsi, autrefois, lorsqu'il avait été décidé que l'élevage des moutons était plus rentable que la culture du sol, de nombreux fermiers avaient été expulsés et envoyés dans des endroits choisis pour eux, au Canada ou en Amérique, avec guère plus de prise sur leur avenir que les esclaves que l'on avait arrachés du continent africain.

Les souvenirs ne s'effaçaient pas facilement. Les histoires de l'évacuation des terres avaient franchi les générations et les propriétaires terriens étaient toujours regardés avec méfiance et un peu de crainte. Bien que leurs pouvoirs aient été réduits par un acte du parlement garantissant aux fermiers le droit à jouir de la terre, on considérait encore, à contrecœur, les propriétaires comme une classe supérieure. Une opinion que partageaient les propriétaires eux-mêmes.

Jamie était élancé et bronzé, mais il se dégarnissait et, depuis l'attaque de son père, il avait fait venir sa femme et ses deux enfants qui vivaient avec lui à plein-temps à l'auberge Cracabhal. Il parlait avec l'accent du sud, languissant et mielleux et, à la surprise de Fin, maîtrisait plus qu'honorablement le gaélique. On ne comprenait quasiment rien lorsqu'il le parlait, mais il le comprenait presque parfaitement. Il portait un pantalon en moleskine, des bottes qui lui montaient à hauteur des genoux et une veste Barbour.

« Nous avons cinq réseaux sur le domaine, Fin, des rivières qui arrivent ou partent des lochs. On y pêche du saumon, de la truite de mer et de la truite saumonée. En fait, nous avons plus de cent lochs pour la pêche à la truite saumonée, même si ce n'est pas elle qui intéresse les braconniers. »

Il déplaça son marqueur à travers une zone constellée d'une myriade de taches bleues et traça un cercle autour d'une longue pièce d'eau dont la forme en arc allait du nord au sud et d'ouest en est. « Le loch Langabhat. Cela signifie le "lac allongé" en vieux norrois. Il mesure une douzaine de kilomètres de long. Le plus grand loch d'eau douce des Hébrides. » Elle était là, dans cette simple remarque. Cette idée prétentieuse qu'il était en train de lui apprendre quelque chose – même si c'était Fin qui avait grandi sur l'île et non Jamie. « Nous partageons le droit de pêche avec cinq autres domaines. Grâce à une gestion adaptée, nous avons réussi à accroître la moyenne des prises d'année en année, et même à la doubler ces cinq dernières années. Mais ces putains de braconniers sont en train de tout foutre en l'air. Et pas seulement à Langabhat, mais dans tous les réseaux hydrographiques. Et s'ils nous obligent à fermer boutique, un paquet de gars du coin vont perdre leur boulot. »

Il se redressa et dévisagea Fin.

« Je compte sur vous pour les trouver et mettre fin à leurs activités. Je vous fournirai tous les moyens nécessaires. »

Aux yeux de Fin, cela ressemblait à une enquête policière plutôt classique. Le braconnage n'était certainement pas le fait d'étrangers. Il s'agissait de gars du coin qui connaissaient le terrain. Quelqu'un devait savoir qui ils étaient. Et il n'était pas seulement question d'attraper le poisson. D'autres le fumaient. Quelqu'un l'achetait. Il y avait une chaîne d'approvisionnement qui conduisait hors de l'île, vers le continent européen ou plus loin encore, et dans la mesure où, quand on parlait de poisson, la fraîcheur était un facteur déterminant, le trafic devait se faire par avion plutôt que par bateau.

« Eh bien, je ne vois pas ce qui pourrait nous empêcher de régler le problème en l'espace d'un mois ou deux, monsieur Wooldridge.

— Jamie », le corrigea Wooldridge.

Fin hocha la tête. « Jamie. » Fin éprouvait de la gêne à l'appeler par son prénom. Les années passées dans la police l'avaient conditionné à s'adresser à quiconque, hormis ceux de rang inférieur, par leur nom de famille ou par « monsieur » ou « madame ».

« Parfait, Fin. Je suis heureux de l'entendre. J'espère que vous avez raison. »

Le bruit d'un véhicule qui se garait à l'extérieur attira l'attention de Kenny, déjà passablement distrait. Il s'approcha de la fenêtre du bureau de Jamie pour regarder dans la cour. Il y avait déjà plusieurs voitures stationnées devant l'auberge Suaineabhal, des clients pour le bar du rez-de-chaussée, mais le nouvel arrivant se rendit à l'opposé de l'auberge, face au portail de la maison de Kenny. « C'est ma fille qui rentre de l'école », annonça-t-il. « Je reviens dans quelques minutes. » Et il se pressa de sortir.

Jamie sembla ennuyé par le départ soudain de Kenny, comme s'il considérait que le régisseur de son domaine aurait dû lui demander la permission de quitter la pièce. Il replia la carte et la tendit à Fin. « Familiarisez-vous avec la carte. Il faut que vous en connaissiez chaque centimètre carré. » Il contourna son bureau et se dirigea vers la porte. « Les gens pensent que cela devrait être facile d'attraper des braconniers sur une île. » Il ouvrit la porte puis sembla hésiter, la main sur la poignée. « Mais, la vérité, Fin, c'est que ce domaine couvre l'une des zones sauvages parmi les plus vastes et les plus inaccessibles d'Écosse. Il y a de larges étendues tout bonnement impossibles à atteindre par la route. Le seul moyen d'en faire le tour, c'est à pied ou en bateau. » Il reprit sa respiration. « Je reviens dans une minute. Je vous offrirai un verre au bar et vous ferez la connaissance de quelques-uns de nos gardes. »

Il disparut dans le couloir et Fin se rapprocha de la fenêtre. Poussé par la curiosité et la description que Fionnlagh avait faite d'Anna Macaskill, il espérait apercevoir la fille aux tatouages et au visage couvert de piercings.

Le ciel était couvert et la lumière commençait à décliner mais il la vit assez distinctement, debout sous les arbres, de l'autre côté de l'allée. La voiture qui l'avait déposée repartait et s'engageait sur le chemin étroit qui rejoignait la route principale. Kenny traversait la cour à grandes enjambées pour aller lui parler.

En dépit de la description évocatrice de Fionnlagh, son apparence demeurait choquante. Son cou et ce que l'on voyait de ses bras étaient couverts de tatouages bleu sombre. À cette distance, il était impossible de distinguer ce qu'ils représentaient. Ses cheveux étaient anormalement noirs, coupés court comme l'avait dit Fionnlagh, mais également teints en rose sur un côté, au-dessus d'une oreille ornée de plus d'une douzaine d'anneaux qui traversaient le cartilage de l'hélix. Le sourcil opposé était percé de cinq ou six clous, et plusieurs autres anneaux lui mangeaient la lèvre inférieure. Elle arborait également un clou dans la narine et, bien que Fin ne puisse le voir, il s'imagina que sa langue devait probablement être percée elle aussi.

Vêtue d'une jupe courte noire sur des leggings noirs eux aussi, et d'un sweat à capuche gris anthracite enfilé sur un tee-shirt échancré, elle portait haut sur l'épaule un sac en cuir couleur fauve.

Bizarrement, en dépit de tout cela, elle avait un beau visage et quelque chose dans ses yeux cernés de noir lui confirma qu'il ne pouvait s'agir de personne d'autre que de la fille de Whistler.

C'était cependant son beau-père qui s'avançait vers elle pour l'accueillir. Bien que sa présence en imposât, elle sembla rétrécir lorsque Kenny se posta à côté d'elle et Fin réalisa à quel point elle était menue. Il pensa au nom que Fionnlagh avait employé pour parler d'elle – Anna Bheag. La petite Anna. Il observa son langage corporel. Elle semblait sur ses gardes, mais sans hostilité. Elle n'essaya pas d'éviter la grande main qui se posait sur sa joue avec tendresse. Un geste fugace de chaleur et d'affection qui contredisait l'image de virilité bourrue que Kenny aimait donner. Ils restèrent ainsi à discuter pendant quelques instants, sans heurts ni rancœur, et Fin vit clairement que leur relation n'était pas affectée par l'antagonisme habituel que l'on retrouve souvent entre un père et sa fille adolescente. Il y avait presque quelque chose de touchant dans la manière dont ils se comportaient l'un avec l'autre.

Puis, il vit le regard d'Anna se poser sur lui. Il y eut un changement, dans son expression mais aussi dans son attitude. Elle se tourna vers lui, soudain raide, hostile et provocante. Elle dit quelque chose et Kenny se retourna, les yeux levés vers la fenêtre du bureau de Jamie. Fin, en train de les observer debout derrière la fenêtre, devait être aussi visible que le nez au milieu de la figure.

Elle dressa le majeur de sa main droite et lui adressa un doigt d'honneur. Malgré le double vitrage, il l'entendit crier : « Pourquoi tu prends pas une photo ? Ça durerait plus longtemps ! » Il ressentit un choc, presque physique, et le rouge lui monta aux joues.

Kenny essaya de lui parler, mais elle fit demi-tour sans dire un mot et remonta l'allée en direction de la maison. Kenny se tourna vers Fin, les sourcils relevés, un petit sourire gêné sur les lèvres et, comme pour s'excuser, esquissa un petit haussement d'épaules.

Le bar était bondé. La buée recouvrait progressivement les fenêtres au fur et à mesure que la température extérieure chutait. Une demi-douzaine d'hommes étaient rassemblés autour d'un billard dans une alcôve, d'autres étaient assis sur des chaises autour de tables rondes en bois. Mais la plupart se tenaient debout le long du bar, sur trois ou quatre rangs, buvant des pintes, élevant la voix pour se faire entendre au-dessus du brouhaha. Fin percevait en fond sonore le boum boum distant de la musique que crachait la stéréo.

Lorsque Jamie, suivi de Fin et de Kenny, entreprit de se frayer un chemin jusqu'au bar, les corps s'écartèrent comme la mer Rouge devant Moïse. Quand ils l'eurent atteint, Kenny se pencha vers Fin et lui chuchota à l'oreille : « Désolé pour la petite. Elle est à un âge difficile. » Pendant un moment Fin se demanda comment diable il parvenait, dans le même temps, à s'occuper du domaine et à élever une fille adolescente. Puis, il se souvint qu'Anna était absente cinq jours par semaine et logeait dans une résidence universitaire à Stornoway. Comme lui en son temps. Il ne s'agissait donc que d'un boulot à temps partiel. À le regarder, on ne se serait jamais douté que Kenny était un homme ayant dû faire face à la mort tragique de sa femme et élevant, seul, la fille d'un autre homme. La fille de sa compagne. La seule part d'elle-même qu'elle lui ait laissée.

Sans leur demander ce qu'ils voulaient boire, Jamie commanda des pintes et le barman posa sur le comptoir déjà luisant d'alcool trois verres de bière ambrée pétillante, dégoulinants de condensation et de mousse. Jamie se saisit de sa pinte et la leva. « À notre réussite », dit-il. Fin et Kenny levèrent leurs verres et burent en silence. Jamie fit un signe à un groupe d'hommes qui se trouvaient de l'autre côté de la salle et cria : « Ewan. Peter. Venez par ici que je vous présente Fin Macleod. »

De nombreuses têtes se tournèrent dans leur direction et Ewan et Peter les rejoignirent.

« Garde-chasse et garde-pêche », dit Jamie. « Tous les deux des gars bien. »

Ewan avait la cinquantaine, un visage aux rides profondes, tanné par les heures innombrables passées à l'extérieur. Peter était plus jeune, mais c'était un colosse dont la barbe fournie évoquait du crin de cheval s'échappant d'un matelas. Ils échangèrent des poignées de main.

« Fin est notre nouveau chef de la sécurité », expliqua Jamie. « Il va attraper nos braconniers. » Les deux hommes jetèrent un regard sceptique dans sa direction mais ne firent pas de commentaires.

Fin enchaîna : « Il serait peut-être préférable de ne pas le clamer sur les toits, monsieur Wooldridge. Il ne faut pas que nous montrions notre jeu avant d'abattre nos cartes. »

Kenny se mit à rire. « On ne garde pas un secret plus de cinq minutes par ici, Fin. Tu devrais le savoir. Les braconniers doivent tout connaître de toi depuis l'instant où tu as posé un pied sur le domaine. »

Fin avait à peine pris garde à la porte qui venait de s'ouvrir et au souffle d'air frais entre leurs jambes. En revanche, la soudaine baisse d'intensité des conversations dans le bar attira immédiatement son attention. Il se retourna et vit Whistler, debout dans l'embrasure de la porte. Le silence se fit autour d'eux, à l'exception de la chaîne stéréo qui continuait à diffuser de la musique au kilomètre.

Whistler ressemblait à un sauvage tout droit sorti des collines. Les cheveux ébouriffés et emmêlés par le vent. Un jour supplémentaire de barbe lui donnait un air encore plus négligé. Des touffes argentées y rappelaient les mèches de la même couleur qui couraient dans ses cheveux. Ses yeux étaient noirs, sans reflets ni pupilles. Il scruta un par un les visages qui lui faisaient face et Fin décela un semblant de sourire sur ses lèvres. À n'en pas douter, il appréciait de monopoliser l'attention, et son apparition au bar de l'auberge Suaineabhal était une première.

« Y a un problème ? Vous avez vu un spectre ? » Sa voix emplissait le pub et tous se sentirent soudain gênés, prisonniers d'une fascination commune et d'un silence que personne n'osait briser. Whistler s'avança vers le bar. « Une pinte de limonade. » Le barman semblait paralysé. Ses yeux de lapin effrayé sautaient alternativement de Whistler à Jamie. « Ne t'inquiète pas pour la note. » Whistler essayait, à l'évidence, d'apaiser ses craintes. « J'ai du crédit ici. Les Wooldridge me doivent une fortune.

— Je pense que tu fais erreur, John Angus. » Un léger tremblement dans sa voix démentait le calme imperturbable qu'affichait Jamie.

Whistler balança la tête en direction de Jamie. « Oh ? Et comment cela, monsieur Wooldridge ?

— C'est toi qui nous dois de l'argent. Plus de dix ans de loyers impayés. Alors il y a de fortes chances que je t'envoie les huissiers pour te faire expulser. De la ferme et de la maison. À moins que tu ne sois venu ce soir pour régler ton dû.

— J'en serais ravi, si tu voulais bien cracher ce que tu me dois. »

Quelqu'un avait arrêté la musique et le silence n'était plus brisé que par le bruit du vent qui sifflait autour des portes et des fenêtres.

« Nous ne te devons rien.

— Ton père me doit quelque chose.

— C'est-à-dire ? »

Whistler ôta son sac à dos et le laissa tomber sur le bar. Il défit la fermeture Éclair et fit apparaître une de ses figurines sculptées. « Ton père m'en a commandé un jeu complet pour la fête. Je l'ai terminé. Tu peux passer les prendre quand tu veux. »

Jamie lui rendit son regard, inflexible. « J'imagine que tu peux me montrer un contrat ? »

Pour la première fois, Fin vit le doute s'insinuer dans les yeux de Whistler. « Il n'y a pas de contrat. Ton père me faisait confiance, et je lui faisais confiance.

— Eh bien », Jamie sourit, à présent il avait l'avantage. « Nous n'avons que ta parole. Et comme mon père est encore dans une maison de repos suite à son attaque, cela ne sera pas facile à vérifier. » Il marqua une pause. « Et je peux te garantir qu'il ne sera pas question d'argent tant que ça ne l'aura pas été. » Il leva sa pinte pour boire une gorgée, convaincu d'avoir remporté l'échange. « Donc, si tu ne paies pas avant la semaine prochaine, tu peux t'attendre à la visite des huissiers. »

Son verre n'atteignit jamais ses lèvres. Whistler se jeta sur lui. Un grognement sauvage, comme le cri de guerre d'un animal fusant d'une gueule aux dents jaunes. La pinte de Jamie vola dans les airs, arrosant au passage les clients les plus proches. Le fracas du verre brisé accompagna l'atterrissage des deux hommes sur le sol. Le bruit de l'air expulsé de force des poumons de Jamie fit mal à entendre. Whistler s'était abattu sur lui de tout son poids. Un poing énorme fendit les airs et s'écrasa haut sur la pommette du jeune propriétaire terrien. Un autre s'enfonça dans son ventre. Jamie suffoquait de douleur, mais il n'avait plus assez d'air dans les poumons pour hurler.

Un tas de paires de mains, dont celles de Fin et de Kenny, tirèrent Whistler en arrière. Dans le flot de pensées qui défilaient dans son crâne, Fin se souvint que ce n'était pas la première fois qu'il aidait à libérer un pauvre bougre de l'emprise de Whistler. Mais ce dernier n'était pas décidé à se laisser mater. Il battit sauvagement des bras, se libéra des mains qui l'avaient saisi et se retourna, les yeux étincelants, pleins de ces reflets encore absents quelques minutes plus tôt. De nouveau son poing fendit les airs et cueillit Fin en plein sur la mâchoire, l'envoyant en arrière, bras écartés à travers la foule, avant qu'il ne s'écroule sur le sol comme un poids mort, des flashs lumineux devant les yeux.

Un certain nombre de ceux qui étaient présents ce soir-là connaissaient l'histoire de Fin et Whistler, de leur lien quasiment indestructible forgé à l'adolescence. Cela rendait le fait que Whistler l'ait frappé encore plus inconcevable. Les voix qui avaient rompu le silence pour réclamer du sang se turent brutalement. On entendit le glissement de pieds battant en retraite et un espace se forma autour d'eux. Kenny aida Jamie à se remettre sur ses pieds. Whistler se tenait là, le souffle court, les yeux braqués sur Fin encore allongé sur le sol, le regard mauvais. « Je ne t'aurais jamais pris pour un laquais de propriétaire », s'écria-t-il, comme s'il essayait de trouver une excuse à ce qu'il venait de faire.

Fin se hissa sur un coude et tâta son visage de la main pour vérifier si sa mâchoire était brisée. Il recueillit sur ses doigts le sang de sa lèvre qui s'était fendue contre ses dents. Des mains l'aidèrent à se remettre debout. Il dévisagea Whistler et le silence qui était retombé se chargea d'anticipation. Mais Fin n'avait pas l'intention de se battre. Sa douleur était plus profonde qu'une simple blessure physique. Il secoua la tête. « Je ne t'ai jamais pris pour autre chose que pour un ami. »

Whistler, les yeux humides et les lèvres serrées, regrettait son geste. Il luttait pour calmer la colère qui l'habitait encore. « Je n'ai rien contre toi.

— Tu viens de me frapper !

— Tu t'es rangé contre moi à ses côtés. » Il se retourna et grogna en regardant Jamie qui tressaillit involontairement.

68

« Je ne me suis rangé aux côtés de personne, Whistler. Je suis du côté de la loi. Et tu l'enfreins.

— Quelquefois, Fin, être du côté de la loi c'est être du mauvais côté.

— Je ne pense pas. » À peine ses mots eurent-ils quitté sa bouche qu'il songea à Donald.

Whistler ricana bruyamment, comme un cheval impatient qu'on lui lâche la bride. « Eh bien, nous verrons ça. La lune est pleine demain. Une nuit parfaite pour aller faire un tour au loch Tathabhal. Le poisson va mordre, c'est sûr. Peut-être m'y verras-tu, peut-être pas. Mais si tu m'y trouves… eh bien, peut-être, alors, verrons-nous qui a tort et qui a raison. »

Il était clair pour tout le monde que Whistler lançait un défi. Attrape-moi si tu peux. Il fit demi-tour vers la porte, bouscula ceux qui se trouvaient sur son passage et disparut dans la nuit.

« Kenny, appelle la police », dit Jamie. Livide de colère, il tremblait et essayait encore de retrouver son souffle.

« Non. » Fin arrêta Kenny dans son élan.

« Il nous a attaqués tous les deux, tout le monde est témoin. » Jamie contenait sa colère avec difficulté.

« Les hommes se battent », dit Fin. « C'est eux que cela regarde. Pas la police. Vous l'avez menacé de l'expulser de chez lui. De la maison où sa famille vit depuis des générations. Vous imaginiez qu'il allait le prendre comment ?

— Il a dix ans de loyer de retard !

— Et ça représente quoi pour vous ? Quelques centaines de livres sterling ? Vous lui devez de l'argent pour les figurines.

— Et en quel honneur ?

— Je les ai vues. Tout l'ensemble. Il n'a pas fait ça pour le plaisir. Je vous suggère de vérifier la chose auprès de votre père. »

Jamie fit deux pas dans sa direction, baissant la voix, le ton menaçant. « Vous me le chopez, Macleod. Vous le chopez ou je fais venir des gens pour s'en occuper. » Fin remarqua que le « Fin » amical avait été remplacé par son nom de famille.

« Oh, je vais m'en occuper », répondit Fin, ses yeux verts braqués sur ceux de Jamie. « Mais pour son bien, pas pour le vôtre. »

Près de vingt minutes s'étaient écoulées lorsque Fin sortit dans le crépuscule. Le vent était tombé, la clarté lunaire s'étendait déjà sur les collines et dessinait des taches argentées à travers les feuilles des arbres qui entouraient l'auberge. Les étoiles étaient à peine visibles au milieu d'un ciel d'azur sombre, et les puces, dont la saison se trouvait prolongée par le temps encore chaud et sec, mordaient. Des nuages de ces bestioles, dissimulés par la lumière déclinante, emplissaient la nuit. On ne les voyait pas, mais on les sentait.

Dans son dos, le tumulte du bar s'estompait. Fin vit deux silhouettes sous les arbres de l'autre côté de la cour et il constata avec étonnement qu'il s'agissait de Whistler et d'Anna. Il entendit leurs voix, échauffées par la colère, mais sans comprendre ce qu'ils se disaient. Ils ne le remarquèrent pas et il resta immobile, les observant de loin, écoutant leur dispute qui s'envenimait. Soudain, elle gifla son père avec une telle force que celui-ci recula. Le claquement résonna dans la nuit. Un coup si puissant pour une si petite personne. Anna Bheag. La petite Anna. Prenant le dessus sur le gaillard qu'était son père. Elle se détourna immédiatement et se hâta de remonter l'allée en direction de la maison. Fin était sûr de l'avoir entendue sangloter.

Pendant ce qui sembla une éternité, les deux hommes restèrent immobiles. Whistler n'avait toujours pas remarqué la présence de Fin quand ce dernier se racla la gorge.

Whistler tourna brusquement la tête. Ils restèrent ainsi quelques instants, se dévisageant dans la faible clarté du soir. Puis, Whistler fit demi-tour et s'éloigna dans la nuit, sans se retourner.

CHAPITRE 6

Fin et Gunn se tenaient debout à côté de l'hélicoptère et observaient l'équipe de terrain au travail. Il lui avait fallu une heure supplémentaire pour arriver sur place, et la nuit commençait à tomber. Le professeur Wilson avait été étonné de constater qu'il arrivait à capter un signal sur son téléphone mobile s'il se plaçait au-dessus d'eux, sur le replat de la montagne. Il parlait avec animation à une personne qui se trouvait à Édimbourg.

Silencieux, Gunn laissait son regard vagabonder dans la vallée, l'air pensif. Il se tourna soudain vers Fin. « J'ai reçu une lettre du Consistoire hier, monsieur Macleod. Je suis convoqué pour témoigner au procès, ou je ne sais comment ils appellent ça, de Donald Murray. »

Fin hocha la tête. Sa convocation devait, sans aucun doute, l'attendre chez lui. Il se demanda ce qu'il allait dire à ces gens qui voulaient jeter Donald Murray hors de leur Église. Il ferma les yeux et se remémora cette nuit horrible à Eriskay quand deux types d'Édimbourg se tenaient face à eux, armés et déterminés à les tuer. Donald était arrivé comme un ange vengeur, ôtant la vie à l'un et sauvant tous les autres. Un homme motivé par la menace qui pesait sur les vies de sa fille et de sa petite-fille, sa progéniture, peut-être la seule raison pour laquelle Dieu l'avait mis sur cette terre.

Enfin, si l'on croit en Dieu.

« Je ne suis pas obligé d'y aller », poursuivit Gunn. « Après tout, ce n'est pas une convocation judiciaire. »

Fin acquiesça. « Non. » Puis, il fronça les sourcils. « Mais pourquoi n'iriez-vous pas ?

— Parce que j'ai peur que cela le desserve plus qu'autre chose, monsieur Macleod. » Fin avait depuis longtemps abandonné l'idée de convaincre Gunn de l'appeler par son prénom. Lorsqu'il était inspecteur de police, Fin était d'un rang supérieur et Gunn était particulièrement à cheval sur le protocole. Même si Fin avait quitté la police depuis un bon moment.

« En quoi le fait de dire la vérité pourrait-il le desservir ?

— Parce qu'après que ces foutus gangsters eurent kidnappé Donna et le bébé à Crobost et qu'ils furent partis en direction du sud pour vous retrouver, vous et les autres, tout ce que Donald Murray avait à faire, c'était de décrocher le téléphone et d'appeler la police. Mais il était tellement déterminé à régler ça lui-même. S'il nous avait simplement téléphoné, les choses auraient pu tourner différemment.

— Ouais. » Fin hochait la tête avec gravité. « Nous aurions tous été tués. Une paire de policiers insulaires désarmés n'aurait pas pesé lourd face à deux malfrats de l'extérieur, George. Vous le savez bien. »

Gunn acquiesça à contrecœur en haussant les épaules. « Peut-être.

— Pour quelle autre raison le procureur aurait-il abandonné les charges d'homicide volontaire ?

— Parce qu'il savait qu'il n'obtiendrait pas de condamnation en cour de justice, monsieur Macleod. » Il se gratta le crâne. « Mais le tribunal de l'Église libre d'Écosse… c'est une autre histoire. »

Fin soupira et hocha la tête pour signifier son approbation. L'inquiétude le submergea tant il se sentait impuissant à aider son ami.

Gunn l'observa un moment puis partit en direction de l'avion dans la vallée en contrebas. « Je ne sais pas comment on va sortir ce truc de là. J'imagine qu'ils vont vouloir le ramener à Stornoway pour l'examiner. Il doit y avoir un hangar à l'aéroport que nous pourrons utiliser pour l'entreposer. Ou peut-être la vieille usine Clansman en ville. Je crois qu'elle est encore vide. Mais bon, on n'arrivera jamais à le faire passer dans les rues. Non, c'est l'aéroport la meilleure solution. »

Il se tourna, sollicitant l'approbation de Fin. Mais celui-ci l'écoutait à peine. « George, y aurait-il une chance que je puisse assister à l'autopsie ?

— Pas l'ombre d'une, sir. Sans vouloir vous offenser. Vous étiez un bon flic, monsieur Macleod. Et je ne doute pas une seconde que votre expérience serait utile lors de l'autopsie. Mais vous n'êtes plus officier de police, juste un témoin clé dans la découverte de l'avion. Vous et John Angus Macaskill. » Il avançait d'un pas mal assuré. « J'ai reçu un appel avant notre départ. Une équipe d'enquêteurs est en route. Si par malheur je vous laisse approcher de la salle d'autopsie, le prochain qu'on découpera sur le billard pour déterminer la cause de sa mort, ce sera moi. » Son sourire se teinta de gêne avant de disparaître. « Comment se fait-il que Whistler ne vous ait pas accompagné pour déclarer la découverte ? »

Fin hésita. Il se rappela la façon très étrange dont Whistler avait réagi. Quand Fin avait regagné les ruches de pierre, Whistler avait disparu, ainsi que toutes ses affaires. Et pendant tout le temps où il avait marché pour rejoindre son Suzuki, Fin ne l'avait pas aperçu une seule fois. Gêné, il jeta un coup d'œil en direction de Gunn et haussa les épaules. « J'imagine qu'il a pensé que cela ne serait pas nécessaire. »

Gunn le dévisagea avec intensité. « Y a-t-il quelque chose que vous ne me dites pas, monsieur Macleod ?

— Non, rien, George. »

Gunn soupira. « Bon, je n'ai pas le temps de partir à sa recherche maintenant. Mais quand vous le verrez, pouvez-vous lui dire de se présenter au commissariat de Stornoway dès qu'il en a l'occasion ? Il me faut une déposition. »

CHAPITRE 7

Moins d'une heure plus tard, Fin quittait la route principale pour remonter le chemin de galets et se garer devant la porte de la *blackhouse* de Whistler, bien que son instinct lui dise que Whistler ne serait pas là. Il descendit du Suzuki et regarda en direction des plages. De la position élevée où il se trouvait, il pouvait voir de l'autre côté de la baie, au-delà de l'immense étendue de sable, les îles de Tolm et Triassamol, presque perdues dans la lumière oblique du soir.

La porte de la maison, en bois brut usé, gris et rugueux, était entrouverte. La serrure et le loquet étaient rouges de rouille et le bois en dessous taché de coulures brunâtres. Fin était certain que même s'il existait une clé pour cette serrure, elle ne tournerait plus dedans. Sur l'île, personne ne fermait sa porte, et de toute façon, qui aurait volé un homme qui ne possédait rien ?

Fin posa le plat de la main sur la porte et la poussa vers l'obscurité. Un grincement puissant rompit le silence et, lorsqu'il pénétra à l'intérieur, le hurlement du vent qui soufflait sur la colline, fut immédiatement assourdi par l'épaisseur des murs.

« Mais, bordel, vous êtes qui vous ? » La voix provenait de derrière un rayon de lumière tamisée qui pénétrait de biais par l'une des minuscules fenêtres au fond de la maison. Elle était perçante et impérative, mais mâtinée de crainte. Fin fit un pas de côté pour mieux voir l'intérieur de la maison et aperçut Anna Bheag, juchée sur le bord d'un fauteuil, à côté des cendres d'un feu éteint. Ses mains étaient posées à plat sur les accoudoirs. Elle était tendue, prête à bouger en un éclair, comme un chat. Mais un chat mal nourri, maigre et méchant, les yeux brillants d'hostilité. La lumière de la fenêtre s'accrochait au côté teint en rose de ses cheveux qui luisait dans l'obscurité comme un néon.

« Fin Macleod. Je suis un ami de ton père.

— Mon père n'a pas d'amis », lui cracha-t-elle.

« Il en avait. »

Elle était encore sur ses gardes et pencha la tête sur le côté, plissant les yeux tout en l'observant à travers les grains de poussière qui flottaient dans les rayons de lumière diffusés par les fenêtres. « C'est vous le type chelou qui nous matait depuis la fenêtre à Suaineabhal avant-hier ? »

Fin sourit. « Oui, c'est moi. Mais c'est la première fois que l'on me trouve chelou.

— Vous regardiez quoi alors ?

— Toi. »

Sa franchise sembla la surprendre. « Pourquoi ?

— Je voulais voir à quoi ressemblait la fille de mon vieil ami.

— Je vous l'ai dit, cet enfoiré n'a pas d'amis. »

Fin fit quelques pas prudents plus avant dans la maison. Il sentit Anna se tendre. « J'étais à l'école avec lui.

— Je ne l'ai jamais entendu parler de vous.

— J'ai été absent de l'île pendant longtemps.

— Et pourquoi vous êtes revenu dans ce trou paumé ? »

Fin haussa les épaules et se posa intérieurement la question. « Parce que c'est chez moi. Et puis j'ai un fils ici dont j'ai ignoré l'existence pendant près de dix-huit ans. »

Pour la première fois, il lut de la curiosité dans son regard. « Ici, à Uig ?

— Non, à Ness. Il vient juste de partir à l'université.

— Il devait être à Nicolson, alors. Peut-être que je le connais.

— Peut-être, en effet. Fionnlagh Macinnes. »

Elle se détendit légèrement. « Vous êtes le père de Fionnlagh ? »

Fin fit oui de la tête.

« Toutes les filles craquaient pour Fionnlagh. »

Fin se souvint que Marsaili disait la même chose à son sujet. « Et toi ? »

Quelque chose ressemblant à un sourire illumina un peu son visage et elle lui lança un « Peut-être » évasif. Puis il s'assombrit de nouveau. « Vous m'avez dit que vous vous appelez Macleod.

— C'est une longue histoire Anna. Pendant la plus grande partie de sa vie, lui et moi pensions qu'il était le fils d'un autre.

— Alors, où étiez-vous pendant toutes ces années ?

— Hors de l'île. Glasgow, et ensuite Édimbourg.

— Marié ? »

Il hocha la tête.

« Et qu'est-ce que votre femme a pensé quand elle a découvert que vous aviez eu un enfant de quelqu'un d'autre ?

— Elle n'est pas venue avec moi.

— Pourquoi ? »

Il avait répondu avec patience à ses questions incessantes, mais elle commençait à fouiller dans un coin sombre de sa vie où son esprit était encore meurtri et fragile. Il hésita.

« Vous l'avez quittée ? »

Fin tira une chaise de la table. Le son des pieds raclant le plancher de bois semblait anormalement bruyant. Il s'assit. « Ce n'est pas aussi simple.

— Eh bien, soit vous l'avez quittée, soit elle vous a quitté. »

Fin contempla ses mains ouvertes devant lui. Était-ce ainsi que cela s'était passé ? Il ne le croyait pas. Un mariage sans amour vieux de seize ans s'était simplement effondré quand la seule chose qui le faisait tenir avait cessé d'exister. Il secoua lentement la tête. « Nous avions un fils. Robbie. Il avait à peine huit ans. » Il ne trouvait pas le courage de lever le regard et de croiser celui d'Anna, mais il sentit immédiatement un changement dans sa voix. Un ton plus feutré. De l'attente.

« Que s'est-il passé ? »

Pendant un moment, il ne parvint pas à parler. Pourquoi était-ce si difficile de raconter cela à cette fille qu'il ne connaissait même pas ? « Il a été tué par un chauffard qui a pris la fuite, à Édimbourg. » S'il fermait les yeux, il pouvait voir les photographies de la rue, prises par la police, qu'il gardait dans un dossier dont il ne parvenait pas à se débarrasser.

Dans la vieille *blackhouse*, un long silence suivit ses paroles avant que finalement il ne lève la tête et ne croise le regard d'Anna. Son visage exprimait un mélange d'émotions. Sympathie, désarroi, peur. Mais elle n'avait pas peur de lui. Elle changea de sujet. « Alors comme ça, vous étiez à l'école avec mon père ?

— Oui.

— Et c'était déjà un fichu trou du cul à l'époque ? »

Fin ne put refréner un sourire qui finit par se transformer en rire. « Oui, il l'était déjà. »

Elle rit à son tour et l'adolescente gothique, enlaidie, se métamorphosa en un instant en une belle jeune fille avec des lueurs dans les yeux. Le changement était presque déroutant. Toutefois, même si l'image avait changé, sa manière de parler était toujours aussi vulgaire. « Allez, crachez-moi comment vous êtes devenu l'ami de ce trouduc ?

— Tu as entendu parler de l'*Iolaire* ? »

Elle fit non de la tête et Fin se demanda à quelle vitesse l'histoire finissait par s'effacer des mémoires. Mais cela n'aurait pas dû le surprendre. Lui-même ne savait rien de cet événement, jusqu'à ce jour de sortie à Holm Point.

CHAPITRE 8

J'ai rencontré Whistler Macaskill pour la première fois quand j'ai quitté l'école de Crobost à Ness pour entrer en troisième à l'institut Nicolson de Stornoway. Nous autres, les garçons de Ness, nous avions une certaine arrogance. Nous nous considérions comme différents. Jusqu'à ce que nous arrivions à Nicolson où nous découvrîmes que tout le monde pensait comme nous. Ceux de Uig, les gars de Lochs, ou ceux des côtes sauvages de l'ouest vers Carloway. Mais la grande ville eut tôt fait de nous calmer.

J'en ris maintenant, mais c'est l'impression que Stornoway donnait à l'époque. C'était la seule ville de l'île, avec tous ses magasins, ses cafés, ses restaurants et ses ports intérieur et extérieur. C'était là que mouillait la flotte de pêche des Hébrides et où vivait une population de onze mille habitants. Malheureusement, il n'y avait plus de cinéma depuis que l'Église avait obtenu la fermeture du Playhouse à la suite de la projection de *Jesus Christ Superstar*. Tout au moins c'est ce que l'on racontait. Cela s'était passé avant que j'y sois et je ne sais pas si c'est la vérité. Le vieux cinéma devint le club de la Légion royale britannique, et il l'est encore.

L'église dominait la vie de tous à l'époque, et par bien des aspects c'est encore le cas. De multiples manières. L'Église presbytérienne d'Écosse et l'Église libre séparatiste étaient les plus importantes. Quand j'étais adolescent, elles n'autorisaient aucun vol ni aucun ferry pendant le sabbat, et il n'y avait pas un magasin, café, marchand de journaux ou fish & chips ouverts. On lisait le journal du dimanche le lundi et si vous aviez oublié d'acheter vos cigarettes le samedi, vous étiez sûr de passer un dimanche encore plus misérable qu'à l'accoutumée.

Cette année-là, cependant, les gars de Uig avaient vraiment quelque chose de spécial. Ils arrivèrent avec leur propre groupe. Six gamins qui jouaient de la musique ensemble depuis l'école primaire. Ils se faisaient appeler Sòlas, un terme gaélique qui signifiait consolation ou réconfort, et ils avaient déjà élaboré leur mélange personnel de musique traditionnelle celtique et de rock. Une fusion originale qui, en peu d'années, ferait d'eux le groupe de rock celtique le plus connu et le plus vendu de leur génération.

Je ne fis pas attention à eux au début. J'étais trop occupé à m'adapter à la vie loin de la maison dans les logements étudiants du Gibson Hostel sur Ripley Place. Nous venions de Ness en bus tous les lundis matin, et nous repartions le vendredi soir. Crobost ne me manquait pas. Mes parents étaient morts depuis des années et la vie avec ma tante était spartiate. Mon ami, Artair, était entré au Lews Castle College parce que ses notes n'étaient pas été assez bonnes pour qu'il soit admis à Nicolson. Les relations avec Marsaili Macdonald, mon amour de l'école primaire, étaient temporairement en suspens. Pendant ces premiers mois, j'étais donc occupé à l'oublier et à me faire de nouveaux amis.

La première fois que j'entendis parler de Sòlas, ce fut quand on annonça qu'un bal traditionnel allait avoir lieu à l'école. Un groupe de jeunes de Uig devait y jouer et quelqu'un dit qu'ils répétaient dans l'une des annexes. Je m'y rendis afin de voir si cela valait la peine d'aller au bal. Cette décision changea le cours de ma vie.

Le groupe comptait six membres.

Roddy Mackenzie était le clavier et le leader du groupe. C'était lui qui prenait les décisions. Il avait un synthétiseur. Un Yamaha DX-9. Je n'avais jamais rien entendu de pareil. Cordes, cuivres, piano à queue, voix humaines. Apparemment, il pouvait reproduire n'importe quel son et vous faire croire qu'il s'agissait du véritable instrument. Roddy était beau garçon. Environ un mètre quatre-vingts, avec une tignasse de boucles blondes qui lui tombaient en cascade autour du crâne et un sourire qui parvenait à vous charmer même si vous ne le vouliez pas, ce qui était exaspérant.

Le batteur, Murdo « Skins » Mackinnon, n'avait qu'un charleston et une caisse claire à son arrivée à Nicolson. Il utilisait un carton comme grosse caisse et des boîtes de biscuits pour les toms. À son départ, il possédait un kit Ludwig complet.

Le guitariste, Uilleam Campbell, était un garçon vif, de petite taille. Tout le monde l'appelait Strings. La plupart des habitants de l'île avaient un surnom car beaucoup de noms de baptême et de noms de famille étaient identiques. Si vous aviez envoyé une carte postale d'Australie adressée à Strings, Uig, île de Lewis, Écosse il l'aurait reçue, sans aucun doute.

Iain MacCuish jouait de la basse. On l'appelait Rambo car il était difficile d'imaginer quelqu'un ressemblant aussi peu à Sylvester Stallone.

Et puis, il y avait Whistler. On l'appelait ainsi parce qu'il jouait de la flûte celtique comme s'il était né avec l'instrument entre les lèvres. La musique qui sortait de sa flûte était liquide, pure, obsédante. Des sons qui plongeaient ou s'élevaient d'un simple déplacement de ses doigts ou d'un mouvement de sa bouche. Venant d'une pareille brute, dont le caractère et les colères allaient me devenir familiers, cela semblait étrange. Son intelligence était telle que pendant que je passais un nombre d'heures incalculable à étudier en prévision des examens de fin de trimestre, Whistler était dans la nature en train de poser des pièges pour les lapins, de pêcher la truite dans la Red River, et se débrouillait malgré tout pour obtenir les meilleures notes de toute l'école. À cette époque, je ne savais pas ce qu'était l'autisme. Si on me posait la question aujourd'hui, je dirais que Whistler Macaskill l'était. Ou en tout cas, quelque chose d'approchant.

Enfin, il y avait Mairead Morrison, qui jouait du violon et chantait. Elle avait la voix d'un ange, un corps qui aurait réveillé les ardeurs du plus indifférent des adolescents et un sourire à vous briser le cœur. De longs cheveux noirs tombant sur ses épaules carrées, des yeux bleus celtiques éblouissants.

Je me trouvais dans l'annexe pendant que le groupe remballait son matériel à la fin de la répétition. L'air niais, j'observais Mairead qui rangeait son violon et je ne réalisai pas tout de suite que la voix qui criait « Hé ! » s'adressait à moi. C'était un grand type aux cheveux roux avec une cicatrice blanche d'environ cinq centimètres sur la joue gauche. Il se tenait à l'autre bout de la salle de classe. Je regardai dans sa direction. « Comment t'appelles-tu ? », me demanda-t-il.

« Fin. Fin Macleod.

— Et d'où viens-tu, Fin ?

— Crobost.

— Eh, diable, un autre Niseach ! » C'était le nom gaélique que l'on donnait aux gens de la région de Ness, située à l'extrémité nord-ouest de l'île. Cela fit rire les autres membres du groupe. Je vis Mairead qui m'observait et me mis à rougir. « Eh bien, je suppose que tu feras l'affaire », dit le rouquin. « Je m'appelle Kenny John, mais tout le monde m'appelle Kenny Mòr. » Ce qui signifie Big Kenny. « J'ai besoin d'un coup de main pour transporter tout le matériel jusque dans la salle.

— Pourquoi as-tu besoin d'un coup de main? Tu ne t'en sortais pas avant? » Whistler s'adressait à Kenny tout en me fusillant du regard.

« Il y a le nouvel ampli, et le matériel de Roddy. Je ne peux pas me les coltiner tout seul.

— Merde! Comme si on n'avait pas déjà assez de parasites qui nous tournent autour! » Whistler sortit de la classe d'un pas rageur.

Kenny sourit. « Fais pas attention à lui. Il est en rogne parce qu'il t'a vu mater Mairead. »

Je rougis à nouveau, cette fois jusqu'à la racine des cheveux, et vis Mairead sourire dans ma direction. Je ne pouvais alors pressentir à quel point l'obsession de Whistler pour Mairead conditionnerait son avenir. Kenny me colla un carton entre les mains. « Les câbles vont là-dedans. Enroulés et ficelés proprement. »

Je traversai la classe et baissai la voix. « Est-ce que Whistler et Mairead... enfin, tu vois...? »

Kenny se mit à rire. « Il aimerait bien. » Puis, dans sa barbe : « Comme nous tous. » Il jeta un œil au clavier. « C'est la chasse gardée de Roddy. » Il se tourna vers moi. « Bon, tu vas me filer un coup de main, oui ou non? »

Je hochai la tête.

C'est ainsi que je devins *roadie* pour Sòlas, jusqu'à la fin de mon séjour à Nicolson.

C'est également de cette manière que je devins membre d'un groupe de motards. Je pourrais dire « bande », mais le terme a des connotations qui ne seraient pas appropriées. Nous étions juste quelques jeunes bien décidés à avoir un deux-roues entre les jambes dès nos seize ans. Roddy fut le premier, ce qui n'eut rien de surprenant car ses parents étaient financièrement les plus à l'aise. C'était une Mobylette rutilante, rouge vif, et il se baladait en ville avec Mairead sur le porte-bagages, les bras serrés autour de lui. Nous essayions tous de nous imaginer ce que cela devait être de l'avoir ainsi, collée contre soi. Je ne sais pas si c'était légal – je parle d'avoir un passager à l'arrière – mais les flics ne les ont jamais arrêtés.

C'est certainement ce qui nous a tous motivés. L'un après l'autre, ceux d'entre nous qui en avaient les moyens se retrouvèrent avec des bécanes 50 cc qui n'étaient en réalité rien d'autres que des vélos avec un moteur. Le seul argent dont je disposais était celui que je gagnais comme *roadie* de Sòlas. À la fin de la première, ils jouaient dans des soirées, des bals et des pubs dans tout Lewis, et même à Harris, et je partageais un peu de leur succès. Lorsque j'eus enfin les moyens de me payer une vieille Mobylette pourrie, Roddy venait d'avoir dix-sept ans et passait à une Vespa T5 Mk1 125 cc. Bleu roi. D'occasion, bien sûr. Ce n'était qu'un scooter, et de vrais amateurs de deux-roues l'auraient considéré avec mépris, mais pour nous c'était de l'or en barre.

Il y avait toujours eu une rivalité au sein du groupe entre Roddy et Strings. Ils représentaient les deux forces créatives derrière la musique originale que Sòlas produisait. Cette rivalité débordait également sur le groupe de motards et il ne fallut pas longtemps avant que Strings débarque avec son propre 125 cc. Je ne me souviens pas de la marque, mais je n'en oublierai jamais la couleur. Jaune vif. La même couleur que les potentilles qui poussaient au milieu des fougères sur le littoral en été. On voyait Strings arriver de loin.

Je passais le plus clair de mon temps libre à travailler sur ma Mobylette pour la maintenir en état de rouler. C'était une Puch. Une Dakota VZ50. Elle était équipée d'un moteur 50 cc avec refroidissement par ventilateur et d'une boîte trois vitesses, mais elle était en fin de vie. Je ne l'ai jamais ramenée à Ness, pas seulement parce que ma tante n'aurait pas approuvé, mais aussi parce que je n'étais pas sûr qu'elle puisse faire le trajet.

Au printemps, quand il faisait beau l'après-midi, une fois les cours terminés, nous enfourchions nos engins, passions devant l'atelier d'Engie et de Kenneth Macken-zie et franchissions la colline d'Oliver en direction de l'aéroport et du croisement de Holm Point. C'était une langue de terre qui avançait dans la baie juste avant le gué, mi-route mi-plage, et menait à la péninsule de l'Œil. Autour de nous, les champs étaient en jachère, couverts de pissenlits d'un jaune vibrant. Il y avait une grappe de maisons à Holm Farm, mais nous nous en tenions éloignés et nous nous rassemblions juste en contrebas de la route qui regardait vers les rochers connus sous le nom de Beasts of Holm.

On apercevait, de l'autre côté de la baie, le site de construction de plateformes pétrolières d'Arnish et le petit phare trapu posé sur les rochers. Nous jouissions d'une vue splendide sur tout Stornoway, baigné de soleil, niché à l'abri des arbres qui remontaient sur la colline du château derrière la ville. Le bruit de la cité nous par-venait, porté par le vent, agité et lointain, écrasé par le fracas de la mer et les clameurs des huîtriers et des berge-ronnettes qui se baignaient et plongeaient autour de nous.

Une fois sur place, nous ne faisions pas grand-chose. Nous lézardions au soleil en fumant et en buvant de la bière, si nous en avions, nous flirtions avec les filles que nous avions amenées sur nos porte-bagages.

J'imagine que si l'un d'entre nous avait repéré l'obé-lisque de granit érodé qui se dressait sur la pointe, dans son enclos rectangulaire en fer forgé, nous aurions pensé qu'il s'agissait d'un quelconque monument aux morts. Mais je ne crois pas que l'un de nous lui ait jamais accordé la moindre attention. Jusqu'au jour où le vieux type est venu nous engueuler parce que nous manquions de respect aux morts.

C'était un vendredi après-midi. Certains d'entre nous avaient un moment de libre à la fin de la journée et nous étions venus jusqu'à Holm pour profiter du soleil avant de prendre le bus qui nous ramènerait chez nous. Nous ne l'avions pas remarqué, debout à côté de l'enclos rouillé, au milieu des graminées et des mauvaises herbes qui poussaient tout autour. Une silhouette solitaire et voûtée, habillée de noir, dont la maigre chevelure blanche dansait dans le vent.

Je l'avais repéré tandis que nous nous garions, mais j'avais eu tôt fait de l'oublier quand Whistler et Big Kenny avaient commencé à se quereller. Je ne sais pas trop comment cela avait démarré. J'étais occupé à draguer une jolie jeune fille appelée Seonag qui m'avait accompagné jusqu'à Holm Point, juchée sur mon porte-bagages. L'ambiance était joyeuse et certains garçons avaient apporté des canettes de bière dans leurs sacoches. Ce furent leurs voix, dominant soudain le brouhaha, qui captèrent mon attention. Elles exprimaient une vraie colère. Menaçantes. Je me retournai et vis Whistler pousser Kenny des deux mains en pleine poitrine. Il y avait mis suffisamment de force pour l'envoyer valser plusieurs pas en arrière. Whistler fronçait les sourcils, annonçant l'orage à venir.

« J'en ai plein le cul de toi, Coinneach! »

Je sus que c'était sérieux en entendant Whistler appeler Kenny par son nom gaélique. Kenny essaya de rassembler ce qui lui restait de dignité et, tout en s'époussetant la poitrine, lui lança : « Tu es vraiment frappé, Macaskill, tu sais ça? »

La pique eut le même effet qu'un chiffon rouge avec un taureau et Whistler se jeta sur lui, poings en avant. Kenny reçut un coup au visage, un autre au diaphragme, et tous deux tombèrent à terre avec un bruit sourd, l'un sur l'autre. Kenny leva le genou et essaya d'atteindre les parties sensibles de Whistler, mais il manqua son but et nous vîmes du sang gicler de sa bouche lorsque l'énorme poing de Whistler entra en contact avec ses lèvres.

En un instant, nous fûmes trois ou quatre sur eux. Nous agrippâmes les épaules et les bras du joueur de flûte pour lui faire lâcher Kenny qui essayait de reprendre son souffle. Mais Whistler était enragé, une de ces crises où il perdait le contrôle de lui-même. Et il dirigea sa fureur contre nous. Malheureusement, j'étais le plus proche et je fus le premier à subir l'assaut de ses jointures semblables à des roulements à billes. Elles me heurtèrent sur le côté du crâne et m'envoyèrent au sol, des flashs devant les yeux, comme cela se reproduisit des années plus tard.

Quand je recouvrai mes esprits, Whistler avait déjà fait demi-tour vers Kenny et s'approchait de lui en grognant. Parmi nous, personne ne faisait le poids face à lui, moi tout particulièrement. Mais mon entêtement, cette part de moi-même qui m'avait toujours attiré des problèmes, me chauffait les sens comme de la cire liquide et je me jetai dans la bataille sans penser aux conséquences. Apparemment, Whistler et moi étions destinés à résoudre nos conflits à coups de poings.

Je plongeai, épaule en avant comme je l'avais appris lors des entraînements de rugby, et le fauchai juste au-dessus des genoux. Il s'effondra comme un sac rempli de pierres, tête la première sur le sol. Son propre poids expulsa l'air de ses poumons, produisant un bruit semblable à celui de la mer qui lèche les falaises. S'il n'y avait eu cette voix qui s'était élevée au-dessus des hurlements, des cris d'encouragement et d'avertissement, je pense qu'après avoir repris son souffle, Whistler m'aurait tué.

Personne n'avait vu le vieil homme s'approcher. Mais sa voix surgit dans la clameur, tranchante et forte comme une épée.

« Vous vous croyez où ! Vous comporter comme des idiots en présence des morts, vous n'avez donc aucun respect ? » S'il s'était exprimé en anglais, ses mots auraient peut-être eu moins d'impact. D'une certaine manière, le gaélique avait plus de poids.

Le silence s'abattit sur nous comme un linceul, Whistler et moi toujours à terre, haletants. Tout le monde fixait le vieillard. Il portait un costume noir miteux et je vis des traces de nourriture sur le pull-over gris qu'il avait dessous. La casquette qu'il tenait à la main quand il était à côté du monument était maintenant vissée sur son crâne. Ses yeux étaient partiellement dans l'ombre, mais ils étaient noirs de colère. Son visage distendu semblait suspendu à son squelette et, par endroits, l'âge avait taché de brun sa peau blanchâtre. Il leva la main avec laquelle il tenait sa canne et pointa dans ma direction un doigt aux jointures gonflées et déformées.

« Tu devrais avoir honte de toi, jeune Finlay Macleod. » Je fus surpris d'entendre mon nom. Je n'avais aucune idée de qui il était. Pendant que je me remettais sur mes pieds, il se tourna vers Whistler. « Et toi, John Angus Macaskill. » Je pus constater que Whistler était tout aussi surpris. « Vous deux, vous devriez savoir. Aucun de vous deux ne serait là aujourd'hui si John Macleod n'avait pas pu rejoindre la côte avec une corde. »

Il pivota ensuite vers Big Kenny et ses yeux s'arrêtèrent quelques instants sur le sang qui lui couvrait la bouche. « Et tu devrais être reconnaissant, Coinneach Iain Maclean, que ton grand-père ait été conçu pendant une permission en 1916, sans quoi, toi non plus tu ne serais pas là. »

Personne ne savait quoi dire et dans le calme qui suivit nous pouvions entendre le grondement lointain de la circulation le long de South Beach. Je ne sais pas pourquoi, mais mon regard alla se poser sur les alignements de pierres tombales dans le cimetière de Sanndabhaig. Des sentinelles debout qui, silencieusement, nous reprochaient le méfait que nous n'avions pas conscience de commettre.

Le vieillard inclina la tête et passa au milieu de nous en direction de la route, appuyé sur sa canne. Nous le regardâmes s'éloigner avec lenteur et détermination vers la route principale.

« Qu'est-ce que c'était que ça ? », dit quelqu'un. Pour ma part, intrigué par le monument érigé sur la pointe, j'avais décroché du groupe. Le vieillard avait éveillé ma curiosité et m'avait troublé. J'en avais froid dans le dos. J'oubliai ma bagarre avec Whistler et marchai pour la première fois jusqu'à la pointe, percevant de loin en loin les conversations animées que le vent emportait. Le monument ne payait pas de mine, abîmé par les intempéries et mal entretenu, les lettres noires qui y étaient gravées étaient à peine lisibles. Quiconque l'avait érigé avait dû disparaître depuis longtemps, et la raison de son édification était oubliée.

Le monde qui m'entourait s'évanouit dans une dimension lointaine. Je m'accroupis pour passer la main sur le texte et seuls les mots et les images qu'il évoquait avaient une quelconque présence dans mon esprit.

« Érigé par les habitants de Lewis et par des amis, en mémoire des hommes de la Royal Navy qui perdirent la vie lors du désastre de l'*Iolaire* aux Beasts of Holm, le 1er janvier 1919. Des 205 disparus, 175 étaient natifs de l'île et Lewis les pleure encore, ainsi que leurs camarades. Avec de la reconnaissance pour leur engagement et de la peine pour leur perte. »

J'entendis le bruit des motos qui démarraient, des au revoir. Ils lancèrent leurs machines et accélérèrent à travers l'herbe pour rejoindre la route du retour. Je me levai et aperçus soudain une ombre sur mon épaule. C'était Whistler, l'air étrange, déconcerté. Et derrière lui, debout à côté de sa moto et regardant dans notre direction, Big Kenny. On eût dit qu'il avait peur de s'approcher pour voir de ses propres yeux. Nous avions tous les trois oublié la bagarre, et pourquoi elle s'était déclenchée. Je cherchai dans les yeux de Whistler un début d'explication mais comme je n'y décelai rien, je lui demandai : « C'est quoi, l'*Iolaire* ? »

Il haussa les épaules. « Aucune idée. »

Cette nuit-là, la lumière avait un aspect étrange. Quand le bus dépassa l'abri au toit vert sur la lande de Barvas, un frisson me parcourut. Je sentis, peut-être plus que jamais auparavant, la présence de ma mère et de mon père à cet endroit où ils avaient perdu la vie.

Lorsque j'arrivai à la maison, le ciel, strié de gris, était d'une couleur mauve surnaturelle virant au jaune le long de l'horizon, là où le soleil répandait son or derrière des nuages que l'on ne pouvait apercevoir. De l'autre côté du Minch, les montagnes de Sutherland étaient plus nettes que d'habitude. Cela signifiait que le mauvais temps était en route.

Je n'arrivais pas à évacuer le vieil homme de mon esprit et j'imagine que j'avais dû me montrer particulièrement taciturne car ce n'était pas dans les habitudes de ma tante de me demander ce qui n'allait pas. Ma tante était une femme particulièrement indifférente. Réservée, elle affichait rarement ses émotions. Elle ne me traitait pas mal, mais j'ai toujours perçu chez elle le ressentiment d'avoir été condamnée à s'occuper du fils de sa sœur. Comme si je lui avais volé sa vie. Une vie qui, telle que je la voyais, était déjà terminée et se déroulait dans une solitude triste, dans la grande maison blanche surplombant la jetée au-delà du village.

Vêtue de l'une de ses tenues en chiffon coloré, elle s'assit à la table de la salle à manger. Des bougies brûlaient sur le manteau de la cheminée et l'air était chargé d'odeurs d'encens et de fumée de cigarette, comme le souvenir mélancolique d'une autre vie, dans les années 1960, dans un monde de jeunesse et d'espoir.

« Allez, Finlay », dit-elle. « Crache le morceau. » Elle ne s'adressait jamais à moi en gaélique. Et elle ne m'appelait jamais Fin. C'était peut-être la seule personne au monde à ne pas le faire.

« C'était quoi, l'*Iolaire* ? », demandai-je.

Elle m'observa, l'air interrogateur. « Pourquoi me demandes-tu ça ?

— J'ai vu le monument à Holm Point aujourd'hui. »
Je ne savais pas pourquoi, mais je n'avais pas envie de
lui parler du vieillard.

Son regard se perdit dans le vide, comme si elle fouil-
lait dans un passé lointain. Elle secoua la tête. « C'est
quelque chose dont les gens ne parlent pas vraiment. Et je
suppose qu'aujourd'hui, plus personne ne s'en souvient.

— Que s'est-il passé ?

— On dit qu'il s'agit très certainement de la pire catastrophe maritime survenue en temps de paix dans l'histoire du Royaume-Uni. Après celle du *Titanic*.

— Et c'est arrivé ici, à Lewis ? » J'étais incrédule.
Pourquoi n'en avais-je jamais entendu parler auparavant ?

« Un matin du jour de l'An, il faisait encore nuit, sur
les récifs, aux Beasts of Holm. À portée des lumières du
port de Stornoway, avec des centaines de gens attendant
sur le quai. » Elle resta silencieuse quelques minutes,
perdue dans ses pensées. Je me retins de parler de peur
qu'elle ne m'en dise pas plus. Finalement, elle poursuivit. « C'était en 1919, la Grande Guerre venait juste de
s'achever, et Dieu sait que suffisamment de nos hommes
étaient déjà morts dans ce conflit absurde. Les autres
étaient sur le chemin du retour. Tous des survivants.
Impatients de remettre le pied sur leur île natale et de
sentir autour d'eux les bras de leurs mères et de leurs
femmes, de leurs fils et de leurs filles. »

D'habitude, ma tante buvait un unique verre de vin
avec son repas. Ce soir-là, elle tira la bouteille à elle et
s'en servit un second.

« C'étaient des réservistes de la Royal Navy », dit-
elle. « De Lewis et Harris. Livrés à eux-mêmes par le
Ministère, sur le quai de Kyle of Lochalsh, à la descente
des trains en provenance d'Inverness. Le contre-amiral
avait réquisitionné un vieux rafiot, un yacht à vapeur
appelé l'*Iolaire*, pour ramener ceux que le bateau postal de MacBrayne ne pouvait prendre. Plus de deux cent

quatre-vingts, d'après mes souvenirs. » Elle secoua la tête. « C'était tout simplement n'importe quoi. Les hommes étaient en uniforme, équipés de lourdes bottes. Bon nombre d'entre eux n'avaient pas de gilets de sauvetage et la plupart ne purent même pas s'asseoir. » Elle but une gorgée. « La traversée fut rude également. Mais ils étaient en vue de leur foyer. Ils pouvaient distinguer les lumières du port. Quelqu'un a déclaré que l'équipage avait bu du whisky pour célébrer la nouvelle année. Est-ce la vérité ? Nous ne le saurons jamais. Toujours est-il que le capitaine a choisi le mauvais cap pour aller vers le port et que l'*Iolaire* a heurté les récifs au niveau des Beasts. »

Elle se leva en emportant son verre et s'approcha de la fenêtre d'où elle contempla la baie. Elle vit son reflet dans la vitre et adopta une pose qui, elle devait le penser, traduisait la tragédie qu'elle décrivait.

« En fait, ils n'étaient qu'à quelques centaines de mètres de la côte. Quelle ironie… après avoir survécu toutes ces années à la guerre. La mer était déchaînée et beaucoup finirent fracassés contre les rochers. D'autres ne pouvaient pas nager. Ils ne savaient pas. » Elle jeta un coup d'œil à Fin. « Tu sais comment c'est avec les insulaires. » Elle tourna à nouveau son regard vers la fenêtre et porta son verre à ses lèvres. « Certains étaient dans la force de l'âge, d'autres encore des adolescents. Plus de deux cents hommes périrent, près de cent quatre-vingts d'entre eux étaient de l'île. Cette nuit-là, certains villages perdirent tous leurs hommes, Finlay. Tous. »

Elle revint au centre de la pièce. La lumière déclinante qui filtrait par la fenêtre éclairait à peine son visage et je n'apercevais que des détails fugitifs à la lueur des bougies. Il semblait creusé, comme un crâne, et ses cheveux formaient un halo fin et léger autour de sa tête.

« J'ai entendu une fois les anciens en parler au village. Quand j'étais petite fille. C'est la seule fois où je me souviens en avoir entendu parler. Les corps arrivant en masse à Ness. Sur des carrioles contenant quatre ou six cercueils, tirées par des chevaux le long de l'interminable route qui longe la côte ouest. » Elle posa son verre, s'alluma une cigarette et la fumée l'enveloppa comme la buée que l'on souffle les matins glacés.

« On a perdu quelqu'un ? De notre famille, je veux dire. »

Elle secoua lentement la tête. « Non. Les Macleod de Crobost comptèrent parmi les chanceux. Ton grand-père n'avait que dix-neuf ans et rentrait après seulement un an d'absence. Dieu seul sait comment, mais il a survécu. » Elle me regarda en penchant la tête de manière étrange. « Le père de ton père. Tu ne serais pas là aujourd'hui s'il s'était noyé comme les autres. » Je frissonnai, comme lorsque le bus était passé à côté de l'abri, plus tôt dans la soirée.

« Qui était John Macleod ? » Ma voix me semblait inaudible. « Il était de la famille ?

— John Finlay Macleod, tu veux dire ? » Elle finit son verre. « Pas que je sache. Cet homme est un héros. Il a réussi à rejoindre la côte avec une corde, juste sous l'endroit où se trouve le monument aujourd'hui, et grâce à cela les vies de quarante hommes furent sauvées. Ton grand-père était parmi eux. »

Je passai le week-end dans un brouillard d'incertitude et de dépression, incapable d'échapper à la pensée de tous ces pauvres hommes ayant survécu à la guerre pour venir mourir devant chez eux. Le fait que mon grand-père en ait réchappé laissait comme un vague goût déplaisant dans la bouche. Il me fallut un moment avant de l'identifier.

De la culpabilité.

On dit que les survivants des catastrophes souffrent souvent de culpabilité. Pourquoi ont-ils survécu alors que tant d'autres ont péri ? J'imagine que je ressentais tout cela par association. Si mon grand-père était mort comme tous les autres, alors je ne serais pas de ce monde. Et je me demandais pourquoi j'étais là.

Le mauvais temps arriva le samedi soir. Des vents d'orage déboulant du sud-ouest, d'immenses nuages noirs, comme des hématomes laissant échapper de la pluie. Le dimanche misérable qui suivit, je la regardai dégouliner sur les vitres de ma fenêtre et rongeai mon frein en attendant de prendre le bus pour Stornoway, le lendemain matin.

Le lundi, l'orage était terminé mais le temps était encore couvert et la lumière maussade et grisâtre ; comme si nous étions prisonniers d'une boîte en plastique hermétique. Le vent avait séché les routes et les herbes et j'essayai, pendant que le bus me conduisait en ville, de me vider l'esprit en contemplant les linaigrettes qui dansaient sur la tourbe.

Il n'y avait que peu de chance pour que je puisse me concentrer sur du travail scolaire. Je me rendis donc directement en ville, à la bibliothèque installée dans une demi-douzaine de préfabriqués, au coin de Keith Street. Je pensais y trouver des archives de la *Gazette de Stornoway*. Oui, me répondit la femme au guichet, ils conservaient des archives dans une pièce close, à ma droite. Quelle année souhaitais-je consulter ? 1919, lui répondis-je.

Elle leva un sourcil. « Eh bien, c'est une année très populaire ce matin, dirait-on. Vous faites un projet à Nicolson ? » En réponse à mon froncement de sourcils intrigué, elle ajouta : « Il y a déjà un garçon en train de consulter un microfilm de cette année-là dans la section d'histoire locale et gaélique, au bout du couloir. »

Je trouvai Whistler dans la salle de consultation, assis à une table, en train de passer méthodiquement en revue la couverture du désastre de l'*Iolaire* par les journaux. Il leva la tête à mon entrée, mais resta silencieux. Je pris une chaise et m'assis à côté de lui pour regarder les reproductions vieillies et rayées de mots imprimés il y a bien longtemps, à propos d'une tragédie dont les gens ne parlaient jamais. Je les voyais défiler devant mes yeux comme si j'assistai à la scène.

Nous restâmes assis une demi-heure face à la machine, sans échanger un mot, puis nous quittâmes la bibliothèque sur un signe de tête, en marmonnant des remerciements à l'attention de la bibliothécaire. Nous trouvâmes Big Kenny, debout sur le trottoir, à côté des poubelles à roulettes. Le vent s'engouffrait par vagues dans ses cheveux roux et il semblait ne pas savoir s'il devait rester ou partir. Il était surpris de nous trouver là et leva les sourcils timidement, l'air interrogateur. « Alors, qu'est-ce que vous avez trouvé ?

— Rien que tu ne saches probablement déjà », répondit Whistler.

« Mon père n'a pas pu me dire grand-chose. Il m'a expliqué que son père n'a jamais voulu en parler. »

Whistler haussa les épaules. « Le mien n'est pas resté sobre assez longtemps pour que je puisse lui demander. »

Kenny hocha la tête. « J'ai été à la mairie », dit-il. « À l'état civil. » Je ne sais pas pourquoi nous fûmes surpris, mais la réponse de Kenny nous étonna.

« Et ? », demanda Whistler.

« Apparemment, trois des survivants sont encore en vie. L'un d'eux vit à Bhaltos, du côté de Uig. Je connais sa famille. »

Norman Smith vivait dans une vieille maison blanche, au pied du village, qui regardait en direction des îles de Pabaigh Mòr, Bhàcasaigh et de la mal nommée Siaram Mòr. Si Siaram Mòr était la « grande île », nous avions du mal à nous imaginer à quel point Siaram Beag devait être petite, mais nous n'avions jamais vu ou entendu parler d'une Siaram Beag.

Nous fîmes la route avec deux motos, moi assis sur le porte-bagages de Whistler. Quand nous arrivâmes, j'avais les fesses en compote. Le vent était tombé et la mer ressemblait à une plaque d'étain martelé, triste.

L'ancien réserviste de la Navy était installé dans un fauteuil à côté de la fenêtre où il pouvait profiter d'une vue sans obstacle sur la mer, en direction de Pabaigh Mòr. Sa fille, âgée elle aussi, nous fit entrer. Elle nous expliqua qu'il appréciait d'avoir des visiteurs mais qu'il ne fallait pas que nous le fatiguions. Elle partit préparer du thé et nous nous installâmes tant bien que mal autour du vieil homme, dans une pièce si petite et si encombrée qu'il y avait à peine assez de place pour nous quatre. L'air était chargé d'humidité, imbibé de l'odeur de la fumée de tourbe qui s'échappait des morceaux se consumant dans le foyer. Je me souviens m'être demandé comment ce vieillard avait survécu aussi longtemps. Mais il avait déjà trompé la mort une fois, pourquoi n'aurait-il pas recommencé ?

D'une voix grêle et haut perchée, comme si elle avait été amincie par l'âge, il nous déclara fièrement qu'il avait quatre-vingt-douze ans. Ses petits yeux sombres, noirs comme des perles, aiguisés et respirant l'intelligence, nous renvoyaient la lumière de la fenêtre. Je sais que l'âge peut ratatiner les hommes, mais Norman Smith était resté un géant. Assis dans son fauteuil, il avait placé ses mains aux imposantes jointures l'une sur l'autre, appuyées sur sa canne. Il ne restait quasiment pas de cheveux sur son crâne large et plat, parsemé de taches de vieillesse.

« Cela m'a pris des années », répondit-il à notre question sur l'*Iolaire*, « avant que je laisse le nom de ce bateau maudit franchir mes lèvres.

— Comment cela est-il arrivé ? », demanda Kenny.

« Dieu seul le sait, mon garçon ! Le capitaine a fait une erreur en choisissant le cap pour rejoindre le port.

Il était à côté d'un demi-degré. On aurait dû avancer un petit peu plus vers l'ouest. » Nous entendions son souffle racler dans sa poitrine tandis qu'il inspirait en réfléchissant silencieusement. Je n'osais imaginer les images qu'il faisait resurgir dans son esprit. « Beaucoup dormaient, on enlevait nos bottes et on posait la tête dès qu'on trouvait un coin libre sur le pont. On avait un fort vent arrière, mais tout semblait étrangement calme quand j'ai entendu quelqu'un crier que l'on voyait les lumières de Stornoway droit devant. C'est à ce moment que nous avons heurté les rochers. Le bruit qu'ils produisirent en déchirant la coque était presque humain, comme un cri de douleur. Puis ce fut la panique. Une panique comme je n'en avais jamais connue auparavant et comme je n'en ai jamais revue depuis. Si nous nous étions échoués plus près de la côte, la plupart d'entre nous auraient probablement pu être sauvés. Mais les rochers que nous avions touchés étaient les plus éloignés. » Il secoua lentement la tête. « Parmi ceux qui se trouvaient dans la même partie du bateau que moi, nous ne sommes que deux à nous en être sortis. »

Je restai assis, silencieux et concentré. Des images surgissaient dans mon esprit, invoquées par ces simples mots chargés d'horreur.

« Le bateau est parti sur le flanc et un homme a réussi à rejoindre la côte avec une corde.

— John Finlay Macleod », intervint Whistler.

Le vieil homme hocha la tête. « Je me souviens avoir déplacé sa corde de la poupe vers le flanc. Encore aujourd'hui, je me demande comment il a fait. Mais cette ligne m'a sauvé, avec beaucoup d'autres. Nous n'aurions jamais atteint le rivage sans cela. » Sa respiration s'accéléra. « Il faisait noir comme en enfer cette nuit-là, mes garçons, et nous pouvions tous sentir la présence du diable venu nous emporter. »

Il expira longuement et profondément, comme s'il soupirait, et sembla se détendre dans son fauteuil.

« J'étais toujours sans bottes quand j'ai atteint le rivage et que j'ai pu grimper sur le machair. J'étais trempé jusqu'aux os et je grelottais de froid. Je savais que j'étais blessé à la poitrine et aux jambes même si je ne sentais presque rien. J'ai vu un groupe d'hommes se rassembler autour de la maison la plus proche, mais j'ai décidé de marcher jusqu'en ville. »

Nous échangeâmes des regards. Nous savions quelle distance représentait ce trajet. Nous l'avions parcouru assez souvent sur nos motos.

« Quand j'y suis arrivé, je me suis rendu au bâtiment de l'amirauté. Il y avait d'autres gars qui avaient réussi à quitter le navire. Ils étaient tous assis le long du mur, enveloppés dans des couvertures, en train de fumer. Aucun d'eux ne parlait.

« L'amiral Boyle est venu au-devant de moi et m'a posé la main sur l'épaule. "J'ai une voiture pour toi, Norman, m'a-t-il dit. Je te ramène à Uig, avec Uilleam et Malcolm." En fait, il ne nous a conduits que jusqu'à Calanais. Et de là, la vedette de Duncan Macrae nous a transportés au quai de Bhaltos. Il faisait jour à présent. Le jour de l'An. Ma famille ne savait pas que je rentrais. Je comptais leur faire la surprise. »

Une goutte transparente de mucus pendait à son nez. Machinalement, il l'essuya du revers de la main.

« Ça, ils étaient surpris ! Sur la route, je suis tombé sur ma sœur Morag et elle m'a conduit à la maison où ma mère préparait déjà le repas du jour de l'An. La nouvelle de ce qui était arrivé à l'*Iolaire* ne fut envoyée de la poste de Uig que le lendemain. Personne ne savait ce qui s'était passé. »

Je vis sa mâchoire se serrer, puis ses yeux se brouillèrent, emplis de larmes.

« Et je ne pouvais pas leur dire. Ma poitrine et mes jambes me faisaient souffrir le martyr, mais je me tus et fis comme si de rien n'était. » Sa respiration se fit ronflante. « Jusqu'à ce que monsieur et madame Macritchie et que la famille Maclennan se présentent à notre porte et que je sois incapable de les regarder en face. Parce que je savais que leurs fils étaient morts et qu'ils n'en avaient pas la moindre idée. J'ai couru jusqu'à ma chambre et je m'y suis enfermé. Personne ne comprenait ce que j'avais. » En silence, de grosses larmes coulaient de ses yeux bordés de rouge.

La fille du vieil homme arriva chargée d'un plateau pour le thé. Quand elle vit les larmes de son père, l'inquiétude lui creusa le visage. « Oh, les garçons, qu'avez-vous fait pour le mettre dans cet état ? » Elle posa le plateau sur la table et se hâta d'essuyer ses larmes avec un mouchoir. « Tout va bien, papa. Calme-toi maintenant. »

Il fit mine de la repousser. « Il n'y a pas à se calmer. C'est ainsi que cela s'est passé. » Ensuite, il dévisagea Kenny. « Je te connais », dit-il. « Ou ton père. »

Kenny sembla interloqué. « Mon père, je pense. Kenny Dubh Maclean. »

Le vieux monsieur Smith hocha la tête. « Oh, oui. Je connaissais son grand-père aussi. On l'appelait Big Kenny.

— Vraiment ? » Kenny était étonné d'apprendre que son arrière-grand-père portait le même surnom que lui.

« Il était avec moi à l'arrière du bateau quand on s'est échoués. » Il secoua la tête. « Il ne s'en est pas sorti. Je ne sais pas pourquoi, mais ta famille ne l'a jamais ramené chez lui. Il est enterré avec beaucoup d'autres, au cimetière de Sanndabhaig. »

Nous regardâmes Kenny et constatâmes qu'il était choqué, comme s'il venait d'apprendre la mort d'un parent proche pour la première fois.

Le vieil homme tourna ensuite son regard vitreux en direction de Whistler. « Toi, ton père c'est ce poivrot qui vit à Ardroil. »

Whistler pinça les lèvres mais n'approuva ni ne protesta.

« Il n'arrive pas à la cheville de ton arrière-grand-père. Calum John. Lui, il a risqué sa vie en prenant un autre homme avec lui alors qu'il aurait été plus simple d'agripper la ligne et de rejoindre la côte seul. »

Je sentis ensuite son regard se poser sur moi.

« Toi, je pense que je ne te connais pas. »

Ma bouche était sèche comme si je m'étais trouvé en face de Dieu lui-même et qu'Il pointait un doigt dans ma direction. « Je suis Finlay Macleod de Crobost à Ness », répondis-je. « Mon père s'appelait Angus. »

« Ahhh. » Ce fut comme si la cataracte venait de disparaître des yeux du vieillard et qu'il pouvait voir clairement pour la première fois. « Et son père s'appelait Donnie. C'est pour cela, garçons, que vous êtes là tous les deux. »

Je jetai un coup d'œil à Whistler mais il se contenta de hausser les épaules. « Que voulez-vous dire ? », demandai-je.

« C'est Donnie Macleod que Calum John Macaskill a sorti de l'épave de l'*Iolaire* cette nuit-là, au risque de sa vie. Pour sûr, fiston, tu ne serais pas là aujourd'hui si l'arrière-grand-père de ce gars n'avait pas ramené ton grand-père sur la côte. »

Une fois dehors, nous restâmes un long moment à côté de nos motos, sans dire un mot. On voyait au loin les vagues se briser sur la côte et seule la voix du vent se faisait entendre. Ce fut Kenny qui rompit le silence. Il enfourcha sa machine. « Je rentre à Stornoway », expliqua-t-il. « Je vais voir la tombe. » Nous hochâmes la tête et nous l'observâmes tandis qu'il lançait le kick de sa moto pour la mettre en marche avant de gravir la colline en douceur. Je me tournai vers Whistler et dit : « Je crois que nous avons quelque chose à faire. »

La boutique de Charles Morrison, le vendeur de matériel pour bateaux, se trouvait dans Bank Street à Stornoway. C'était un magasin à l'ancienne, merveilleusement conservé avec toutes sortes d'article de pêche derrière son grand comptoir noir. Nous en sortîmes, éblouis par le soleil, une bouteille de white-spirit à la main et nous regagnâmes le port intérieur où nous avions garé nos motos.

Le trajet jusqu'à Holm Point prenait moins d'un quart d'heure, mais nous nous arrêtâmes en route pour prendre Big Kenny. Nous l'avions vu, de loin, debout devant ce qui devait être la tombe de son arrière-grand-père. Nous abandonnâmes nos trois motos au bout de la route et nous grimpâmes jusqu'au monument.

J'avais un vieux tee-shirt de rugby dans ma sacoche et nous passâmes l'heure qui suivit à nettoyer avec patience et précaution la pierre pour en ôter la saleté accumulée par des décennies de manque d'entretien et qui l'avait presque entièrement recouverte.

Quand nous eûmes terminé, nous nous assîmes, adossés à la barrière, et observâmes les Beasts of Holm en contrebas. De lourdes vagues d'eau verte se déplaçant en une houle prudente autour du gneiss noir et luisant, se brisaient en écume sur ses arêtes déchiquetées, soufflant et aspirant comme des êtres vivants.

Tant d'hommes avaient péri là, à l'aube de la nouvelle année, il y avait si longtemps. Et parmi eux l'arrière-grand-père de Kenny. Et tout ce que je parvenais à voir, tandis que mon regard suivait les rochers, était cette photographie que j'avais découverte le matin même dans la *Gazette de Stornoway*. Le mât de l'*Iolaire*, pointant hors de l'eau. La seule partie du bateau encore visible. Aux premières lueurs du jour, les sauveteurs n'y avaient retrouvé qu'un homme qui s'y cramponnait de toutes ses forces. Il y en avait eu d'autres, mais le froid les avait vaincus pendant la nuit et, l'un après l'autre, ils avaient lâché prise pour être emportés par la mer.

Kenny se leva. Sa cicatrice était bizarrement enflammée. « On se voit demain », dit-il et il partit sans rien dire d'autre.

Ce n'est que lorsque les pétarades de sa moto se furent évanouies dans le lointain que Whistler alluma une autre cigarette. « J'imagine que cela veut dire qu'à partir de maintenant il va falloir que je fasse attention à toi », dit-il.

Je plissai le front, sans comprendre. « Que veux-tu dire ?

— Sauver une vie t'en rend responsable. Je ne vois pas pourquoi cette responsabilité ne devrait pas franchir les générations. ».

Plus tard, alors que je me remémorais les mots de Whistler, je songeai que s'il avait dit vrai, John Finlay Macleod devait s'être senti responsable d'un sacré nombre de vies. Et quand mon esprit vagabonde jusqu'à ce jour où nous avons appris l'existence de l'*Iolaire*, je me demande souvent qui était ce vieil homme, et comment il savait exactement qui nous étions.

CHAPITRE 9

Le bruit du vent qui soufflait à l'extérieur troublait à peine le silence qui régnait dans la ferme de Whistler.

« L'arrière-grand-père de ton père a sauvé la vie de mon grand-père lors du naufrage de l'*Iolaire* », dit Fin.

Anna fronça les sourcils.

« C'était un vaisseau qui ramenait chez eux les hommes de l'île à la fin de la Première Guerre mondiale. Il a coulé par une nuit de tempête juste devant le port de Stornoway et deux cent cinq hommes y ont perdu la vie.

— Seigneur. » Sa voix n'était plus qu'un souffle.

« Ton père s'est figuré que sauver une vie t'en rend responsable, et que cette responsabilité se passe de génération en génération. »

Son sourire se teinta d'incrédulité. « Et alors, il vous a pris sous sa protection, vous et votre vie ?

— En effet. Et il me l'a sauvée, peu de temps après.

— Racontez-moi.

— Une autre fois.

— Qu'est-ce qui vous dit qu'il y aura une autre fois ?

— Il n'y en aura peut-être pas. » Fin marqua une pause. « Qu'est-ce que tu es venue faire ici, Anna ? »

Ce fut à son tour d'éviter son regard. Elle fixa les restes du feu de tourbe depuis longtemps éteint.

« Tu es venue voir ton père ?

— Non ! » Le démenti était vif, immédiat. « Je viens seulement quand il n'est pas là.

— Pourquoi ? »

Elle braqua sur lui des yeux semblables à des charbons incandescents. Il voyait son combat intérieur transparaître sur son visage. Pourquoi lui répondrait-elle ? Elle avait ses propres raisons. Personnelles. Ce n'était pas ses oignons. Pourtant, il avait répondu à ses questions, il lui avait raconté des choses personnelles et cela avait été douloureux. « J'ai passé la première moitié de ma vie dans cette maison. Avec ma mère et mon père. J'ai… j'ai des souvenirs heureux. Parfois, je m'assois là, je ferme simplement les yeux et je m'y retrouve transportée. Juste pour un instant. Mais cela peut suffire, vous savez. Quand la vie est merdique. » Elle suçota les anneaux de sa lèvre inférieure. « J'aimais ma mère. Elle me manque.

— Et ton père ?

— Quoi, mon père ?

— Tu l'aimes lui aussi ?

— Vous rigolez. Il me fait honte. Je le déteste !

— C'est juste une autre manière de dire que tu l'aimes. »

Elle grimaça d'incrédulité. « Conneries !

— Tu crois ? Si tu éprouves à son égard des sentiments si forts qu'ils te font dire que tu le détestes, c'est certainement parce que tu l'aimes et que tu refuses de l'admettre. »

Le mépris se lisait dans chacun des plis de son visage. « Co-nne-ries. » Comme Fin ne répondait pas, il vit son assurance vaciller. Elle batailla pour retrouver sa détermination. « Vous voudriez me faire gober qu'à mon âge vous avez dit à vos parents que vous les aimiez ?

— Mes parents ont été tués dans un accident de voiture alors que j'étais très jeune. J'aurais donné n'importe quoi pour pouvoir leur dire que je les aimais. »

Elle tourna vers lui ses yeux immenses, inquisiteurs. C'était la seconde fois en l'espace de quelques instants qu'il lui disait des choses qui, à l'évidence, lui coûtaient

106

personnellement. Peut-être se demandait-elle pourquoi. Peut-être pensait-elle qu'il était plus facile de parler de ses sentiments les plus profonds avec un étranger. Il n'y a pas de gêne. Pas de jugements. « Je préférerais vivre avec mon père plutôt qu'avec Kenny. » Elle marqua une pause pour digérer son propre aveu. « Je n'ai rien contre Kenny. C'est un type bien, et je crois que ma mère l'aimait. » Elle s'arrêta. « Mais ce n'est pas mon père. » Elle soupira profondément et agita la tête, impuissante. « Si seulement il ne se comportait pas comme le dernier des cons ! »

Ni l'un ni l'autre n'avait entendu qu'un véhicule s'était arrêté à l'extérieur et ils furent tous deux surpris par les coups frappés à la porte et par l'apparition, dans l'embrasure, d'une jeune femme d'une trentaine d'années.

Elle était assez jolie, les cheveux blonds aux épaules, ébouriffés et emmêlés par le vent. Elle portait un pantalon bien repassé, un chemisier blanc sous un anorak gris ouvert et tenait à la main une mallette en cuir. Fin se leva immédiatement.

« Monsieur Macaskill ? » Elle plissa les paupières pendant que ses yeux s'accoutumaient à la lumière ou, plutôt, à son absence.

« Qui êtes-vous ?

— Je m'appelle Margaret Stewart. » Elle s'avança et se pencha pour lui serrer la main. Un peu nerveuse, son regard revenait sans cesse sur Anna. « Je travaille pour les services sociaux de Stornoway. Je dois établir un bilan familial pour le juge. Macaskill contre Maclean pour la garde de la jeune Anna Macaskill. »

Fin haussa un sourcil et se tourna vers Anna. « Vous ne vous connaissez pas alors ? »

Margaret plissa le front. « Tu es Anna ?

— Vous voyez quelqu'un d'autre ici ? » Son agressivité était de retour.

La travailleuse sociale semblait troublée. « Je pensais que tu ne t'entendais pas avec ton père.

— Qui vous a dit cela ? », demanda sèchement Fin.

À présent, elle semblait gênée. « Je n'ai pas le droit de vous le dire.

— Eh bien, pourquoi ne le lui demandez-vous pas vous-même ? De toute façon, vous allez bien lui poser des questions, non ? » Ils se tournèrent vers Anna qui semblait avoir soudainement baissé la garde. Elle pointa le menton en avant et les fusilla du regard. Fin capta son regard et leva imperceptiblement un sourcil. Mais elle hésitait encore. Le silence devenait presque embarrassant.

Puis, finalement, elle cracha : « Et merde, j'aime mon père, OK ? Qu'est-ce que je ferais là sinon ? »

Dans le silence qui suivit, avec pour seule interférence le vent qui sifflait autour de la maison, la travailleuse sociale sembla se décomposer totalement. Ce n'était vraisemblablement pas ce à quoi elle s'était attendue. Elle reprit ses esprits et regarda Fin. « Monsieur Macaskill, peut-être pourrions-nous convenir d'un rendez-vous pour un entretien privé ? »

Fin répondit : « Je suis certain que John Angus serait ravi de vous rencontrer, madame Stewart. Mais il faudra le lui demander. »

Son visage vira au rouge. « Oh. Je pensais… » Elle se tut. « Vous n'êtes pas monsieur Macaskill ? »

Fin sourit. « Reprenons depuis le début, voulez-vous ? » Il lui tendit à nouveau la main et elle la lui serra timidement. « Mon nom est Fin Macleod. Ex-inspecteur de la police d'Édimbourg. À présent chef de la sécurité du domaine. Je vis à Ness et je suis l'un des plus anciens amis de John Angus Macaskill. Alors, si vous avez besoin d'un avis sur sa personne, je me ferai un plaisir de vous en fournir un. »

CHAPITRE 10

Quand Fin arriva à Ness, la soirée touchait à sa fin. Il n'avait pas réussi à trouver Whistler et la crainte de sa disparition commençait à le travailler.

L'accalmie qui avait suivi l'orage était terminée. Le répit ensoleillé de la journée touchait à sa fin et des légions de sombres nuages se rassemblaient à l'horizon, vers l'ouest, là où les derniers éclats du soleil couchant illuminaient les flots. Une tempête se préparait, et le vent qui l'annonçait courait dans la bruyère comme s'il glissait sur l'eau.

Au volant de son Suzuki, Fin quitta la route principale au niveau du bazar de Crobost et grimpa la colline en direction du virage que dessinait la voie. Le terrain partait en pente à sa gauche, jusqu'aux falaises descendant à pic vers le croissant de plage en contrebas. À sa droite, l'édifice de l'Église libre de Crobost dressait contre le ciel sa silhouette sombre, sévère et dépouillée. Lorsqu'il atteignit le croisement qui y conduisait, il vit la voiture de Marsaili sur la route devant lui, garée sur l'aire de gravier au-dessus du pavillon. Il l'avait appelée pour lui signifier que tout allait bien, mais il ne lui avait rien dit de la découverte de l'avion. Cela pouvait attendre.

Il prit le chemin menant à l'église et franchit le passage canadien qui précédait le parking où des lignes blanches bien nettes permettaient aux croyants d'aligner parfaitement leurs véhicules, comme autant de bancs d'église en drive-in. Une voiture était garée au pied de l'escalier du presbytère. Fin vit l'épouse de Donald qui descendait, chargée d'une grosse valise qui heurtait les marches à chaque pas.

Elle portait un jean et un pull tricoté à la main. Son manteau était ouvert et une sacoche se balançait à son épaule. Elle arriva au bas des marches au moment où Fin se garait à côté de sa voiture. Elle lui lança un regard fugace, repoussa d'une pichenette une mèche de cheveux châtains de son visage et se retourna pour ouvrir le coffre. Quand Fin eut fait le tour de sa voiture pour la rejoindre, elle avait déjà rangé sa valise. Son visage était rougi par l'effort. Peut-être aussi était-elle gênée. Elle évita de croiser son regard.

« Tu vas quelque part, Catriona ? »

Elle passa devant lui et se dirigea vers la portière conducteur. Elle l'ouvrit puis lui fit face, un air de défi dans le regard. « Je vais m'installer chez mes parents. » Elle ajouta, comme une pensée venue après coup, pour expliquer sa décision. « Jusqu'à ce que tout cela soit réglé. »

Fin plissa le front, faisant mine de ne pas comprendre. « Tout quoi ?

— Oh, c'est bon ! Tu sais parfaitement de quoi je parle.

— Peut-être devrais-tu me le dire. » Il jouait délibérément avec sa culpabilité.

« Tu ne te rends pas compte à quel point c'est humiliant.

— Tu te sens humiliée parce que ton mari a des ennuis pour avoir sauvé la vie de ta fille ? »

Elle lui lança un regard à ce point plein de douleur et de colère qu'il eut presque un mouvement de recul. « Il y a un autre pasteur qui prêche dans notre église. Ils nous laissent habiter dans le presbytère, mais nous sommes considérés comme des lépreux. Personne ne s'approche. Personne ne veut être vu en train de nous parler. Il y a ceux qui veulent que Donald parte. Et ceux qui ne le veulent pas ou ont trop la trouille pour protester.

— Raison de plus pour rester à ses côtés et le soutenir. Pour le meilleur et pour le pire. N'est-ce pas le vœu que tu as fait lorsque tu l'as épousé ? »

Elle retroussa les lèvres avec mépris. « Espèce d'hypocrite ! Tu te permets de me juger ? Un homme qui a laissé tomber sa femme un mois après que son fils a été tué par un chauffard. Certainement au moment où elle avait le plus besoin de lui. Où sont passés tes vœux ? »

Fin se sentit rougir comme si elle l'avait giflé sur les deux joues. Il lui sembla qu'elle regrettait déjà ces mots lâchés sous l'emprise de la colère. Mais il était trop tard. Elle se glissa sur le siège conducteur et claqua la portière.

Le moteur toussa et la voiture de Catriona s'éloigna en brinquebalant sur le passage canadien dans la lumière déclinante de la fin de soirée. Fin la regarda partir et la tristesse l'envahit comme la nuit envahit le ciel.

Il resta planté là un long moment avant de gravir, accablé, l'escalier du presbytère. Personne ne répondit lorsqu'il frappa à la porte. Il ouvrit et appela Donald. La maison était plongée dans l'obscurité. Il jeta un coup d'œil de l'autre côté du parking et vit dans le crépuscule qu'un battant des portes de l'église était ouvert.

L'intérieur était presque complètement plongé dans le noir mais il distingua Donald assis à l'une des extrémités du banc du premier rang, fixant la chaire d'où il avait si souvent prêché aux fidèles, les exhortant à plus de foi et de sacrifices. Fin pouvait entendre le vent qui, à l'extérieur, déchaînait sa colère, mais ici, dans la nef de l'église, l'atmosphère était extraordinairement calme, hantée par les spectres de la culpabilité et du désespoir.

Sans prononcer un mot, il s'assit à côté de Donald et le pasteur lui adressa un regard muet avant de se replonger dans la contemplation de sa solitude. Finalement, il dit : « Elle part.

— Je sais », répondit Fin.

Donald se tourna vers lui, surpris.

« Je l'ai croisée sur le parking. »

Donald s'affaissa sous l'effet de la déception. Peut-être espérait-il encore qu'elle change d'avis. « C'est fait alors ? »

Fin acquiesça. Ils restèrent assis sans prononcer un mot pendant cinq minutes ou plus. Puis Fin rompit le silence. « Qu'est-ce qui nous est arrivé, Donald ? » Il réfléchit à sa propre question. « Je veux parler de nos espoirs, de nos attentes. Quand nous n'étions que des mômes et que la vie n'était rien d'autre que des possibilités. Tout ce que nous voulions être, tout ce que nous aurions pu être. » Immédiatement, avant que Donald ne puisse répondre, il ajouta : « Et ne me parle pas du grand dessein de Dieu. Cela ne contribuerait qu'à me mettre encore plus en rogne contre Lui que je ne le suis déjà. »

Il se rendit compte que Donald baissait la tête, petit à petit.

« Tu te souviens de cette fête que nous avions organisée l'été avant de partir à l'université ? Sur cette île minuscule quelque part au large de la côte de Great Bearnaraigh. » Cela leur avait semblé idyllique. Feux de camp et barbecues sur la plage, boire de la bière et fumer des joints sous le firmament constellé d'étoiles aussi brillantes que les espoirs qu'ils nourrissaient pour leur futur. « Toute la vie devant nous et rien d'autre à perdre que notre virginité. »

Donald lui adressa un sourire moqueur. « Certains d'entre nous l'avaient déjà perdue, Fin. »

Fin sourit. Il se souvenait à quel point il avait été gauche cette nuit-là, faisant l'amour pour la première fois avec Marsaili et découvrant que Donald avait déjà pris sa virginité. Son sourire s'effaça. « Regarde nous maintenant. Piégés sur ce petit morceau de terre au bout du monde. À nourrir notre douleur et notre culpabilité.

Nous regardons notre passé avec déception et notre futur avec crainte. » Il se tourna vers Donald. « Et rien de tout cela ne te fait remettre ta foi en cause ? »

Donald haussa les épaules. « C'est dans la nature même de la foi d'être constamment mise à l'épreuve. Ce serait de la suffisance de la considérer comme acquise. En faisant cela, on perd sa relation à Dieu. »

Fin lâcha avec mépris entre ses lèvres serrées. « Trop facile. »

Donald se pencha en avant, les bras croisés posés sur les cuisses, et tourna lentement la tête vers Fin. « Ça n'a rien de facile. Crois-moi, la foi n'a rien de simple ou de facile quand ta vie est en train de s'écrouler.

— Alors, pourquoi tu persistes ? »

Donald réfléchit un long moment. « Peut-être à cause de cette sensation que tu as de n'être jamais seul », dit-il. Il croisa le regard de Fin. « Mais tu ne peux pas savoir ce que c'est. Tu as toujours été seul avec ton deuil et ta haine. »

Pour la deuxième fois ce soir-là, Fin sentit qu'un proche touchait aux profondeurs de son âme. « Tu as entendu parler de l'avion ? », lui demanda-t-il.

« Quel avion ?

— L'avion de Roddy. Le Piper Comanche. Tu te souviens ? Indicatif d'appel G-RUAI. »

Donald se redressa et fronça les sourcils. « On l'a retrouvé ?

— Oui.

— Comment ? Où ?

— Au fond d'un loch à Uig. »

Les rides qui bordaient les yeux de Donald se creusèrent sous l'effet de l'incrédulité. « Comment, au nom de Dieu, est-il arrivé là ? »

Fin haussa les épaules.

« Seigneur ! » On avait l'impression d'entendre le Donald d'avant. Puis, soudainement, il se mit à sourire.

« J'ai toujours cru qu'un jour Roddy passerait non-chalamment la porte, un grand sourire sur son visage d'imbécile et qu'il nous dirait que tout cela n'avait été qu'une farce.

— Ce n'est pas une farce, Donald. Roddy a été assassiné. »

Le sourire de Donald disparut. La stupeur se lisait sur son visage. Il s'assit, raide comme un piquet, les yeux rivés sur Fin. « Dis-moi... » Il se ressaisit, comme s'il prenait à nouveau conscience du lieu où ils se trouvaient. « Non, pas ici. » Il se leva. « Allons prendre l'air. »

Tandis qu'ils sortaient au milieu des bourrasques nocturnes, Fin se remémorait comment Donald avait lancé et accompagné Sòlas sur la route du succès, jusqu'à son affrontement spectaculaire avec Roddy.

CHAPITRE 11

Je crois que, pour le groupe, le chemin vers la célébrité a commencé avec un pari.

Roddy et Strings avaient composé la plus grande partie des morceaux que Sòlas jouait lors des concerts qui eurent lieu à l'école pendant l'année de première. À l'image de Lennon et McCartney, ils formaient un formidable duo créatif. Mais, comme la force visionnaire qui animait les Beatles, ils ne s'appréciaient pas particulièrement l'un l'autre.

Il existait entre eux une jalousie artistique, une compétition permanente pour prouver lequel des deux était le plus créatif. Et, bien sûr, il y avait Mairead. D'une manière ou d'une autre, elle se trouvait au centre de tous les conflits qui éclataient au sein du groupe, quand elle n'en était pas directement la cause. En particulier lorsqu'elle s'était engagée dans un flirt de trois mois avec Strings pendant une période de rupture avec Roddy. L'atmosphère, sur et hors de scène, était épouvantable.

Mais, arrivé en juin de cette dernière année à Nicolson, sa brève liaison avec Strings était terminée et Mairead sortait de nouveau avec Roddy. Tout avait retrouvé sa place dans l'univers. Si ce n'est que Roddy et Strings pouvaient à peine s'adresser la parole sans que cela dégénère en dispute.

Bien que tout le monde soit d'accord sur le fait que le groupe devait changer de nom avant de partir pour

Glasgow, il était impossible d'en trouver un qui fasse l'unanimité. C'est ainsi qu'est née l'idée du pari.

Sòlas sonnait trop confortable, trop doux. Le groupe voulait quelque chose de plus percutant, qui refléterait ce mélange unique de folk celtique et de rock. Leur marque de fabrique.

À la fin, il ne restait que deux favoris. L'un trouvé par Roddy, l'autre par Strings. Mais, pour ne pas donner l'impression de prendre parti, personne n'osait choisir entre les deux.

La préférence de Roddy allait à Amran, du vieil irlandais qui signifie « chanson ». Il pensait que ce nom sortirait le groupe de ce qu'il appelait le ghetto gaélique et le ferait entrer dans l'univers celtique, plus vaste. Strings détestait. Son choix se portait sur Caoran, un mot gaélique qui désigne les petits morceaux de tourbe les plus durs et les plus noirs, ceux qui donnent le plus de chaleur. Roddy tourna l'idée en ridicule en déclarant que sa prononciation – kuuran – faisait penser à Coran.

La solution à cette impasse vit le jour durant la première semaine de juin. Les examens étaient terminés : nous nous tournions les pouces en attendant la fin du trimestre et personne n'allait en cours.

À la suite des révélations sur l'*Iolaire*, notre groupe de motards avait cessé de se rassembler à Holm Point et se retrouvait maintenant au Pont Vers Nulle Part, un vieux pont en béton au-dessus de la plage de Garry, en contrebas du village de Tolastadh sur la côte est, à environ vingt-cinq minutes au nord de Stornoway. Il marquait le début, et la fin, de la Route Vers Nulle Part. Le pont avait été construit, et la route entamée, en 1920. Ils étaient nés du cerveau du propriétaire de Lewis et Harris de l'époque, l'entrepreneur et visionnaire lord Leverhulme. Il souhaitait construire une route qui longerait toute la côte est en reliant Tolastadh à Sgiogarstaigh, dans le Ness. Mais Leverhulme mourut avant que ses projets pour les îles ne soient finalisés et la Route Vers Nulle Part ne se résuma bientôt plus qu'à une piste grossière, uniquement empruntée par les promeneurs.

C'était l'un de ces rares et délicieux premiers jours d'été quand le vent du sud-ouest était doux et le ciel parsemé de hauts nuages blancs qui masquaient de temps à autre le soleil. Sur la lande, les fleurs printanières éclataient de jaune, de mauve et de blanc, et les puces étaient maintenues à distance par la brise. Bien sûr, il y a toujours quelque chose pour venir gâcher un jour parfait et, dans le cas présent, il s'agissait des cleggs. Ces petits bâtards affamés pullulaient parmi les herbes hautes. Les Anglais appelaient ça des taons, et ils vous mordaient salement, même à travers les vêtements s'ils étaient trop près du corps.

Nous étions tous rassemblés sur le pont. Une douzaine d'entre nous, à boire de la bière, graver notre nom dans le béton ou simplement allongés à prendre le soleil, indifférents au gouffre des gorges en dessous. Le soleil inondait la plage dorée de Garry et le Minch au-delà. Je me souviens m'être dit que tout cela avait quelque chose d'idyllique. Les examens étaient loin, un futur neuf et excitant s'offrait à nous. S'échapper de l'île, la première chance qui nous était donnée d'étendre nos ailes et de nous envoler. À cet instant, tout semblait possible.

J'étais allongé, les yeux clos, la tête posée sur ma veste pliée, flottant dans un futur imaginaire. C'est à ce moment que des clameurs vinrent anéantir mon paradis.

« OK ! OK ! » J'entendis la voix de Strings, perchée dans les aigus, presque hystérique. « Pari tenu. On le fait. Demain. »

J'ouvris les yeux, agacé par l'interruption, et balançai mes jambes pour reprendre appui sur le pont. Le reste du groupe était rassemblé à l'autre bout, là où la Route Vers Nulle Part partait en serpentant vers les falaises. Je soupirai et descendis de mon perchoir pour le rejoindre.

« Que se passe-t-il ? »

Un Whistler tout sourire se tourna vers moi. « Nous avons trouvé un moyen pour choisir un nouveau nom. »

Je fronçai les sourcils, surpris. « Lequel ?

— Roddy et Strings vont faire la course sur leur moto. Jusqu'aux éboulis, aller-retour », expliqua Mairead.

Je ne fus pas impressionné. « Ce n'est pas très loin.

— Ça fait trois kilomètres. C'est suffisant », dit Rambo.

« Celui qui gagnera choisira le nom », ajouta Skins.

Tous les visages étaient tournés vers moi, comme s'ils recherchaient mon approbation. « C'est complètement stupide, si vous voulez mon avis », dis-je. « Et dangereux. »

Il y eut des protestations et les visages se détournèrent. « De toute façon, qu'est-ce qu'on en a à foutre de ton avis ? », conclut Roddy.

Le matin suivant, nous allâmes, Whistler et moi, reconnaître le parcours. La journée était magnifique. Le vent était presque tombé et les puces étaient de sortie. Pendant la première partie du trajet, là où la route traversait la lande en montant en direction des falaises, nous nous giflâmes le visage et le cou, agitant nos mains en tous sens autour de nos têtes comme des pantins pris de folie.

La surface de la route était rudimentaire. Des petits cailloux serrés les uns contre les autres entre lesquels poussaient de la mousse et de l'herbe. À notre gauche s'élevaient les rochers et, à droite, le terrain descendait progressivement vers le rivage, tour à tour couvert de fougères, parsemé de potentilles et balafré par les tranchées creusées dans la tourbe. Dans un virage nous surprîmes un groupe de moutons aux toisons zébrées de marques vertes et mauve vif en train de paître et qui se sauvèrent à notre approche.

« Je ne vais pas à la fac », dit soudain Whistler.

J'étais ébahi.

« Seigneur, pourquoi ? »

Il haussa les épaules. « J'ai la flemme. »

Je le contemplai, incrédule. « Bon Dieu, mec, ça ne va pas te tuer, surtout toi. J'ai sué sang et eau pour réussir mes examens. Toi, tu les as passés haut la main, sans même ouvrir un bouquin.

— Justement, quel intérêt y a-t-il à ça ? »

Je restai bouche bée. « Mais, qu'est-ce que tu vas faire ?

— Rester ici. » Il contemplait la plage, impassible.

« Tu es devenu dingue ? Je ne connais personne qui ne veut pas se casser d'ici. Et tous les gosses de Nicolson donneraient leur bras droit pour avoir la moitié de ton cerveau et une chance de partir à la fac. »

Il haussa les épaules. « Très bien. Mais aucun d'eux n'est moi. Et je veux rester. »

Mon esprit tournait à plein régime, essayant de trouver des arguments qui le convaincraient de la stupidité de sa décision. « Et le groupe ?

— Quoi le groupe ?

— Eh bien, tous les autres membres de Sòlas vont se retrouver à Glasgow.

— Et ?

— Tu ne peux pas rester dans le groupe s'ils sont là-bas et toi ici.

— Et alors ?

— Tu n'es pas sérieux, là ? »

Il tourna lentement la tête et me fixa de ses grands yeux noirs. « Pourquoi ne le serais-je pas ?

— Parce que tu es un excellent joueur de flûte. Parce que c'est ta vie. »

Il secoua la tête.

« Non. J'arrive à souffler dans une flûte, mais à quoi bon ? Et ce n'est pas ma vie. Ça ne l'a jamais été. C'est le groupe de Roddy. De Roddy et de Strings. C'est leur vie, pas la mienne. »

Je savais que, quand il avait pris une décision, cela ne servait à rien de discuter. Nous avons donc continué à marcher en silence et rejoint le premier tournant vraiment marqué de la route. Le vent avait forci, chassant les puces et charriant jusqu'à nous une odeur de poisson et d'humidité. Les fulmars plongeaient et criaient au-dessus de nos têtes, et nous vîmes des cormorans posés à la surface de l'eau. En nous retournant, nous pouvions apercevoir Garry et, au-delà, la courbe de Tràigh Mhòr, que l'on pouvait traduire littéralement par « la grande plage ». Tolastadh Head et le village lui-même s'étiraient sur la montée, vierges d'arbres et nus sous le soleil.

La route descendait ensuite avant de remonter vers le second virage. Il était plus serré et plus proche de la mer qui semblait loin sous nos pieds. Nous observâmes le littoral qui partait vers le nord, montant à pic depuis l'azur faussement tranquille du Minch. Des nuages d'altitude, presque lumineux dans le soleil matinal, zébraient le ciel, comme peints par un aquarelliste pressé.

Un peu plus loin, sur la gauche, une mince bande d'herbe courait jusqu'au bord des falaises et plongeait dans une geodha presque à pic, une sorte de gorge abrupte taillée dans le roc. En regardant depuis le sommet, on ne parvenait pas à en distinguer le fond.

Je me penchai aussi loin que j'osai pour regarder en bas. « C'est hyperdangereux ce truc », dis-je. « On ferait mieux de poster quelqu'un à cet endroit, pour que les gars sachent où ça se trouve. »

L'idée était de placer certains d'entre nous par paire dans les virages et à l'endroit où ils devaient faire demi-tour, juste pour s'assurer que personne ne triche.

Whistler quitta la route et commença à avancer vers le côté sud de la geodha pour essayer d'avoir une meilleure vue.

« Fais gaffe ! », lui criai-je. C'était extrêmement raide. J'aperçus des moutons sur une corniche étroite et herbeuse vers le milieu de la paroi, mais rien au-delà.

Il agita le bras. « Viens voir ça. »

J'avançai prudemment sur les talus couverts d'herbe et les rochers jusqu'à ce que je puisse voir ce dont il parlait. Des déchets domestiques. Par tonnes, balancés par-dessus le rebord, sans aucun doute par les braves gens de Tolastadh au long des années. Un enchevêtrement de métal rouillé, des landaus, des cadres de vélos, des cageots à poisson, des vieux filets de pêche, du grillage. La mer avait englouti le bas de l'amoncellement, mais la plus grande partie était accrochée à mi-chemin, retenue par les rochers.

La mer, vert émeraude et claire comme le jour, était anormalement calme dans l'étroit passage de la fissure. On pouvait voir les rochers sous la surface, grossis par effet d'optique, affleurer dans le courant. Même à la hauteur où nous étions, on pouvait entendre les bruits de soupir et de succion de la mer, sa respiration amplifiée par l'acoustique de la geodha, presque semblable à celle d'un être vivant.

Nous regagnâmes la route. « Ouais, il faut vraiment signaler ce passage comme étant dangereux », approuva Whistler.

Au-delà, la route suivait la ligne des falaises jusqu'à un endroit où les ouvriers avaient dû faire sauter un rocher gigantesque qui les empêchait de continuer. Il en restait une partie, de quatre à cinq mètres de haut, debout contre le flanc de la falaise, toutes ses strates mises à nu, des veines rouges courant à la surface de la cassure, comme un journal géologique remontant à l'aube des temps.

Ce passage vers nulle part devait être le point de retournement. Nous nous tenions dans la brèche creusée dans la pierre plus de quatre-vingt-dix ans auparavant et nous vîmes les éboulis qui jonchaient la colline, un amas de rochers brisés qui se trouvaient encore là où ils avaient atterri après l'explosion. En nous tournant vers la route qui partait en courbe, nous avions une vue directe sur les sommets lointains des montagnes d'Écosse, un panorama brumeux qui, pour des générations d'insulaires, faisait partie du décor.

« Tu sais quoi ? », dis-je. « C'est n'importe quoi. Pourquoi vous n'organisez pas un vote à bulletin secret. La majorité l'emporte. »

Whistler secoua la tête. « Roddy ne sera jamais d'accord. Il aurait trop peur de perdre. »

La chose s'était ébruitée et, en dehors de la douzaine de membres réguliers du groupe de motards, une quinzaine de gamins étaient venus l'après-midi pour assister à la course. Tout le monde s'était rassemblé à côté du pont. Quelqu'un avait apporté une bombe de peinture et certains bombaient leur nom sur les parapets en béton. Roddy et Strings, concentrés sur la course, avaient les nerfs à vif et ne lâchaient pas un mot. Il était aisé de les distinguer. Roddy avec son scooter Vespa bleu éclatant et le jaune vif de la machine de Strings.

Whistler et moi étions postés au second virage. Skins se trouvait près de la roche dynamitée et Rambo montait la garde devant la geodha. Mairead et une autre fille se tenaient au premier virage. Curieusement, Mairead n'avait pas exprimé d'opinion sur les noms proposés, ce qui d'après moi signifiait qu'elle préférait Caoran sans oser le dire.

Nous entendîmes le signal du départ donné depuis le pont et le rugissement des moteurs lancés plein gaz, mais nous ne vîmes pas les machines avant qu'elles aient passé le virage. Strings apparut en tête, couché sur son guidon, totalement absorbé par la route qui défilait devant lui. Roddy n'était qu'à quelques mètres derrière, esquivant la poussière et les cailloux soulevés par la roue arrière de Strings.

Ils passèrent devant notre position, accélérèrent sur la portion en ligne droite, leurs moteurs hurlaient quand ils dépassèrent Rambo. Puis, nous les perdîmes de vue. Quand ils réapparurent, sur le trajet retour, Roddy était très légèrement en tête, leurs pneus patinaient et dérapaient alors qu'ils changeaient de vitesse dans le virage. Nous allâmes récupérer nos propres bécanes et partîmes à leur suite, Skins et Rambo dans nos roues. Nous entendîmes les acclamations avant même d'être rendus au pont. Mairead nous avait devancés et tout le monde encerclait les engins bleu et jaune en poussant des cris d'excitation.

« Que s'est-il passé ? », demanda Whistler en s'arrêtant à côté de nous.

« Ex-æquo », cria quelqu'un.

Et l'un des autres gamins dit : « Ils étaient au coude à coude quand ils sont arrivés au pont. Impossible de les départager.

— Parfait », dis-je. « L'honneur est sauf. Maintenant, pourquoi on ne tire pas ça à pile ou face ? »

Strings essuya la sueur de son visage couvert de poussière tout en descendant de sa selle et cala sa moto sur sa béquille. « Je crois que ça serait aussi bien.

— Non ! » Roddy était inflexible, toujours à cheval sur sa Vespa. Autour de lui, les voix se transformèrent en murmures. « Il y a un autre moyen de régler ça. On le refait. Mais cette fois on chronomètre. L'un après l'autre. C'est la seule manière de nous départager. »

Une fille appelée Dolina se mit à fouiller dans un sac tricoté rose qu'elle avait à l'épaule. « J'ai un chronomètre. On l'utilise pour les entraînements de course au club d'athlétisme.

— On est parés alors. » Roddy sourit de satisfaction et regarda Strings pour obtenir son approbation.

Strings haussa les épaules. « Ça marche. »

« Bon, on tire au sort celui qui part en premier. » Roddy sortit une pièce de dix pence et la lança en l'air.

« Face ! », cria-t-il, et tout le monde s'approcha pour voir sur quel côté elle allait retomber. Face. Roddy sourit. « Je commence. »

Rambo partit sur sa moto jusqu'au point de retournement pour tracer une ligne en travers de la route que chaque moto devait franchir et pour s'assurer qu'elle la franchisse bien. Dolina se posta au bout du parapet avec son chronomètre et Roddy plaça sa roue avant sur la ligne qui séparait le bout du pont et le début de la route. Nous laissâmes à Rambo le temps de rejoindre le rocher dynamité puis tout le monde se mit à hurler le compte à rebours à partir de trois. Lorsque Dolina lança le chronomètre, Roddy partit sur les chapeaux de roues.

On pouvait voir à la manière dont il se tenait à quel point il était tendu et déterminé, sa roue arrière dérapant d'un côté à l'autre tandis qu'il accélérait au maximum en remontant la pente jusqu'au premier virage. Puis il disparut, masqué par le sommet de la colline, et le son de sa machine s'affaiblit dans le lointain.

Strings, assit sur le parapet, les mains jointes devant lui, comme en prière, ne lâcha pas un mot. Tous les autres se mirent à faire les cent pas, spéculant à voix basse sur le résultat de la course, comme s'ils redoutaient de briser la concentration de Strings. Je jetai un coup d'œil dans sa direction et vis à quel point son visage était marqué par une profonde tension intérieure. Pour je ne sais quelle raison, cela semblait avoir plus d'importance pour lui que cela n'aurait dû. Après tout, qu'est-ce qu'un nom pouvait bien représenter ? Et, au bout du compte, qu'est-ce que cela pouvait faire ?

Nous entendîmes la machine de Roddy avant de la voir. Il était de retour très rapidement. Je consultai ma montre. À peine plus de trois minutes et demie. Soudain, il apparut, dangereusement penché tandis qu'il oscillait dans le virage. Il lui fallut moins de trente secondes pour rejoindre le pont. Nous plongeâmes tous de part et d'autre quand il accéléra pour passer la ligne d'arrivée avant de se dresser sur ses freins et de braquer sa roue avant pour s'arrêter en dérapage au bout de la route.

Son visage était cramoisi, ses yeux brillants. Il savait qu'il avait fait un bon temps. « Alors ?

— Trois minutes cinquante-sept », annonça Dolina. Roddy adressa un regard de triomphe à Strings.

Si Strings avait des doutes, il ne le montrait pas. Il se leva, nonchalamment, enfourcha sa moto, releva la béquille et démarra le moteur. Tout le monde se rassembla en hurlant autour de la ligne de départ et je grimpai sur le parapet pour avoir une meilleure vue.

Le compte à rebours démarra.

Strings accéléra et enclencha l'embrayage. Sa roue arrière se mit à patiner, hurlant comme un fou de Bassan désespéré jusqu'à ce qu'elle accroche et que sa moto démarre dans une gerbe de gravillons. J'observai Roddy qui ne le lâchait pas du regard et vis le doute s'insinuer lentement mais sûrement dans son esprit. Strings disparut après le virage. Plusieurs d'entre nous regardèrent leur montre pendant que le bruit de son moteur s'estompait. La tension planait au-dessus de nous comme un fantôme.

Trois minutes et demie passèrent sans que nous entendions retentir le hurlement du moteur 125 cc. Pas de brouillard jaune dans le virage. Quatre minutes et toujours rien.

« Il y a un problème », dis-je. Pour la première fois, la tension qui planait au-dessus de nous se transforma en appréhension et en peur.

« Il a dû tomber », dit Roddy, « en essayant d'aller trop vite. »

Je n'avais pas l'intention d'attendre pour le savoir. Je sautai sur ma Mobylette et accélérai sur la Route Vers Nulle Part, rebondissant en direction du virage. J'entendis une autre moto qui me suivait. Je lançai un regard en arrière et vis Whistler et, derrière lui, tous les autres qui se lançaient à notre poursuite.

Il n'y avait aucun signe de Strings, et ce n'est que lorsque j'eus passé le deuxième virage que j'aperçus Rambo, l'air accablé, sur le côté de la route au-dessus de la geodha. La bécane jaune de Strings gisait, tordue, dans l'herbe, la roue avant, dressée, tournait encore, une grosse bande de tourbe avait été arrachée là où la machine avait quitté la route. Trois moutons détalaient. Whistler et moi rejoignîmes Rambo avant les autres. Il était paniqué, les yeux écarquillés.

« J'étais en train de récupérer ma moto quand j'ai entendu l'accident. Ça doit être une de ces saletés de moutons qui traversait la route. On dirait qu'il est parti direct en vol plané.

« Putain. » Le mot s'échappa de ma bouche dans un souffle.

Whistler était déjà en train de descendre le long de la pente côté sud. Sans prendre garde au danger. Il faisait des moulinets avec les bras avant de sauter sur la plus basse des corniches rocheuses que l'on apercevait du sommet et de se stabiliser. Je m'engageai à sa suite. Quand j'arrivai sur la corniche, je repérai les détritus que nous avions vus le matin même, retenus à mi-course par les rochers. De là où nous étions, nous ne pouvions apercevoir le fond et il n'y avait aucune trace de Strings.

Je jetai un coup d'œil derrière nous. Tout le monde était agglutiné sur le bord de la route. Roddy dévala la pente dans notre direction. Il nous rejoignit, hors d'haleine, les yeux agrandis par la peur. « Où est-il ?

— Aucun signe de lui », répondit Whistler.

« Oh, Seigneur. » Roddy se pencha immédiatement au-dessus du rebord.

Whistler tenta de l'agripper mais sans pouvoir le retenir. « Bon sang, mec, ne sois pas stupide. Il n'y a aucun moyen de descendre là-dedans. Et s'il y en a un, tu ne pourras pas remonter. »

Mais rien ne pouvait arrêter Roddy. Il descendit, désespéré, le visage face à la falaise, les bras et les jambes étendus de part et d'autre du corps à la recherche de prises et d'appuis. Il était arrivé aussi loin que notre regard portait dans la geodha quand il releva le visage dans notre direction. « Je ne le vois pas ! » Sa voix rebondit contre les falaises et il disparut soudain, en ayant à peine le temps de pousser un cri étouffé.

« Merde ! » Immédiatement, Whistler commença à descendre après lui mais je lui agrippai le bras.

« Il nous faut de l'aide. » Sans espoir, je jetai un coup d'œil vers le haut de la descente, là où les autres étaient rassemblés et, stupéfait, je vis Strings, hirsute et débraillé, se frayer un chemin vers le rebord de la geodha. Il était couvert de boue mêlée de tourbe et du sang gouttait de son front. Je n'avais jamais vu un visage à ce point livide. Tous s'écartèrent pour le laisser passer, les yeux rivés sur lui, étonnés et silencieux. Il lança un regard à Whistler puis revint sur moi.

« Mais putain, d'où tu sors ? », hurlai-je.

Il secoua la tête. À l'évidence, il était sous le choc. « J'sais pas ce qui est arrivé. Un foutu mouton a déboulé sur la route. Je me suis réveillé dans le fossé de l'autre côté et vous tous qui étiez là, rassemblés autour de la geodha.

— On croyait que tu étais tombé ! », lui expliquai-je.

« Mais bon sang », dit-il. « Personne n'a pensé à regarder dans ce putain de fossé ! » Il leva les bras au ciel avant de les laisser retomber. « Où est Roddy ?

— Il est tombé en allant te chercher », beugla Whistler. Il était clair qu'il n'éprouvait pas beaucoup de sympathie pour Strings. Il se tourna vers moi. « Va demander si quelqu'un a une corde dans ses sacoches. » Et il se laissa glisser par-dessus le rebord, cherchant les prises que Roddy avaient utilisées.

Tandis que je regagnais la route avec difficulté, je m'interrogeais sur l'attitude de Roddy. Il y avait de cela à peine un quart d'heure il était décidé à vaincre Strings et à l'humilier dans une compétition stupide pour choisir le nouveau nom du groupe. Et à présent, il était parti et avait risqué sa vie, peut-être l'avait-il perdue, en essayant de le sauver.

Trois des garçons présents avaient des cordes de remorquage. Mais aucune d'elles n'était suffisamment longue. Au grand étonnement de tous, Mairead savait comment réaliser les nœuds pour attacher les cordes ensemble jusqu'à la longueur appropriée. Nous n'aurions pas dû être surpris, puisque son père était pêcheur, mais la vitesse et la dextérité avec lesquelles elle les noua nous épatèrent malgré tout. Strings restait debout à la regarder, impuissant. Personne sur l'instant ne s'inquiétait de savoir s'il était blessé. Toute l'attention était portée sur Roddy.

Je descendis la pente en courant muni de la corde et accompagné de plusieurs autres garçons et nous avançâmes prudemment jusqu'au bord de la falaise pour voir si nous apercevions Whistler. Il restait invisible. Je hurlai son nom aussi fort que je le pus et, à mon grand soulagement, je l'entendis me répondre.

« Vous avez trouvé une corde ?

— On en a une.

— Alors envoie-la et assure-toi qu'elle est bien arrimée au sommet. »

Le seul moyen de l'attacher consistait à me l'enrouler autour de la taille pour que je serve d'ancrage pendant que, devant moi, les autres garçons l'agrippaient, leurs mains les unes derrière les autres, comme les membres d'une équipe de tir à la corde. Je me couchai en arrière, presque assis, les talons solidement et profondément enfoncés dans la tourbe et nous lançâmes l'autre extrémité dans la geodha.

Après quelques minutes, nous sentîmes une traction puis ce qui nous sembla être le poids de deux Whistler en train de vérifier si nous la tenions fermement. Rien n'était moins sûr. Je criai en direction de la route pour que l'on vienne nous aider, espérant que les nœuds de Mairead tiendraient bon. Plusieurs arrivèrent en courant, les filles également, tous ceux capables de prêter main-forte, et enfin nous vîmes la silhouette immense de Whistler se hisser au-dessus du rebord avec Roddy couché en travers de son épaule.

Sitôt qu'il eut atteint l'herbe, il lâcha la corde et le laissa tomber sur le sol. Roddy poussa un cri de douleur presque inhumain. Sa jambe droite décrivait un angle anormal. Après l'effort qu'il venait de fournir, Whistler était cramoisi et couvert de sueur. « Il a la jambe pétée », dit-il inutilement.

Roddy respirait avec difficulté. Il ouvrit les yeux quelques instants et leva le regard. Strings était penché au-dessus de lui, le visage couvert de sang, l'air inquiet. Les lèvres de Roddy se tordirent en une sorte de grimace et il dit : « Bon. Donc ça sera Amran. »

Je ne revis pas Roddy avant le début des vacances d'été. Il avait été transporté d'urgence à l'hôpital et avait passé plusieurs heures sur le billard à cause d'un fémur en miettes. Il s'était retrouvé avec des plaques de métal et des vis dans la cuisse. Les concerts estivaux du groupe furent annulés et ce n'est qu'à l'occasion d'une réunion pour discuter de leur avenir que tous les membres du groupe furent à nouveau réunis pour la première fois depuis l'accident. Il ne fut pas question de l'incident à la geodha, en tout cas pas en ma présence. Fidèle à son caractère obstiné, Roddy semblait simplement content d'avoir remporté le pari. Sa jambe était plâtrée et coincée dans une attelle et il arriva dans un fauteuil roulant poussé par une infirmière payée par ses parents.

La réunion eut lieu dans la salle du bar de l'auberge Scaliscro qui se trouvait sur la rive droite de Little Loch Ròg. Roddy avait une mine terrible. Mais il avait tenu à tout prix à l'organiser pour planifier le devenir du groupe une fois que tous seraient partis à Glasgow.

Toutefois, ce fut Mairead qui provoqua un choc. Elle avait, à la grande surprise de tout le monde, coupé ses cheveux à la limite de la brosse. Ses longs cheveux noirs qui tombaient en cascade sur ses épaules anguleuses avaient disparu. Cette coupe presque masculine l'amaigrissait et lui donnait un aspect sévère mais, étrangement, encore féminin. Peu de femmes auraient pu se permettre d'arborer une coupe pareille. Mais Mairead avait un visage magnifiquement dessiné et même la forme de son crâne, maintenant pleinement visible, était d'une beauté classique. Je n'arrivais pas à détourner mon regard d'elle.

Roddy était bizarrement agité comme s'il était sous l'emprise de drogues. Peut-être était-ce le cas. Sans doute le mélange de calmants et de bière. Ou bien cette ambition implacable et insatiable qui l'animait. Il avait le visage congestionné et ses yeux brillaient d'un éclat étrange.

« Amran », dit-il en lançant un regard de triomphe en direction de Strings. « Ça sonne bien. » Personne n'avait l'intention de le contredire. « Dès que je serai sur pied, Strings et moi nous irons à Glasgow pour organiser quelques concerts, et nous aurons certainement besoin d'une société de management. »

Du coin de l'œil, j'aperçus Whistler qui posait sa pinte sur le bar d'un air définitif. Je savais ce qui allait suivre. « Je ne viendrai pas à Glasgow », annonça-t-il.

Le battement de la musique diffusé par la chaîne stéréo ne fit qu'accentuer le silence qui suivit.

« Quoi… tu veux dire que tu as postulé pour Strathclyde, ou Édimbourg, ou un autre endroit ? », demanda Rambo, incrédule.

« Ce que je veux dire, c'est que je ne vais pas à l'université. Que ce soit à Glasgow, Édimbourg ou ailleurs. Je reste sur l'île. »

J'avais presque cessé de respirer.

« Mais de quoi tu parles ? », intervint Roddy. Son regard avait perdu tout son éclat. « Tu ne peux pas rester ici et continuer à faire partie du groupe.

— Félicitations. Tu viens de remporter un lot de couteaux à viande et des vacances pour deux personnes à Torremolinos. Il va falloir que vous trouviez un autre joueur de flûte quand vous serez à Glasgow. »

On aurait dit que le monde venait de s'écrouler sur Roddy.

« Quand as-tu pris cette décision ? », demanda calmement Mairead.

Whistler haussa les épaules. « Ça fait un moment. »

« Et tu ne nous as rien dit ? » Roddy était en colère à présent.

Le bruit de la main grande ouverte de Mairead s'abattant sur la joue de Whistler résonna comme un coup de feu. Elle le frappa si fort qu'il dut se retenir au bar pour ne pas chanceler. Elle le dévisagea longuement, intensément, de la haine dans les yeux avant de se détourner et de quitter le bar.

Ironie du sort, Amran, puisque tel était le nom du groupe à présent, connut la gloire après le départ de Whistler et l'accident sur la Route Vers Nulle Part semblait, de manière assez perverse, avoir rapproché Strings et Roddy.

Mais le vrai moteur de leur passage du statut de groupe insulaire de rock celtique à celui de grand groupe reconnu fut Donald Murray. Big Kenny était parti pour l'institut agronomique d'Inverness et le groupe se retrouvait sans *roadie*. Un jour, peu après ma rupture définitive avec Marsaili, je reçus un coup de téléphone de Donald.

« Salut, mec », dit-il d'une voix traînante. À cette époque, il parlait avec un pseudo-accent nord-américain, quelque part entre celui de Ness et celui de New York. C'était l'un des garçons les plus intelligents de sa promotion à Nicolson et il était entré à l'université de Glasgow, chargé de tous les espoirs déçus de ses parents. Son père, Coinneach Murray, était l'un des hommes les plus craints et les plus respectés de Ness. Pasteur de l'Église libre de Crobost, partisan d'un christianisme sévère et sans concession, il nous menaçait régulièrement des flammes de l'enfer. Très tôt, son fils avait rejeté tout ce qui avait trait à la foi, devenant le rebelle typique, sans cause, défiant son père à la moindre occasion. Il buvait, jurait, couchait avec un nombre incalculable de filles et semblait fermement engagé sur une pente autodestructrice.

Il avait abandonné la fac en première année, avant Noël, et j'avais perdu sa trace jusqu'à ce qu'il m'appelle à la résidence universitaire.

« Donald ? » Sa voix me parut changée.

« C'est moi, frangin.

— Où diable es-tu ? Je veux dire, qu'est-ce que tu fabriques ? »

Je l'entendis glousser à l'autre bout de la ligne. « Je travaille dans l'industrie de la musique, frangin.

— Donald, je ne suis pas ton frangin !

— Hé, mon gars, t'excite pas. C'est juste une manière de parler.

— Quelle industrie musicale ? », demandai-je.

« J'ai trouvé un boulot dans une agence artistique. On représente des groupes, des chanteurs, on organise des tournées, on négocie les contrats avec les maisons de disques. » Je devinai à son ton qu'il en était très fier. Il marqua une pause. « Je suis l'assistant personnel de Joey Cuthbertson, un impresario hors du commun. Un type incroyable, Fin. Ce qu'il ne connaît pas sur l'industrie de la musique ne vaut pas la peine d'être retenu.

Et je vais lui pomper tout ce qu'il y a dans son cerveau jusqu'à ce que j'en aie absorbé chaque cellule.

— Tant mieux pour toi. »

Il se mit à rire. « Je n'arriverai jamais à t'épater, hein ?

— Pas quand tu t'efforces de le faire, Donald. Ce que tu n'as jamais compris c'est que tu n'as pas à essayer. »

Il rit de plus belle. « Fin, Joey Cuthbertson a signé Amran. » Il laissa un blanc. « Sur mon conseil. Ils vont cartonner, mec. Souviens-toi de ce que je te dis. Je pense qu'on aura un contrat avec une maison de disques avant Pâques.

— Tant mieux pour eux. Qu'est-ce que tout cela a à voir avec moi, Donald ?

— Nous avons besoin d'un *roadie*, Fin. Big Kenny est parti à Inverness et ton nom a été évoqué. Le groupe te fait confiance.

— Certains d'entre nous essaient encore d'obtenir un diplôme, Donald.

— Les soirs et les week-ends, Fin. Tu gagneras bien ta vie. Et puis tu l'auras ton diplôme, frangin, les doigts dans le nez. »

Donald se trompait sur beaucoup de choses. Mais il était dans le vrai au sujet d'Amran. Je fus leur *roadie* pendant le reste de l'année universitaire et nous tournâmes dans toute l'Écosse et le nord de l'Angleterre. Le contrat discographique que Donald avait prédit se concrétisa en juin. Le groupe passa l'été en studio pour enregistrer son premier album, qu'ils appelèrent Caoran, un geste à l'égard de Strings. Il contenait surtout des chansons sur lesquelles Roddy et Strings avaient collaboré, et un producteur venu de Londres leur donna un vrai cachet professionnel. Ils ne remplacèrent pas Whistler. Lorsque le premier single sortit en septembre, il se plaça directement à la cinquième place des hit-parades.

Mairead devenait une célébrité mineure, son visage apparaissait régulièrement dans la presse tabloïd et sur les couvertures de plusieurs magazines à diffusion nationale. Elle avait un gourou personnel, en tout cas c'est ainsi que l'appelait Mairead. Une espèce de lesbienne sur le retour ayant abandonné ses études d'art qui la conseillait pour ses vêtements et son maquillage. Parfois, il fallait que je me pince pour parvenir à me rappeler que Mairead était simplement une gamine de Lewis que j'avais rencontrée à l'école et dont je m'étais entiché.

Le père de Roddy lui avait offert un avion monomoteur d'occasion. Un Piper Comanche rouge et blanc. Et le groupe gagnait suffisamment d'argent pour que Roddy puisse se payer des leçons de pilotage à l'aéroport de Glasgow. Mais il s'approchait des sommets de bien d'autres manières. Ses talents hors du commun le destinaient à la célébrité, à la reconnaissance. En tout cas, c'est ainsi qu'il le voyait. Et ce fut cette ambition démesurée qui, au bout du compte, le conduisit à l'affrontement avec Donald.

Quand j'entrai en deuxième année à l'université, Roddy et ses comparses d'Amran avaient abandonné leurs études pour se concentrer sur la carrière du groupe. Une attaque cardiaque avait pour ainsi dire transformé Joey Cuthbertson en invalide et Donald lui avait succédé à la tête de l'agence. Apparemment, il avait bel et bien sucé le vieil homme jusqu'à la moelle.

Mais même si l'impressionnante ascension de Donald dans le milieu de la musique écossaise avait provoqué un regain d'intérêt pour les groupes de Glasgow comme Amran, cela coïncida aussi avec son plongeon dans la boisson et les drogues. J'imagine qu'il avait toujours été un candidat idéal pour cet état d'esprit typiquement insulaire appelé *cùram*, quand l'endoctrinement dès l'enfance des implacables croyances presbytériennes resurgissaient comme un virus après des années de vie dissolue pour remodeler ses victimes à l'image de leurs pères. Dans son cas, le pasteur Coinneach Murray. Il faudrait toutefois encore quelques années avant que Donald ne se mette à suivre les traces de son géniteur. Pour l'instant, le déni lui procurait trop de joie.

Il n'accordait plus assez d'attention à son métier, et la carrière d'Amran commençait à stagner alors que le groupe n'avait pas encore enregistré son deuxième album. Le succès peut vous tomber dessus en un clin d'œil, mais s'évanouir tout aussi vite, comme une larme qui s'évapore. Les concerts étaient répétitifs, routiniers, et ne faisaient en rien avancer leur carrière. Donald n'était jamais là, jamais joignable au téléphone, jamais disponible pour discuter avec Roddy, Strings et les autres des détails qu'ils pensaient être importants pour leur avenir. Il était déjà embarqué sur la pente traîtresse et sans fin de l'addiction.

En ce qui me concernait, je m'en fichais. Je conduisais le fourgon et l'argent que je gagnais me permettait de ne pas trop me projeter dans le futur. En fait, je n'avais pas vraiment envie d'y penser. Mes études ne m'intéressaient pas, je n'avais pas d'ambition, pas d'idée sur quoi faire de ma vie. Les nouvelles que j'avais apprises lors de mon retour sur l'île pour l'enterrement de ma tante avaient anéanti tout l'intérêt que j'y portais. Artair et Marsaili étaient mariés. J'avais perdu mon plus vieil ami et la seule fille que j'avais vraiment aimée.

La tension entre Roddy et Donald atteignit son paroxysme un week-end au début de novembre.

C'était un vendredi soir et Amran jouait dans un de ces pavillons au bout des jetées, un vestige de l'époque des music-halls de bord de mer qui avait échappé à la démolition et été restauré avec amour. Il se trouvait quelque part sur la côte ouest de l'Angleterre. Je ne me souviens pas où exactement. L'une de ces stations balnéaires victoriennes qui avaient survécu aux vandales des années 1950 et 1960 et conservé un certain charme suranné. La promenade d'époque qui longeait le littoral sur environ un kilomètre et demi était encore debout, et la jetée était une construction complexe de montants et de poutrelles métalliques de près de cent cinquante mètres de long. Le pavillon lui-même était un enchevêtrement de courbes et de toits en pente posé sur le T au bout de la jetée et abritait une salle d'environ quatre à cinq cents places assises. Il accueillait pendant l'été des spectacles de variétés qui attiraient encore un large et nombreux public. En novembre, les représentations étaient rares.

C'était l'exemple type des concerts que Donald organisait dorénavant pour le groupe et Roddy était furax avant même notre départ, déterminé à avoir une explication avec Donald qui avait accepté de nous y retrouver.

C'était une nuit épouvantable, humide et venteuse, le jour déclinait quand nous arrivâmes dans une de ces petites villes nichées dans les plis des collines verdoyantes de la campagne anglaise. À travers mon pare-brise couvert de pluie, je cherchais désespérément des panneaux indicateurs quand Rambo, qui faisait toujours les trajets avec moi, me hurla soudain de stopper. J'écrasai la pédale de frein.

« Putain, qu'est-ce qu'il y a… ? »

La voiture dans laquelle voyageait le reste du groupe manqua de nous heurter par l'arrière.

« Il y a un type, là », fit Rambo en pointant du doigt le parapet d'un pont qui franchissait les eaux boueuses d'une rivière transformée en torrent par la pluie. C'était un vieux pont de pierre, ponctué de lampadaires à intervalles réguliers. Un homme était debout sur le parapet, une main agrippant un lampadaire. Il regardait l'eau qui défilait à ses pieds. Ses intentions ne faisaient aucun doute. Il essayait de trouver le courage de sauter.

Roddy, Mairead et les autres avaient déjà surgi de la voiture et arrivèrent en courant à ma portière.

« Il y a un problème ? », cria Roddy.

Je désignai le pont. « Apparemment, ce type va se foutre à l'eau. »

Tout le monde tourna le regard et l'instant resta comme suspendu. « Seigneur », murmura Roddy. « Qu'est-ce qu'on va faire ? »

Je consultai ma montre. « On est déjà en retard. »

Mairead me lança un regard glacial. « Tu ne penses pas que la vie d'un homme a un petit peu plus d'importance qu'un concert au bout d'une jetée ? »

Nous la regardâmes, surpris.

« Elle a raison », ajouta Strings. « Allons-y. Il faut essayer de lui parler et de le faire changer d'avis. »

Mairead lui prit le bras. « Non, on va lui faire peur. J'y vais seule. »

Nous restâmes donc là, pendant que Mairead avançait avec prudence en direction de l'homme et nous l'entendîmes lui adresser la parole. « Bonsoir, je me demandais si vous pourriez nous aider ? Je crois que nous sommes perdus. »

L'homme tourna brusquement la tête vers elle et la fixa de ses yeux de lapin effrayé. Il devait avoir une cinquantaine d'années, son crâne se dégarnissait. Il avait l'air mal rasé et portait un imperméable miteux, un pantalon gris anthracite et un gilet usé jusqu'à la trame. « Ne vous approchez pas de moi ! » Il haussa la voix pour couvrir le rugissement du courant et jeta un coup d'œil par-dessus l'épaule de Mairead, dans notre direction.

« Qu'est-ce que vous faites perché là-haut ? », lui demanda-t-elle.

« À votre avis ? »

Mairead baissa les yeux vers la rivière et secoua la tête. « Ce n'est pas une bonne idée. Vous allez abîmer vos chaussures. »

Il la regarda avec étonnement. Elle lui sourit. Il y avait quelque chose dans le sourire de Mairead auquel aucun homme ne pouvait résister. Il lui sourit en retour. Un

sourire timide, mal assuré. « Elles ne sont pas neuves »,
expliqua-t-il. « Alors ça n'a pas d'importance. »

Elle observa les pieds de l'homme. « Vos chaussettes
sont dépareillées. »

Il sembla surpris et jeta un coup d'œil à ses pieds.
« Qui s'en soucie ?

— Il doit bien y avoir quelqu'un qui s'en soucie. »

Les lèvres de l'homme se serrèrent en une grimace
maussade et il secoua la tête. « Non, personne.

— Vraiment personne ?

— La seule personne qui s'en soit jamais préoccu-
pée n'est plus là. »

Je vis le regard de Mairead se poser sur la main gauche
de l'homme serrée autour du lampadaire et sur l'anneau
d'or à son annulaire. « Votre épouse ? »

Il hocha la tête.

« Elle vous a quitté ?

— Elle est morte.

— Récemment ? »

Il secoua la tête une fois de plus. « Cela fait un an
aujourd'hui. Cancer. La maladie a été longue. » Il
contempla les reflets de l'eau avant de reposer les yeux
sur Mairead. « J'ai vraiment essayé. Mais je n'ai plus la
force de continuer. »

Mairead s'avança prudemment vers lui puis pivota
sur elle-même et se hissa pour s'asseoir aux pieds de
l'homme, sur le parapet, les mains posées à plat de part
et d'autre de ses cuisses. « Vous n'avez pas d'enfants ? »

De nouveau, il eut un hochement de tête négatif. Puis :
« Enfin, si. Mais il est en Australie. Je vous l'ai dit, tout
le monde s'en fout. »

Elle inclina la tête pour lever les yeux dans sa direction. « Moi je ne m'en fous pas. »

Cela le fit presque rire. « Vous ne me connaissez
même pas.

— Si, je vous connais. Je vous connais même très bien.

— Non, c'est faux ! » Sa voix prit une tonalité hostile.

« Mais si, c'est vrai. » Je vis une ombre traverser son visage, un voile d'émotion. « Vous êtes chaque homme qui a perdu la femme qu'il aimait. Vous êtes mon père. J'aurais aimé être là pour lui. Mais je n'ai jamais rien su, voyez-vous. Il n'a jamais rien dit. Je l'ai appris après qu'il fut parti. Les jeunes sont trop occupés avec leur propre vie. Et il est facile d'oublier que vos parents ont une vie eux aussi. Des sentiments. Que ce n'est pas parce que l'on vieillit que cela disparaît. » Elle se tourna vers lui, les yeux baignés de larmes. « Vous lui avez dit ? Votre fils. Vous lui avez dit ce que vous ressentez ?

— Je ne vais pas l'embêter avec ces histoires.

— Et quand la police va venir frapper à sa porte pour lui annoncer que son père s'est donné la mort, vous ne croyez pas que cela va lui faire du mal ? Vous ne pensez pas qu'il va se demander pourquoi vous ne lui avez rien dit ? Et la culpabilité qui va l'accompagner toute sa vie, à se dire qu'il y avait quelque chose qu'il aurait pu ou dû faire ? »

Le visage de l'homme se plissa et des larmes vinrent se mêler à la pluie qui coulait sur ses joues. « Je ne veux pas l'embarrasser. »

Mairead descendit du rebord du parapet et lui tendit la main. « Venez », lui dit-elle. « Vous ne l'embarrasserez pas. Allons l'appeler. Maintenant.

— Mais c'est le milieu de la nuit là-bas », dit-il.

Mairead sourit. « Ça ne le dérangera pas. Faites-moi confiance. »

Il l'observa un long moment et elle soutint son regard, la main toujours tendue, jusqu'à ce que, finalement, il la saisisse et saute sur le trottoir à côté d'elle. Mairead le prit entre ses bras et le serra contre elle. La pluie s'intensifia comme si elle se joignait à leurs pleurs. Trempés jusqu'aux os, ils se tenaient au milieu du pont, la nuit tombait autour d'eux et les phares des voitures qui passaient les éclairaient brièvement, les conducteurs indifférents au drame qui se jouait sur le pont.

Puis, toujours en lui tenant la main, elle le conduisit vers le fourgon.

« Viens mon pote », dit Roddy en le faisant monter dans la voiture. « On te ramène chez toi. »

Il vivait dans une maison semi-mitoyenne dans une petite rue de banlieue aux faubourgs de la ville. Un endroit lugubre et misérable. Mairead alluma la lumière et mit la bouilloire en marche. Un train passa au bout du jardin long et étroit, dans un coin duquel se dressait une remise délabrée au milieu d'une pelouse qui n'avait pas été entretenue depuis des lustres.

Roddy alla sonner à la maison d'à côté et revint avec la voisine, une dame âgée, qui s'affaira dans la minuscule cuisine où nous nous étions rassemblés et nous dit qu'elle avait un ami qui pouvait venir et lui tenir compagnie. Mairead l'installa près du chauffage électrique avec le téléphone et composa le numéro de son fils en Australie.

Ensuite, nous le laissâmes avec sa voisine qui gardait un œil sur lui en attendant que son ami arrive, tandis qu'il parlait avec hésitation à son fils à plus de dix mille kilomètres de là. Je n'arrivais pas à me figurer quel genre de conversation ils pouvaient avoir. Mais il était vivant et parlait de ce qu'il ressentait au lieu de le garder pour lui et de se pousser au suicide. Tout cela grâce à Mairead.

Alors que nous regagnions nos véhicules stationnés au bord de la route, je lui dis : « Je ne savais pas que tes parents étaient morts. »

Elle haussa les épaules. « Ils ne le sont pas. » Et, voyant mon air étonné, elle se mit à rire. « Oh, Fin, Fin, tu es si naïf. La situation exigeait une histoire, et je lui en ai donné une. Quand je chante à propos d'un cœur brisé ou d'un amour éternel, les gens ont besoin de croire que je dis la vérité. Que mes larmes sont sincères. Je suis douée pour ça. »

Je me remémorai l'émotion qui habitait son visage quand elle avait menti à l'homme sur le pont, et avec quelle facilité lui et moi nous nous étions laissé convaincre. Je réalisai ce soir-là que je ne pourrais plus jamais lui faire confiance pour me dire la vérité sur quoi que ce soit.

Au bout du compte, nous arrivâmes avec une heure de retard pour le concert sur la jetée. Le patron était un petit homme chauve, malingre et coincé nommé Tuckfield. Il portait un costume bleu avec des chaussures marron. Une association qui ne m'avait jamais inspiré confiance. Il était rouge comme une tomate, au bord de l'apoplexie. Et, bien sûr, pas un signe de Donald le beau parleur pour mettre un peu d'huile dans les rouages.

« J'ai là-dedans trois cents spectateurs payants qui veulent ma peau ou être remboursés », cracha-t-il au visage de Roddy.

Nous laissâmes Roddy essayer de s'expliquer pendant que nous vidions le fourgon. Je ne sais pas comment nous fîmes, mais le groupe monta sur scène et débuta le concert dans la demi-heure. En compagnie d'Archie, un garçon de Glasgow qui conduisait la voiture, je m'allongeai dans un sac de couchage au fond du fourgon pour essayer de dormir. Ce soir-là, pour se faire pardonner son retard, le groupe joua pendant près de trois heures.

Je sus qu'il y avait un problème quand les portes arrière du fourgon s'ouvrirent soudainement et que je vis Roddy, debout sur la jetée, le visage livide de colère. « Ce bâtard ne veut pas nous payer !

— Quoi ? » Je m'assis d'un seul coup. Si le groupe n'était pas payé, je n'étais pas payé non plus.

« On a joué presque une heure de plus que ce qui était convenu pour compenser notre retard, mais il s'obstine à dire que nous n'avons pas honoré notre contrat et qu'il ne paiera pas. »

Je sautai hors du fourgon. « Allons lui parler. »

Nous le trouvâmes dans son bureau, au bout du couloir derrière la scène. Il était apeuré et sur la défensive et, lorsqu'il nous vit entrer, Roddy et moi, il s'éloigna instinctivement de la porte. Il leva la main. « Je ne veux pas de grabuge.

— Il n'y aura pas de grabuge », répondis-je. « Payeznous et nous partons. »

Il agita un doigt en l'air. « Non, non, non. Vous m'avez laissé tomber ce soir. Ce n'était pas professionnel. Vous n'avez pas respecté le contrat. Téléphonez à votre manager et passez-le-moi, quand nous nous serons mis d'accord sur une compensation, vous aurez votre argent.

— Vous avez eu votre compensation ! » Roddy lui hurlait presque dessus. « Putain, on a joué une heure de plus !

— J'ai quand même des gens qui se sont fait rembourser. D'autres qui étaient déjà partis quand vous êtes arrivés. »

Je crus que Roddy allait se jeter sur lui et je m'interposai, les mains levées. « OK, appelons Donald sur son portable. » Tout le monde n'avait pas de portable à cette époque. Donald avait le tout dernier modèle mais rien ne nous garantissait qu'il serait en état de répondre. Il aurait dû nous accompagner au concert. Mais il n'était pas là et Dieu seul savait où il était passé.

J'empruntai le téléphone de Tuckfield et j'écoutai la sonnerie retentir dans le vide à l'autre bout de la ligne. La messagerie se déclencha. Cela ne servait à rien de laisser un message. Quand je raccrochai, je lus des envies de meurtre dans le regard de Roddy.

J'essayai d'être la voix de la raison. « Bon, écoutez monsieur Tuckfield, vous savez pourquoi nous sommes arrivés en retard. Nous avons sauvé la vie d'un homme ce soir. Et nous vous avons donné une heure supplémentaire pour rattraper le coup. De plus, nous sommes des gens raisonnables. Et je suis sûr que c'est également votre cas. Alors, nous allons sortir, charger le fourgon et attendre dehors. Quand vous aurez décidé de nous payer, nous nous serrerons la main et sans un mot de plus, nous partirons. » Je fis une pause. « Dans le cas contraire… » Je sentais le regard de Roddy posé sur moi, attendant la suite. « Eh bien, vous pouvez rester dans votre bureau et y prendre racine. J'ai conduit pendant quatre cents foutus kilomètres pour venir jusqu'ici, et j'en ai encore autant à faire pour rentrer. Alors, bordel, je ne partirai pas d'ici tant que je n'aurais pas eu mon putain de fric. »

Je n'étais pas du genre à être vulgaire, même si monsieur Tuckfield n'en savait rien, mais Roddy comprit que je ne plaisantais pas. Comme je revenais vers le fourgon à grandes enjambées, avec Roddy qui courait sur mes talons pour me rattraper, il dit : « Peut-être que tu devrais être notre manager, Fin. » Je lui lançai un regard noir.

Peu après minuit, le fourgon était chargé et nous étions prêts à démarrer. Mairead et ceux qui voyageaient en voiture voulaient partir et me laisser avec Roddy nous occuper de Tuckfield.

Mais je fus inflexible. « Non. Soit on reste tous, soit on part tous. Et si je pars d'ici sans être payé, ce sera mon dernier concert avec vous. » Et ils savaient que j'étais sincère.

Nous restâmes à attendre, au bout de la jetée, fumant des cigarettes, emmitouflés dans nos manteaux et nos écharpes, écoutant la mer qui venait lécher les poteaux sous nos pieds. Les lampadaires de la ville qui remontaient sur la colline au-delà de la promenade, scintillaient dans la nuit. Les honnêtes gens qui habitaient cette station balnéaire, autrefois populaire, étaient depuis longtemps au lit et les maisons alignées à flanc de colline étaient plongées dans le noir. La pluie avait fini par s'arrêter, mais tout était encore humide et reflétait les lampadaires et les étoiles.

Je n'avais pas idée du temps que Tuckfield était décidé à passer là-dedans. Pour ma part j'étais prêt à rester sur place jusqu'au lever du jour si nécessaire. À une heure du matin, les autres commencèrent à piaffer.

« Allez », dit Strings. « Ça ne sert à rien. Partons. »

Roddy secouait lentement la tête, comme un homme en transe. Il marmonna, presque inaudible : « C'en est terminé de cet enfoiré de Donald Murray. Il est fini. Fini ! »

Toutes les lumières qui environnaient le pavillon s'éteignirent, plongeant l'extrémité de la jetée dans le noir. Soudain, tout le monde fut en alerte. Presque au même instant, le hurlement lointain d'une sirène de police parvint à nos oreilles. Je me tournai et vis le gyrophare d'une voiture de police qui descendait la colline et se dirigeait vers le bord de mer. Nous ne fûmes pas surpris de la voir s'engager sur la promenade et continuer sur la jetée, droit sur nous.

« Seigneur ! », s'exclama Rambo. « Il a appelé les flics. »

Je sentis l'indignation gonfler ma poitrine. « Et alors ? Nous n'avons rien fait de mal. »

Il s'avéra que ce n'était pas à nous que les flics s'intéressaient. La voiture de patrouille nous passa devant, fit un dérapage sur le côté au frein à main et stoppa sa course juste devant l'entrée principale. Tuckfield apparut, blanc comme un linge, ferma prestement la porte derrière lui et sauta sur la banquette arrière de la voiture de police qui fit demi-tour puis accéléra pour quitter la jetée.

Nous restâmes là, bouche bée, pendant un moment.

Mairead était assise à l'avant de la voiture. Son visage, blanc de colère, se reflétait sur le pare-brise comme s'il s'était agi de la pleine lune. Roddy et Strings étaient à l'arrière. Roddy, assis de biais, avait les jambes qui dépassaient de la portière ouverte. Je ne sais pas ce qui m'a pris, mais je sentis la colère monter en moi comme du lait en train de bouillir. Je bondis derrière le volant de la voiture et démarrai le moteur.

« Qu'est-ce que tu fais ? », cria Roddy.

« Ferme la portière ! »

Il eut tout juste le temps de rentrer les jambes et de tirer la portière à lui avant que je manœuvre pour accélérer et me lance à la poursuite de la voiture de police. « Pour l'amour de Dieu, Fin, tu ne peux pas te mettre à poursuivre les flics ! »

Je vis le visage effrayé de Strings dans le rétroviseur. « Seigneur, Fin, tu vas tous nous faire arrêter. »

Je ne répondis pas et plaquai l'accélérateur au plancher pour tenter de rejoindre la lumière bleue qui clignotait devant nous. Je vis Mairead se tourner vers moi, mais elle ne dit pas un mot.

La voiture des flics vira de bord sur la promenade et partit vers le sud en direction d'une série d'attractions foraines fermées pour la nuit. Le conducteur grilla un feu rouge et prit la direction de la colline. Je sentis la tension dans mes mains tandis que je tournais le volant pour partir à sa poursuite. Il n'y avait pas d'autres véhicules alentour aussi tard dans la nuit.

Au sommet de la colline, la voiture de police tourna à droite puis à gauche et je sentis les pneus déraper sur le bitume mouillé tandis que je la suivais, perdant le contrôle pendant un instant, avant de retrouver prise et de prendre de la vitesse. J'étais presque hypnotisé par le gyrophare devant moi, sans penser une seconde à ce que j'allais bien pouvoir faire si jamais nous parvenions à la rattraper. Nous gagnions du terrain et la tension qui régnait dans la voiture était presque palpable.

Soudain, les feux stop de la voiture illuminèrent notre pare-brise, brouillés et étalés par les essuie-glaces. J'écrasai la pédale de freins et sentis la voiture partir, glissant à gauche puis à droite alors que j'appuyais à nouveau sur le frein pour retrouver de l'adhérence et tournais le volant d'un côté puis de l'autre pour contrer le dérapage. Nous avons dû nous arrêter, je crois, à une quinzaine de centimètres du pare-chocs de la voiture de police.

Roddy, Strings et Mairead poussèrent un soupir de soulagement, presque à l'unisson. Je restai assis, agrippé au volant, le souffle court. Pendant ce qui sembla une éternité, rien ne se passa. Les deux voitures demeuraient immobiles, l'une derrière l'autre, les moteurs tournant au point mort.

Je distinguais le visage effrayé de Tuckfield, à demi retourné pour nous observer. Mais rien ne se passait. Personne ne bougeait. Personne ne parlait.

Enfin, la portière conducteur de la voiture de police s'ouvrit. Un goliath en uniforme de sergent apparut dans la rue, enfilant sa casquette de manière à bien caler la visière reluisante juste au-dessus de ses yeux. Il resta ainsi un moment, à nous fixer, le regard furieux puis s'approcha lentement de mon côté, une main sur la hanche, une autre tripotant la poignée de la matraque suspendue à sa ceinture.

Il se pencha en avant pour m'observer et je baissai ma vitre. Son visage était impassible et ses yeux noirs se posèrent d'abord brièvement sur Mairead, puis sur Roddy et Strings à l'arrière, avant de revenir sur moi. Je pouvais voir sous sa casquette ses cheveux roux coupés court. « Tu es dans le groupe ?

— Je suis le *roadie*. »

Il hocha la tête et sortit de sa poche de poitrine un calepin noir et un stylo. Il passa le bras devant moi et le tendit à Mairead. « Ma fille a votre CD. Je suis sûr qu'elle serait ravie d'avoir votre autographe. »

Mairead lui adressa un de ses sourires. « Bien sûr. » Elle saisit le calepin, trouva une page blanche et signa. Elle jeta un coup d'œil par-dessus son épaule. « Vous voulez celui des autres ?

— Ils font partie du groupe ?

— Oui, ils en font partie. »

Il acquiesça et Mairead tendit le carnet à Roddy et Strings pour qu'ils signent. Ensuite, Roddy me le fit passer par-dessus mon épaule et je le rendis au flic. Il le replaça dans sa poche de devant et concentra à nouveau son attention sur moi. À ma grande surprise, il glissa sa grosse main par l'ouverture de ma vitre.

« Laisse-moi te serrer la main, fiston. » Pendant un instant, je fus incapable de bouger le bras avant de le lever soudainement, presque involontairement, pour saisir sa main. Une poignée de main ferme et chaleureuse qui me sembla durer une éternité. Lorsque, finalement, il me libéra, il dit : « Tu as un sacré cran, mon garçon, je dois le reconnaître. » Il marqua une pause et prit une profonde inspiration. « J'espère que ton histoire tient la route. »

Alors, je lui racontai tout. Il se tenait à côté de la voiture et écoutait en silence, sa respiration sifflante se transformant en volutes de buée qui tournoyaient autour de son crâne. Quand j'eus terminé, il hocha la tête et plissa les lèvres. « Bon, laisse-moi te dire une chose, fiston. Voilà la situation. » Il fit un signe de tête en direction de sa voiture. « Monsieur Tuckfield a des amis haut placés. Et je fais ce que l'on me dit de faire, sans poser de questions. Cela signifie que peu importe qui a tort ou raison ce soir, vous allez rentrer chez vous sans votre argent en vous estimant heureux de ne pas passer la nuit au poste. » Je jurerais qu'à cet instant je vis un sourire dans son regard, même s'il faisait de son mieux pour le dissimuler. « Depuis que je suis dans la police », ajouta-t-il, « je n'ai jamais été pourchassé dans une voiture de patrouille. Et je suis absolument sûr que cela ne m'arrivera plus jamais. » Il inclina brièvement la tête vers le bas de la colline en direction du front de mer. « Allez, en route. » Il se pencha une dernière fois vers nous, adressa un sourire à Mairead et dit, en tapotant sur le calepin dans sa poche : « Merci pour les autographes. »

Nous restâmes silencieux, à l'observer pendant qu'il retournait s'installer derrière le volant de sa voiture avant de disparaître dans la nuit. Je pouvais voir le visage de

Tuckfield qui souriait en nous regardant, l'air satisfait. Comme je remontais la vitre, Roddy lâcha : « Cet enfoiré de Donald est grillé ! »

Je n'ai jamais su exactement ce qui s'était passé entre Roddy et Donald, mais le groupe le vira dans la semaine et signa avec une agence londonienne réputée. Et, alors que la carrière et la vie de Donald partaient en chute libre, le destin d'Amran évolua dans une direction diamétralement opposée. Ils firent plusieurs apparitions télévisées. Roddy et Strings furent engagés pour composer une chanson destinée à un film hollywoodien tourné en Écosse. Les producteurs apprécièrent leur travail à un point tel qu'ils demandèrent au groupe de composer et d'enregistrer toute la bande originale qui devint la base de leur album suivant. Le succès que connut le film bénéficia largement à Amran. La chanson sortit en single et entra directement à la première place des hit-parades où elle resta pendant près de cinq semaines. Quand le CD suivant se retrouva dans les bacs, ils étaient définitivement sur le chemin du succès et rien ne semblait pouvoir les arrêter.

À ceci près que Roddy, malgré son talent et son ambition, ne vécut pas assez longtemps pour le voir.

Je me souviens que je l'appris l'été suivant, en juin ou en juillet. Je m'étais saoulé la veille, suite à la fin d'une relation amoureuse de plusieurs mois, et je m'étais retrouvé au lit avec une fille dont j'avais fait la connaissance pendant la soirée. Elle était étudiante et vivait dans une chambre meublée dans Partick, un quartier bon marché du West End de Glasgow. J'émergeai vers dix, onze heures, avec une bonne gueule de bois et assez peu de souvenirs de ce qui s'était passé entre nous la nuit précédente. Je la reconnus à peine quand elle se pencha au-dessus du lit et me secoua doucement pour me réveiller.

« Tu m'as dit hier soir que tu avais été *roadie* pour Amran », dit-elle.

Ma bouche était si sèche que j'arrivais à peine à l'ouvrir. « Et alors ?

— Le clavier s'appelle bien Roddy Mackenzie, n'est-ce pas ?

— Seigneur, de quoi s'agit-il ? » La lumière me faisait cligner des yeux.

« On ne parle que de ça aux infos. Apparemment son avion a disparu quelque part sur la côte ouest hier soir. Les recherches ont duré toute la nuit. Ils n'ont plus espoir de le retrouver vivant. À présent, ils essaient de retrouver l'épave en mer. »

CHAPITRE 12

Le vent secouait et malmenait Fin et Donald tandis qu'ils marchaient dans la lumière déclinante en direction de Port of Ness et Fin raconta à Donald la découverte qu'il avait faite avec Whistler le matin même. Les lampadaires étaient déjà allumés le long du trajet jusqu'à la grande maison blanche au bout de la route. Ils tournèrent avant d'y arriver, face à l'Ocean Villa, et suivirent la bande sinueuse de bitume qui rejoignait le port. Des casiers à homards étaient empilés contre la paroi de la jetée. On y avait fait quelques réparations là où les intempéries avaient causé des dégâts. Mais la paroi la plus éloignée, dressée contre les assauts déchaînés des vents polaires, était irrémédiablement endommagée. Enfant, Fin avait vu des vagues de quinze mètres s'y abattre et l'écume s'élever à plus de deux fois cette hauteur avant d'être emportée par des vents de force dix vers le sommet des falaises.

Ce soir-là, le vent venait du sud-ouest et le port était relativement épargné même si les quelques crabiers amarrés entre ses murs montaient et redescendaient avec la houle en tirant avec force sur leurs cordages. Quand ils atteignirent le bout de la jetée, Donald tenta à plusieurs reprises de s'allumer une cigarette, les mains placées en coupe autour de la flamme. Quand il y parvint enfin, la fumée fut immédiatement chassée de ses lèvres. « J'ai encore du mal à croire qu'il soit mort. Après toutes ces années. » Il secoua la tête. « Tout ce qui touchait à Roddy était hors du commun. Son talent, son ego, son ambition. Une ambition aveugle, c'est le cas de le dire ! Roddy tout craché. Elle l'a consumé au point que plus rien d'autre ne comptait. Il ne voyait pas le mal qu'il faisait aux gens qui l'entouraient.

— Aux gens comme toi ? »

Donald lui jeta un bref coup d'œil. « Je ne l'ai pas tué si c'est ce que tu penses. »

Fin éclata de rire. « Ça ne m'a jamais effleuré l'esprit, Donald. Celui qui l'a tué savait piloter un avion et le poser sur l'eau. Même si tu avais été capable de voler, tu n'étais pas à cette époque en état de conduire autre chose qu'une bicyclette. »

Donald se mit à regarder au loin en serrant la mâchoire. Ce n'était pas quelque chose qu'il aimait qu'on lui rappelle. « Il m'a viré sans un mot, Fin. Je n'avais pas de contrat avec le groupe à l'époque. On fonctionnait à la confiance. Et il a trahi cette confiance. J'ai appris qu'Amran avait signé avec l'agence Copeland de Londres en lisant le *NME*. Elle avait des liens avec CAA à Los Angeles, et c'est comme cela qu'Amran s'est vu proposer le contrat pour le film.

— Peut-être que tu n'avais pas fait grand-chose pour garder leur confiance, Donald. Ou pour faire progresser leur carrière. »

Donald tira sur sa cigarette et secoua la tête avec tristesse. « Oh, je sais. Je me conduisais comme un sale con, Fin. Et de toutes les manières possibles. J'ai dit et fait des choses à cette époque que… eh bien, que je ne parviens toujours pas à me pardonner. À chaque fois que je pense à ce que j'étais, cela me remplit de honte.

— Je suis sûr que Dieu sait que ce n'était qu'une mauvaise passe. »

Donald tourna brusquement la tête, de la colère dans le regard. Mais il se contenta de dire : « Ne sois pas aussi cynique, Fin. C'est moche.

— Alors, en fait, vous n'avez jamais réglé ça de vive voix ? », demanda Fin.

Donald aspira une autre bouffée. « Jamais. Je méritais sa colère, sans doute, mais il n'a jamais eu le cran de me le dire en face. Pourtant, c'est moi qui leur avais dégotté leur premier contrat avec une maison de disques, Fin. Sans cela, ils n'auraient été qu'un groupe de plus à la fac, qui se serait séparé une fois leurs diplômes obtenus. » D'une pichenette, il lança sa cigarette dans le vent. « Quand ils ont signé avec Copeland, ça a été le début de la fin pour moi. Je me suis fait virer de l'agence Joey Cuthbertson peu de temps après. Je suis parti pour Londres. Mais cela revenait à quitter une poêle à frire pour me jeter dans les flammes. » Il pouffa de rire. « J'ai un caractère addictif. Je n'ai jamais su résister à la tentation. » Le même caractère, songea Fin, qui à présent le faisait s'accrocher à la religion. Puis, Fin perçut l'ironie qui sous-tendait son rire. « C'est étrange de se dire que c'est Catriona qui fut mon salut. Ou tout au moins une nuit fortement alcoolisée de passion débridée et de sexe non protégé à l'issue de laquelle elle s'est retrouvée enceinte. Il n'y a rien de plus fort que de se retrouver responsable d'une autre vie. Tu commences à faire attention à la tienne. »

Fin se demanda si le fait de se sentir responsable de sa vie avait conduit Whistler à se préoccuper de la sienne. Il n'en était pas convaincu. Mais il ne partagea pas ses pensées avec Donald.

« C'est une chance aussi que je l'aie rencontrée ici », poursuivit Donald. « Tu dois te rappeler d'elle, à l'école. Elle était deux classes en dessous à Nicolson. »

Fin hocha la tête.

« J'ai toujours pensé que Dieu l'avait envoyée pour me sauver. » Il marqua une pause. « Mais peut-être avais-je tort.

— Tu avais eu l'occasion de voler avec Roddy ?

— Seigneur, non ! Je n'aime pas l'altitude, Fin. En fait, je déteste voler. » Il se gratta le menton, pensif. « Si je me souviens bien, après que Mairead et lui se sont séparés, il avait son propre cercle d'amis. Est-ce qu'il a volé avec eux ou pas, je n'en sais rien. Je sais qu'il est sorti avec une fille de Glasgow. Je ne sais pas comment elle s'appelait. Elle avait de la classe. Et elle ne manquait pas d'argent.

— Oui, je m'en souviens. » Fin gardait d'elle une image, lors d'une fête dans une grande villa aux murs de grès, dans le sud de Glasgow. Une fille magnifique, blonde et élancée.

« C'était juste avant que je parte pour Londres. » Donald sourit. « Roddy n'avait jamais de mal à se trouver une copine.

— Toi non plus, Donald. »

Pendant un bref instant, les yeux de Donald brillèrent puis ses pensées revinrent à Roddy. « C'est étrange, tout de même.

— Qu'est-ce qui est étrange ?

— Comment le groupe est allé de succès en succès sans Roddy. Cela montre que malgré sa très haute opinion de lui-même, c'était en fait Strings qui avait l'influence musicale la plus significative. » Il secoua la tête. « Je ne les ai pas réécoutés une seule fois pendant toutes ces années. Dieu nous apprend à pardonner, mais il est très difficile d'oublier. Je sais que le simple son de la voix de Mairead ferait tout resurgir. Et je n'ai pas besoin de cette douleur supplémentaire. »

Il essaya d'allumer une autre cigarette, mais le vent était trop fort et il renonça. Ils sentirent les premières gouttes de pluie sur leurs visages.

« Roddy n'était pas aimé de tout le monde, Fin. Je le sais. Et Dieu sait, Lui, que j'avais des raisons de le haïr. Mais qui aurait pu vouloir le tuer ? Et pourquoi ?

— Je n'en ai pas la moindre idée, Donald », dit Fin en secouant la tête.

153

L'averse se transforma en déluge et les deux hommes coururent se réfugier sous le hangar à bateaux au bout de la plage. Donald fit coulisser l'une des portes et ils se glissèrent à l'intérieur, trempés. L'endroit sentait le diesel et le poisson. Les ombres des petits bateaux étaient inclinées selon des angles bizarres entre les fenêtres qui ouvraient sur la plage et laissaient entrer le son de la mer. Il n'y avait quasiment aucune lumière quand Donald alluma soudain son briquet. La flamme vacillante colora son visage en orange, puis en rouge quand le bout de sa cigarette devint incandescent, avant de disparaître à nouveau dans l'obscurité.

Pendant un moment, ni l'un ni l'autre ne parlèrent, saisis de manière inattendue par le sentiment d'être en présence de la mort. C'était là qu'Angel Macritchie avait été assassiné. Le meurtre qui avait ramené Fin sur son île natale après dix-huit ans d'absence. Dans le noir, grâce à leurs souvenirs, la présence du fantôme de Macritchie était sensible. Le vent froid se glissait entre les portes mal jointes et les fenêtres ouvertes, et venait s'enrouler autour d'eux.

Fin commença à taper des pieds, plus pour chasser le fantôme que pour se réchauffer. Sa voix sembla anormalement forte. « J'imagine que le Consistoire n'a pas encore fixé la date de ton audience ?

— Cela se déroulera dans la quinzaine. Dans la salle de l'Église libre de Kenneth Street, à Stornoway. » Donald prit une bouffée de sa cigarette qui, de nouveau, illumina son visage. « On m'a dit qu'ils avaient embauché un avocat. J'ai lu dans les actes de l'Assemblée de l'Église libre que cela les autorisait à mettre en place une commission judiciaire. Apparemment, le procès va se dérouler quasiment de la même manière que dans un tribunal.

— Cela veut-il dire que tu peux, toi aussi, prendre un avocat ? »

154

Le rire de Donald claqua comme un coup de feu dans l'obscurité. « Ouais. Si je pouvais m'en payer un.

— Je suppose que Fionnlagh et Donna vont être appelés à témoigner.

— Je leur ai demandé de ne pas venir. »

Fin fut surpris. « Pourquoi ? Personne n'est plus concerné par ce qu'il s'est passé que ces deux-là.

— Ils ont suffisamment souffert », répondit Donald. « Je ne veux pas les replonger là-dedans encore une fois. »

Fin s'apprêtait à le contredire, mais il comprit avant même d'avoir ouvert la bouche que cela ne servirait à rien. Donald avait déjà tout sacrifié pour les sauver une première fois. Pourquoi les obligerait-il à subir à nouveau une telle épreuve ? Il préférait sûrement qu'on le jette hors de l'Église.

« De toute façon, avec un peu de chance, George Gunn témoignera. Il a recueilli leurs deux témoignages et il sera considéré comme un témoin de confiance, impartial.

— En effet, Donald. Mais cette absence de parti pris peut aussi jouer contre toi. »

Donald acquiesça avec gravité. « Je sais. »

Le silence retomba. Fin pouvait sentir la fumée de la cigarette de Donald. « Comment crois-tu que cela va se passer ?

— Je pense », dit Donald, « qu'avant la fin du mois je n'aurai plus ni travail ni maison.

— Et Catriona ? »

Le visage de Donald demeurait impassible dans la lueur de sa cigarette. « Ça, Fin, il va falloir que tu le lui demandes. »

CHAPITRE 13

Cela ne manquait jamais de le déprimer de voir la maison de sa tante, oubliée et laissée à l'abandon. La chaux qui s'écaillait, les ardoises brisées, les vitres cassées ou condamnées par des planches, comme une dent manquante dans une bouche mal entretenue.

Étrangement, il ne l'avait jamais considérée autrement que comme la maison de sa tante. Jamais comme son foyer. Et pourtant il y avait passé la plus grande partie de son enfance, dans une chambre froide, humide, avec une lucarne au cadre rouillé donnant sur la baie rocailleuse en contrebas. Il se rappela la première fois qu'elle l'avait ramené ici pour vivre avec elle. Quelques jours à peine après le décès de ses parents. Avec une poignée d'affaires, rangées dans une petite valise marron qu'elle avait posée sur le lit en lui disant de la déballer pendant qu'elle descendait leur préparer du thé. Il s'était retrouvé seul, l'humidité froide du matelas sur lequel il était assis s'insinuant dans son âme, et il avait pleuré.

Il se trouvait à présent sur le bitume grêlé, devant la maison, le regard levé vers la fenêtre de cette chambre qui s'ouvrait sur un passé qu'il n'avait aucunement envie de revisiter. Et pourtant, il était toujours là. Dans ses bons ou ses mauvais souvenirs. Une vie disparue, peuplée de gens morts depuis longtemps. Il n'y avait pas d'échappatoire.

Il se demanda, comme cela lui arrivait souvent, quelle était la finalité de tout cela. Étions-nous là simplement pour avoir une descendance et puis disparaître, en laissant nos enfants sur cette terre reproduire ce que nous avions fait, comme nous avions nous-mêmes reproduit ce qu'avaient fait nos pères avant nous et les leurs avant eux ? Un cycle de naissance, de vie et de mort dénué de sens ?

Il avança jusqu'au bord du chemin qui menait au rivage, une plage de galets dans une crique parsemée de rochers où il avait souvent joué au milieu des ruines de l'ancienne maison de salage. Il s'attendait presque à se voir en bas, garçon solitaire cherchant le réconfort dans le monde de son imagination.

La longue nuit sans sommeil qu'il venait de passer avait gâché son humeur. Des visions du corps de Roddy, brisé et décomposé, dans l'avion. L'expression sur le visage de Whistler puis son départ, remontant sur la crête avant de disparaître. Fin s'était réveillé en sueur de ce demi-sommeil peuplé de rêves avec la certitude que Whistler savait quelque chose qu'il ne disait pas. Et pourtant, le choc qu'il avait manifesté au moment de la découverte du corps avait été aussi important, voire plus important, que celui éprouvé par Fin.

Il s'était levé tôt, laissant Marsaili dormir, et était parti le long des falaises qui dominaient Crobost jusqu'à ce qu'il ait rejoint le bras de mer abrité où, plusieurs générations auparavant, ses ancêtres avaient érigé le petit port. Une rampe raide menant à une courte jetée et un bassin profond où ils stockaient les crabes vivants dans des casiers en attendant de les envoyer sur les marchés à l'étranger. On avait l'impression que tout ce qu'il y avait de bénéfique sur l'île avait disparu. Ses ressources. Ses habitants. Et toutes leurs ambitions.

Sous le soleil, le vent soufflait fort. Les cumulus bouillonnaient et filaient au milieu d'un ciel immense et sans cesse changeant. Malgré tout, il ne faisait toujours pas froid, même si octobre n'était qu'à un souffle de distance. Fin s'assit parmi les herbes sèches, ramenant ses genoux contre sa poitrine pour les coincer entre ses bras, et contempla l'eau verte agitée qui se soulevait et retombait en une houle scintillante en travers de la baie.

Fin se remémora le jour où, pour la première fois, Whistler était venu passer la nuit dans cette maison, avec lui et sa tante.

CHAPITRE 14

Il est étrange que l'histoire nous ait affectés de la manière dont elle l'a fait. Mais la découverte que nos ancêtres avaient survécu ensemble à la catastrophe de l'*Iolaire*, l'un sauvé par l'autre, créa un lien entre Whistler et moi que personne d'autre ne pouvait vraiment comprendre. Nous étions des animaux très différents, lui et moi. Je pense que j'étais plutôt un adolescent réservé. Je ne me liais pas facilement. Il s'agit peut-être de la seule chose que Whistler et moi avions en commun. J'étais un type tranquille et de tempérament égal, peu enclin à la déprime, même si en y repensant j'aurais eu quantité de raisons d'être déprimé. Whistler, au contraire, pouvait en un clin d'œil sombrer dans le plus noir des cafards si les choses ne se passaient pas comme il l'avait prévu. À d'autres moments, il pouvait être irrésistiblement drôle, un véritable boute-en-train.

Cependant, il ne semblait jamais réaliser où se situait la ligne entre ce qui était drôle et ce qui était insultant. Je l'ai vu plusieurs fois s'en tirer en toute impunité. Mettre ses mains sur la poitrine d'une fille et réussir à tourner ça comme une blague. À d'autres moments je l'ai vu se faire gifler pour avoir proféré des remarques particulièrement déplacées. Ce qui le lançait dans une de ses fameuses colères. Il ne pensait pas à mal. Pourquoi personne n'avait-il compris que c'était une plaisanterie ?

Il était intelligent et vif, talentueux et imprévisible. Devenir son ami demandait du travail. Mais il fallait également qu'il vous accepte. Et j'avais bénéficié d'un accès exclusif à ce club, un club limité à un seul membre.

Je n'allais pas souvent chez Whistler. Son père était rarement sobre, imprévisible quand il était ivre, jetant des objets en tous sens dans la maison en hurlant à pleins poumons. Il ne nous faisait jamais mal physiquement, mais j'avais peur de lui, et Whistler aussi.

Bien qu'il soit déjà en voie de devenir le géant qu'il allait être, Whistler ne faisait pas le poids face à un père plus grand que lui de deux tailles. Derek Macaskill avait passé la moitié de sa vie en mer, d'abord dans la marine marchande puis, plus tard, sur des chalutiers. Malheureusement, c'était un homme complètement accroché à la boisson qui avait non seulement perdu son emploi mais était devenu inemployable. Il aurait été un boulet sur un bateau. Il avait perdu un œil dans un accident sur un chalutier et bénéficiait encore, apparemment, d'une sorte d'allocation de handicapé après toutes ces années.

Son œil de verre ne bougeait jamais. Où que vous vous trouviez dans une pièce, où que son autre œil regarde, il avait toujours l'air d'être braqué sur vous. Parfois, il le sortait de son orbite et l'essuyait avec un mouchoir sale, un grand sourire malicieux sur les lèvres. Il le faisait uniquement parce qu'il savait que ça nous fichait la trouille.

Je n'ai jamais vu un homme avec de si grandes mains, des poings qui ne vous donnaient pas envie d'être du mauvais côté. Ses cheveux étaient coupés très court. Noirs autrefois, ils grisonnaient à présent. Une grande cicatrice les traversait qui courait de son front jusque derrière son oreille gauche. Je ne sus jamais s'il en avait hérité à la suite de l'accident qui lui avait coûté son œil.

Après la mort de sa mère, alors qu'il n'avait que neuf ans, Whistler avait passé deux ans chez des parents de sa mère à Miabhaig jusqu'à ce qu'un jour Derek Macaskill, qui venait juste d'être licencié de la marine, vienne le reprendre et le ramène pour vivre avec lui à Ardroil.

Je m'étais toujours demandé où il trouvait l'argent pour se payer sa boisson. Après tout, il était au chômage et ne touchait qu'une allocation. Mais j'allais bientôt le découvrir.

À cette période, Sòlas commençait vraiment à se faire un nom et donnait des concerts dans toute l'île, dans les bals traditionnels et les fêtes d'école, dans les pubs et les salles communales. Cela monopolisait la plupart de mes vendredis et samedis soir, et quelquefois les soirs de semaine. Charrier le matériel. Big Kenny et moi. Kenny avait eu dix-sept ans avant moi et fut le premier à obtenir son permis de conduire. Il était donc naturellement devenu le *roadie* de Sòlas.

Aucun d'entre nous ne le savait encore, mais Whistler avait déjà décidé de ne pas partir à Glasgow, et son intérêt pour le groupe avait commencé à décliner. Certains soirs, il ne venait tout simplement pas. Il ne prévenait jamais personne, pas même moi, et le groupe devait fréquemment jouer sans son flûtiste.

Non pas que cela changeât grand-chose à la qualité de leurs concerts. Ils étaient toujours excellents. Mais le chant plaintif de la flûte celtique, tout particulièrement quand elle était couplée avec le violon de Mairead, ajoutait cette grâce qui les rendait encore meilleurs. Magiques. Et cela rendait Roddy furieux que Whistler ne vienne pas.

La situation se dégrada pour de bon une nuit après un concert au Cross Inn à Ness. Après avoir été absent à trois concerts d'affilée, Whistler se pointa comme si de rien n'était. Il était dans une de ses phases maniaco-dépressives, totalement inconscient du ressentiment que les autres membres du groupe éprouvaient à son égard. À l'évidence, il y avait eu des discussions à propos de ses absences, discussions dont il n'avait pas été au courant. Mais je savais que quelque chose se tramait.

Kenny et moi nous étions rendus au bar situé derrière l'hôtel pour boire une pinte pendant que le groupe jouait. Lorsque nous sortîmes, la nuit venait à bout des dernières lueurs du ciel. Nous allâmes récupérer le fourgon à l'avant du bâtiment. Kenny s'était garé à côté du grand arbre qui, à l'époque, se dressait sur le parking, le seul arbre digne de ce nom de toute la côte ouest. Un arbre immense. Dieu seul sait comment il avait survécu pendant toutes ces années aux vents venant de l'Atlantique, mais il avait dû voir aller et venir quelques générations.

Roddy et Whistler se tenaient dans son ombre et se hurlaient dessus. Nous les entendîmes avant de les voir. La foule qui sortait du bar de l'hôtel pour rejoindre voitures et minibus, tournait la tête dans leur direction.

« Pour l'amour de Dieu, les gars, baissez d'un ton. » Kenny était gêné. Mais ni l'un ni l'autre n'y prenait garde.

« Ce n'est pas correct pour le reste du groupe », criait Roddy. « Toutes nos compositions, toutes nos répétitions sont basées sur le fait qu'il y a six membres dans le groupe. Et beaucoup sont construites autour de ta putain de flûte. Il y a un foutu trou dans notre son quand tu n'es pas là. C'est emmerdant. »

Whistler ne se laissait pas démonter, apparemment insensible à leur embarras. « Tu aurais peut-être dû y penser avant de commencer à m'écarter. »

La phrase frappa Roddy comme s'il avait reçu une gifle en pleine figure. « T'écarter ? Mais qu'est-ce que tu racontes, mec ? Personne n'essaie de t'écarter.

— Tu as déboulé à Uig, avec tout ton fric en poche et tu as pris le dessus. Sur tout. Le groupe, les filles, la gloire. Une vraie putain de star. »

Roddy secoua la tête, exaspéré. « Il n'y avait même pas de groupe !

— Oh si, il y en avait un. Strings, Mairead et moi jouions ensemble bien avant que tu ne débarques. »

Roddy commençait à devenir hargneux. « Ce n'était pas un groupe. Juste des gosses, des joueurs de salon. »

Whistler s'avança vers lui, menaçant. « Qu'est-ce que tu en sais ? Tu étais un étranger. Tu ne savais rien de nous, comment nous fonctionnions. Tu t'es juste servi. Et tu as tout accaparé. Avec Mairead en prime. »

Ce fut la première fois que je pris conscience de la tension qui existait entre eux au sujet de Mairead.

« Mairead ? », s'étouffa Roddy. « Tu me fais marrer. Mairead préférerait mourir plutôt que d'être vue avec un raté comme toi. »

Ce furent les paroles de trop. Whistler se jeta sur Roddy, lui agrippant la chemise et le visage de ses grosses mains. Ils partirent en arrière et roulèrent plusieurs fois sur eux-mêmes dans les graviers et la poussière du parking. Les coups de pied et de poing volaient. Roddy était un garçon à la constitution plus fragile et n'avait aucune chance contre le colosse qu'était en train de devenir Whistler. Je l'entendis hurler de douleur et vis du sang couler sur son visage. Kenny et moi fûmes sur eux en un instant, essayant d'écarter Whistler qui se débattait, tout en nous accroupissant et en nous protégeant pour éviter ses poings qui partaient en tous sens.

La foule qui les avait entourés se déplaça comme de l'eau en mouvement. J'entendis des filles crier et des garçons pousser des cris d'encouragement. Kenny et moi plaquâmes Whistler contre l'arbre, tous les trois hors d'haleine, grognant presque comme des animaux. Roddy se remit sur ses pieds, les lèvres en sang. Mais sa plus grosse blessure était celle qui avait été infligée à sa fierté.

« Espèce d'abruti ! », hurla-t-il. « C'est terminé. Tu es fini. Tu es fini, bordel ! » Strings, Skins et Rambo fendirent la foule fascinée et l'emmenèrent tout en jetant des coups d'œil hostiles en direction de Whistler. Les badauds, sentant que le spectacle était terminé, commencèrent à se disperser.

Kenny et moi lâchâmes Whistler qui grogna : « Je le tuerai.

— Non, tu ne le tueras pas. » La voix surgit de l'obscurité, une silhouette isolée qui se tenait là tandis que la foule s'éloignait. C'était Mairead. Elle le fixait avec une intensité peu commune. « Nous avons travaillé trop dur pour en arriver là, Whistler. On ne va pas tout foutre en l'air. Pas à cause de toi. »

À mon grand étonnement, je constatai qu'il était intimidé. Il baissa les yeux, incapable de croiser son regard.

« On a une répétition mercredi soir. Tu seras là, n'est-ce pas ? » Et, comme il ne répondait pas, elle répéta, plus fort cette fois-ci, « N'est-ce pas ? »

Il hocha la tête, toujours sans la regarder.

« Je parlerai à Roddy. On oubliera cet incident et on passera à autre chose, OK ? »

Il se dégageait de sa voix une telle autorité, une telle confiance dans sa capacité à dominer ces garçons qui se battaient pour elle. L'ascendant qu'elle avait sur eux était impressionnant. Je crois que c'est aussi à cette occasion que je vis l'ambition implacable qui l'animait. On ne va pas tout foutre en l'air. Mairead était sur le chemin de la gloire. Elle le savait dès cette époque. Et rien ne se mettrait en travers de sa route. Whistler moins que quiconque.

Quelqu'un ramena le reste du groupe en voiture jusqu'à Uig. Whistler s'éloigna dans l'obscurité et alla se percher, l'air maussade, sur un mur qui longeait le côté ouest du parking. Kenny et moi finîmes de remballer et de charger le matériel en silence. Lorsque nous eûmes fini, je dis : « Alors, c'est quoi cette histoire entre Whistler, Roddy et Mairead ? »

Big Kenny se contenta de hausser les épaules. « Tu savais que Whistler et Mairead étaient ensemble avant que Roddy débarque ? »

Bien sûr, j'avais entendu dire que Mairead était l'amour d'enfance de Whistler, mais je ne savais pas comment cela s'était terminé. J'acquiesçai.

« Depuis le cours élémentaire. Ils étaient inséparables.

— Et qu'est-ce qui est arrivé ?

— Roddy est arrivé.

— Je ne savais pas qu'il n'était pas de Uig. »

Kenny s'alluma une cigarette, m'en offrit une et nous nous appuyâmes contre le fourgon pour fumer. « Ses grands-parents si. Mais ses parents sont nés quelque part en dehors de l'île. Son père a fait fortune, je ne sais pas trop dans quoi. Et puis ils sont revenus et ont fait construire cette belle grande maison sur la route de Baile na Cille qui domine la plage. Le père continue à se rendre hors de l'île de temps en temps, faire je ne sais quoi, et Roddy n'a jamais manqué d'argent. C'est comme cela qu'il a pu se payer son synthé et l'ampli Marshall. Et qui a payé la sono, et craché l'acompte pour le fourgon ? »

Je dois avouer que je ne m'étais jamais vraiment demandé d'où venait l'argent. Bien sûr, le groupe touchait ses cachets, pour les concerts, mais lorsque j'y songeai sur le moment, je compris que les gains n'avaient pas pu couvrir les coûts.

« Whistler a raison », dit Kenny, « Roddy est tombé du ciel comme une étoile. Exotique, riche, talentueux. Et Mairead a été attirée par lui comme un papillon de nuit par la lumière. » Il balança sa cigarette qui s'envola dans la nuit au travers du parking en dessinant une gerbe d'étincelles. « Ce fut la fin de Mairead et Whistler. »

Ce soir-là, il ne fut pas difficile de persuader Whistler de passer la nuit à Crobost. Je savais qu'il souffrait, à sa manière, autodestructrice, et je ne pouvais me faire à l'idée de le laisser rentrer à la *blackhouse* de Uig, avec son père alcoolique assis au coin du feu, occupé à faire reluire son œil. Nous étions vendredi soir et le groupe ne jouait pas le samedi. Nous avions donc tout le week-end devant nous. Je savais que cela ne gênerait pas ma tante. Il y avait une chambre libre au bout du couloir en haut des escaliers. Jamais personne n'y dormait, mais le lit y était toujours fait.

Kenny nous déposa et, quand nous entrâmes, nous trouvâmes ma tante, seule, assise dans le salon, devant le feu. Elle semblait partie à des millions de kilomètres. La pièce était un hommage aux années 1960. Des rideaux orange et turquoise, du papier peint à gros motifs, des porcelaines aux couleurs vives qu'elle avait achetées à Eachan, le potier qui vivait au pied de la colline. Elle écoutait *Sgt. Pepper's Lonely Hearts Club Band* sur sa vieille chaîne stéréo. Du vinyle ! Cela semblait tellement dépassé. Tout le monde avait des lecteurs de cassettes à présent, ou un lecteur de CD, la grande nouveauté, si vous aviez les moyens de vous en payer un. Et elle fumait. Elle sembla ravie à l'idée d'avoir un visiteur pour le week-end et dit à Whistler qu'il pouvait appeler chez lui pour prévenir ses parents qu'il ne rentrerait pas.

Whistler était gêné. « Il n'y a que mon père. Il ne se rendra compte de rien. » Elle lui lança un regard intrigué.

Peu après, lorsque nous sortîmes de la maison pour déambuler le long du chemin qui menait au rivage pour fumer une cigarette dans la nuit, il me dit : « Elle fume de la came, ta tante. »

Je le regardai, étonné. « Qu'est-ce qui te fait croire ça ?

— Tu ne l'as pas senti ?

— C'est de l'encens », rétorquai-je.

Il rit. « Elle en fait brûler pour couvrir l'odeur de l'herbe, imbécile. Peut-être pense-t-elle que tu ne serais pas d'accord. »

J'étais estomaqué. Les jeunes de mon âge fumaient de la came. Pas les adultes. Enfin, c'est ce que je croyais. Et ma tante me semblait âgée. Plus tard, je réalisai que Whistler avait certainement raison et, qu'à coup sûr, elle

166

devait acheter sa marijuana à Eachan, qui lui vendait de la poterie mais était aussi un drogué notoire. Ce n'est que bien plus tard, quand je sus qu'elle était atteinte d'un cancer en phase terminale, que je compris que, peut-être, elle en consommait pour apaiser la douleur. Je réalisai ensuite qu'en fait, elle devait en fumer depuis les années 1960, ou avant. Période insouciante de jeunesse et d'optimisme quand elle devait considérer qu'elle avait toute la vie devant elle. Une habitude dont elle ne se débarrassa jamais. Jusqu'à ces jours d'agonie interminables. Cette fin à laquelle aucun de nous ne voulait croire.

Nous n'étions pas encore en avril et il ne faisait pas très chaud. Nous nous installâmes au milieu des rochers, blottis dans nos manteaux, et nous fumâmes une ou deux cigarettes, en contemplant les reflets de la lune qui jouaient sur la houle dans la baie. Par ici l'endroit était plus abrité, face au nord-est, et protégé du vent dominant. Sur les rochers, le long de la ligne marquée par la marée haute, un collier de crustacés orange luisait dans la nuit.

Au bout d'un moment, je lui demandai : « Toute cette histoire, c'est à cause de Mairead ? Le fait que tu ne viennes pas aux concerts, que tu te battes avec Roddy ? »

Il me lança un de ses regards mauvais.

« C'est ça, n'est-ce pas ? Elle a réussi à vous faire danser autour d'elle, toi, Roddy et tous les garçons de l'école. À vous battre pour elle à présent.

— On ne se battait pas à cause de ça.

— Vraiment ?

— Non ! » Il montra presque les dents. « Et, de toute façon, ce ne sont pas tes oignons ! » Il projeta le mégot de sa cigarette dans l'eau d'une pichenette et se leva, marquant la fin de notre conversation. Il s'éloigna dans la nuit et je restai assis là un moment à me demander pourquoi je me préoccupais de ces histoires. Il n'y avait pas grand-chose à retirer d'une amitié à sens unique.

Je pensai à Mairead, à ses yeux bleu sombre étincelants, et à l'effet qu'elle avait sur tous les mâles qui l'entouraient. Je me demandai si elle avait conscience du mal qu'elle faisait autour d'elle et, si c'était le cas, si elle agissait volontairement, si, peut-être, cela l'amusait. Je décidai ce soir-là que je ne l'aimais pas vraiment, même si je savais qu'elle pouvait me faire perdre mes moyens d'un seul regard.

C'est alors que, malgré le vent et le remous de la marée montante, j'entendis le cri de Whistler dans l'obscurité et le son d'un corps tombant dans l'eau. En un instant je me levai et partis en courant dans sa direction. J'escaladai maladroitement les coquillages coupants comme des rasoirs incrustés dans les rochers géants soutenant le mur du port jusqu'à la cale de lancement qui descendait le long de la jetée. Malgré l'obscurité, je voyais de l'écume blanche mousser au milieu de l'eau calme des bassins abrités où l'on conservait les crabes. Je courus vers le quai et vis Whistler qui se débattait, pataugeant dans l'eau et suffoquant à demi sous l'effet du froid.

« Nom de Dieu ! », cria-t-il. « Une espèce de crétin a posé un piège sur le quai. J'aurais pu me tuer. »

Je m'agenouillai et fis pivoter un gros anneau d'amarrage rouillé sur son axe. Il avait été scellé dans la pierre bien avant notre naissance. Et je ne pus m'empêcher de rire.

« Ce n'est pas drôle !

— Mais si, c'est hypermarrant, Whistler. Il faut que tu regardes où tu mets tes grands pieds. » Je déroulai une longueur de corde posée au milieu des casiers et lui en envoyai une extrémité. Il l'attrapa et se hissa sur la rampe. Des casiers avaient explosé sous le choc et des crabes étaient suspendus à son manteau. Il resta debout, immobile, à grelotter dans le froid pendant que je les décrochais avant de les balancer à l'eau, sans pouvoir m'empêcher de rire. Ce qui eut pour effet de l'énerver encore plus. « Allez », dis-je en le poussant devant moi le long de la cale de lancement. « Viens à la maison pour te changer avant d'attraper froid. »

Il devait être minuit quand nous eûmes fini de lui ôter ses vêtements mouillés et de lui faire couler un bain. Ma tante s'affaira en tous sens avec une attention qu'elle n'avait jamais eue pour moi, s'assurant qu'il ait de grandes serviettes de toilette propres et douces, et emporta ses vêtements pour les mettre à laver.

Il était encore dans son bain et j'avais enfilé mon pyjama, prêt à me coucher, quand ma tante se présenta devant la porte de ma chambre. Elle avait une expression étrange sur le visage.

« Je voudrais que tu me rejoignes en bas, Finlay. »

Je sus immédiatement qu'il y avait un problème. « Que se passe-t-il ?

— J'ai quelque chose à te montrer. »

Je la suivis dans l'escalier, raide et étroit, sur des marches inégales qui craquaient comme de la neige humide, jusqu'au petit couloir de la porte d'entrée. Elle entra dans la lingerie. Elle était à peine plus grande qu'une arrière-cuisine et contenait une machine à laver et un sèche-linge. Un petit étendoir, habituellement chargé de vêtements en train de sécher, pendait du plafond. Les habits mouillés de Whistler étaient étendus sur le dessus des machines.

Elle se tourna vers moi. « Regarde ça. »

Je jetai un coup d'œil, ne comprenant pas où elle voulait en venir. « Qu'est-ce qu'ils ont ?

— Regarde ! » Elle saisit les chaussettes. « Elles sont pleines de trous. » Et je vis qu'en effet c'était le cas. Ses chaussettes présentaient des trous d'usure au talon, à l'avant de la plante des pieds, et étaient presque transparentes le long des orteils, à deux doigts de la désintégration. « Et ça. » Elle souleva son caleçon en l'étirant avec délicatesse entre pouce et index. Cela lui demandait un gros effort de volonté pour simplement le toucher, et elle semblait dégoûtée. « L'élastique est mort. » Elle le laissa retomber. « Et son pantalon. Regarde comment il le fait tenir. » Elle me montra l'épingle à nourrice, là où autrefois il y avait eu un bouton. La fermeture à glissière était cassée. « Et là. » Elle le retourna et je vis que l'entrejambe était déchiré, les coutures usées et défaites.

Puis, elle s'empara de son manteau et retourna l'intérieur. « Et celui-là ne vaut guère mieux. La doublure est déchirée et usée. Et regarde ses baskets, pour l'amour de Dieu. » Elle se pencha pour les attraper et les poser sur le plan de travail. « Ça ne se voit pas au premier coup d'œil, mais les semelles sont décollées et on dirait qu'il les a rafistolées avec de l'adhésif. » Elle me jeta un regard de reproche. « Comment se fait-il que tu n'aies rien remarqué ?

— Remarqué quoi ?

— Oh, Seigneur, Finlay. Mais ça ! » Elle désigna d'un large geste les vêtements entassés. « Ils sont juste bons à mettre à la poubelle. »

Je haussai les épaules. « Je ne sais pas. Je pensais que c'était juste son look.

— Avoir des trous dans ses chaussettes, ce n'est pas un look, Finlay. » Elle m'agrippa le bras, me traîna jusqu'au salon et baissa le ton. « Il dit qu'il vit avec son père. Où est sa mère ?

— Elle est morte.

— Tu as rencontré son père ? » J'acquiesçai. « Et tu es allé chez lui ?

— Oui. »

Elle ferma la porte et dit : « Assieds-toi et raconte-moi tout. »

Je ne dis rien à Whistler quand il sortit de la salle de bains. Je lui passai un bas de pyjama ample qui lui allait tout juste et un tee-shirt XXL que sa poitrine imposante étira malgré tout. Il s'enveloppa avec délice dans ma vieille robe de chambre et se rendit dans la chambre d'amis en râlant à propos des idiots qui laissaient traîner des objets dangereux sur les jetées. Nous dormîmes jusqu'à presque midi le lendemain.

Ce fut le son de la voiture de ma tante se garant devant la porte d'entrée qui me réveilla. Je clignai des yeux face au soleil de midi et je la vis depuis ma fenêtre attraper plusieurs sacs à provisions sur la banquette arrière. Il soufflait un vent frais assez fort qui poussait les nuages et la lumière du soleil se reflétait dans les flaques et les mares ici et là. Mais le temps était sec et cela me remonta le moral.

Le temps que Whistler et moi descendions, elle avait déjà mis en route un petit-déjeuner qui grésillait dans la cuisine. Flocons d'avoine suivis de bacon, d'œuf, de saucisse, de boudin et de pain frit avec de grands verres de jus d'orange pour faire descendre le tout. Whistler se jeta dessus et ne leva presque pas le nez tant qu'il n'eut pas tout terminé. Ensuite, nous nous installâmes tous les trois autour de la table pour boire un thé et Whistler nous raconta une histoire à dormir debout à propos de deux types qui avaient essayé de faire passer un taureau sur une île de Uig avec un radeau. Il jura qu'elle était vraie. Ils étaient très nerveux, expliqua-t-il, à l'idée que le radeau se renverse et que le taureau se noie. Et puis, à mi-chemin, le radeau a chaviré et tous les trois ont fini à la mer. Les hommes croyaient qu'ils allaient mourir car ni l'un ni l'autre ne savait nager. Mais il s'est avéré que le taureau, lui, en était capable, alors ils se sont accrochés à lui et il a nagé jusqu'à l'île, les sortant de ce mauvais pas. De la manière dont Whistler racontait cela, nous étions tordus de rire.

J'observais ma tante tandis qu'il parlait. Il y avait plus de vie dans ses yeux que je n'en avais jamais vu. Et elle riait d'une manière qui m'était inconnue jusqu'alors. Un rire comme une cascade, qui coulait de son sourire. Je ne sais pas ce qui lui plaisait chez Whistler. Cela allait au-delà de la pitié qu'elle éprouvait pour lui. Je me suis souvent demandé si elle n'aurait pas préféré avoir à l'élever lui plutôt que moi. Même si je ne l'avais jamais aimée, je ressentis une pointe de jalousie.

Quand il eut fini de manger, Whistler déclara : « Je ferais mieux d'aller m'habiller. » Il jeta un œil alentour à la recherche de ses vêtements. Ma tante me lança un bref regard.

« Je les ai jetés à la poubelle, John Angus », lui annonça-t-elle.

Il y eut un silence gêné dans la cuisine tandis qu'il la fixait, incrédule, bouche bée. J'avais l'impression de regarder un film. Pris dans l'action, mais sans aucune influence sur le déroulement des choses.

« Je suis allée à Stornoway t'en acheter des neufs. Rien de spécial. Je les ai pris chez Crofters. Mais ça devrait faire l'affaire. » Elle souleva les paquets qu'elle avait sortis de la voiture et les posa sur la table.

Whistler n'avait toujours pas dit un mot. Il inspecta le contenu des sacs, l'un après l'autre. Il y avait une paire de bottes solides. Un jean. Une chemise à carreaux. Un blouson imperméable avec une capuche. Sept paires de chaussettes et des caleçons.

« Je ne connaissais pas ta taille, alors j'ai pris ce qu'ils avaient de plus grand. »

La bouche de Whistler était encore entrouverte. Il la regarda et secoua la tête. « Je n'ai pas les moyens pour tout ça.

— Moi oui », se contenta-t-elle de répondre d'une manière qui ne laissait pas de place à la discussion. « Maintenant, va t'habiller. J'aimerais que nous soyons partis dans un quart d'heure.

— Où allons-nous ? demandai-je.

— À Uig. »

172

Je regardai Whistler. Il s'était mis à rougir, ses grands yeux noirs emplis de confusion. Je vis ses lèvres tenter d'articuler une protestation, mais il resta sans voix. Ma tante n'était pas quelqu'un avec qui on pouvait discuter.

Nous roulâmes jusqu'à Uig en silence. Moi devant avec ma tante et Whistler, inhabituellement silencieux, occupant presque toute la banquette arrière. C'était un jour typique de la fin du mois de mars. Le vent en provenance de l'Atlantique, annonciateur de pluie, soufflait fort le long de la côte ouest. À l'est, le ciel était presque dégagé et le soleil dessinait des taches mouvantes sur les terres désertes et infertiles. Loin au sud, nous pouvions voir la pluie qui tombait par intermittence et des arcs-en-ciel qui coloriaient le ciel avant de s'évanouir quand un nuage avalait le soleil. Tandis que nous laissions Garynahine derrière nous pour suivre la route tortueuse qui menait vers le sud-ouest, des nuages d'orage s'accumulaient au sommet des montagnes au-delà de Uig, un présage du conflit à venir.

Un sentiment d'appréhension m'envahissait. Dieu sait ce que ressentait Whistler. Je jetai un coup d'œil dans le rétroviseur. Il était assis, mal à l'aise dans ses vêtements neufs, mais son visage ne laissait rien transparaître.

À mon immense soulagement, il n'y avait pas signe du père de Whistler quand nous arrivâmes à la ferme. Ma tante claqua sa portière et, sûre d'elle, poussa la porte de la *blackhouse*.

« Il y a quelqu'un ? », lança-t-elle. Mais la maison était silencieuse.

Je la suivis, accompagné de Whistler, et nous restâmes debout, sans dire un mot, à l'observer tandis qu'elle inspectait l'endroit du regard. Son nez se plissait de dégoût.

« Montre-moi où tu dors », dit-elle. Whistler la conduisit au fond de la maison, dans la pièce minuscule qui lui servait de chambre. Il y régnait une odeur fétide, le lit n'était pas fait et les draps étaient sales et tachés de sueur. Elle examina la penderie et la commode où elle ne trouva que deux jeans avec des trous à la place des genoux et deux vieux pulls miteux. Il y avait aussi une paire de bottes en caoutchouc couvertes de boue et un tiroir contenant deux ou trois paires de chaussettes usées jusqu'à la corde et quelques caleçons. Comme sur celui qu'elle avait jeté à la poubelle, les élastiques étaient pourris. « Où sont tes autres vêtements ? », l'interrogea-t-elle.

Il haussa les épaules. « Au sale.

— Et qui s'en occupe ?

— Je le prends avec moi à Stornoway pendant la semaine. » Pour la première fois, je compris l'importance que revêtait la résidence étudiante pour Whistler. C'était le seul endroit où il pouvait rester propre, se laver et entretenir son linge. Je regardai ma tante et vis sur son visage une expression que je connaissais bien. De la rage contenue. Elle fit demi-tour et regagna le séjour. Il y avait un vieux réfrigérateur à côté d'un évier rempli de vaisselle sale. Elle l'ouvrit pour voir ce qu'il contenait. La lampe était grillée depuis longtemps. « Allume la lumière », lui ordonna-t-elle. Whistler obéit sans discuter. Elle scruta l'intérieur plongé dans l'obscurité. « Il n'y a que de la bière là-dedans. Où est la nourriture ? »

Whistler haussa les épaules et ouvrit un placard accroché au mur, de l'autre côté de l'évier. Il contenait de la vaisselle ébréchée et cassée, un demi-paquet de sucre aggloméré par l'humidité. Des sachets de thé. Un bocal de café instantané. Un pot de confiture dont le contenu était envahi de moisissure. Sur le plan de travail en dessous se trouvait un panier à pain avec une demi-miche rassise. Je pouvais voir l'horreur s'installer sur le visage de ma tante.

« Que manges-tu ? »

Whistler soupira entre ses lèvres. « Principalement du poisson. Le week-end. Ce que je peux attraper. » Il me regarda et je me sentis gêné pour lui. « Mais je mange surtout pendant la semaine. » Je me souvenais comment il avait dévoré le petit-déjeuner préparé par ma tante le matin même comme s'il n'avait pas mangé depuis une semaine, et peut-être était-ce le cas. Il ne m'était jamais venu à l'esprit que le seul endroit où il faisait des repas corrects était l'école. C'était un miracle qu'il grandisse au rythme qui était le sien.

« C'est quoi ce bordel, ici ? »

Nous nous retournâmes tous en entendant tonner la voix du père de Whistler. L'immense carrure de monsieur Macaskill semblait occuper toute la pièce, projetant son ombre sur nous.

« Je vous interdis d'utiliser un tel langage en présence des enfants ! » La voix de ma tante fendit l'air fétide de la *blackhouse* des Macaskill et fit rétrécir le père de Whistler de plusieurs centimètres. Il semblait interloqué. C'était la première fois depuis longtemps que l'on nous désignait comme des enfants et je pense que jamais une femme ne s'était adressée ainsi à monsieur Macaskill de toute sa vie.

« Qui diable êtes-vous ? »

Elle fit quelques pas dans sa direction. Whistler et moi nous écartâmes pour la laisser passer. Le contraste entre eux deux était presque comique. Une minuscule vieille dame qui défiait un géant aux proportions presque bibliques. David et Goliath. Mais la question ne se posait pas de savoir qui dominait la situation. « Espèce de sale brute ! » Sa voix était stridente, intense et chargée de furie. « Vous envoyez votre fils dans le monde, affamé et habillé de guenilles pendant que vous passez votre temps à boire. Peut-être que votre vie ne vaut pas grand-chose après tout. Et peut-être que vous vous en fichez. » Elle leva le poing, doigt tendu, en direction de Whistler. « Mais voici une jeune vie qui vaut quelque chose. Une jeune vie qui a besoin d'être élevée et nourrie. Pas négligée et maltraitée. »

Elle pivota sur elle-même, retourna devant le réfrigérateur, ouvrit la porte en grand, attrapa les canettes de bière entre ses bras et les lança sur le sol. Le bruit fut impressionnant. Nous la regardions tous les trois, interloqués.

« La prochaine fois que je viendrai, je veux voir ce frigo rempli de nourriture et non d'alcool. Je veux voir des vêtements dans les tiroirs de la chambre de cet enfant, et des draps propres dans son lit. Et si vous n'en êtes pas capable, monsieur Macaskill, alors je ferai une affaire personnelle de vous faire retirer sa garde ainsi que je ne sais quelle allocation que vous touchez de l'État sans la mériter. » Son visage était cramoisi et elle était essoufflée. « Me suis-je bien fait comprendre ? » Et comme monsieur Macaskill, abasourdi, tardait à répondre, elle haussa le ton. « Me suis-je bien fait comprendre ? »

Le colosse cligna des yeux, intimidé et silencieux, de la même manière que j'avais vu Mairead dominer Whistler. « Oui.

— Et vous vous considérez comme un père ? Vous devriez avoir honte de vous. »

Le père de Whistler jeta un coup d'œil à son fils et je fus étonné de constater qu'il éprouvait bel et bien de la honte, comme si, d'une certaine manière, il avait toujours eu conscience d'être un mauvais père. Mais qu'il avait fallu l'intervention de ma tante pour lui ouvrir les yeux.

« Bon », dit-elle soudain. « Enlevez vos manteaux, tous. » Et elle retira le sien. « Nous allons rendre cet endroit habitable. »

Nous passâmes le reste du samedi après-midi à nettoyer la maison du sol au plafond. Il n'y avait pas de machine à laver, mais une fois que l'évier fut nettoyé, ma tante défit les lits et lava les draps à la main. Ils séchèrent en très peu de temps sur le fil qu'elle fit installer dehors par monsieur Macaskill.

Des tas de déchets s'accumulaient à l'extérieur contre le mur de la maison au fur et à mesure qu'elle passait l'intérieur au peigne fin et décidait de ce qui devait finir à la poubelle. Cartons de canettes de bière pleines ou vides, piles de bouteilles. Draps et vêtements sales. Vaisselle cassée ou fêlée. Les détritus d'une vie de négligence et de déclin. Et, pendant que monsieur Macaskill lavait les planchers avec une vieille brosse, comme le pont d'un bateau, Whistler et moi avions la charge de nettoyer des années de crasse accumulée sur les vitres. Ma tante s'installa à la table et dressa une liste de courses.

Lorsqu'elle eut terminé, elle la tendit au père de Whistler. « Les choses prioritaires », dit-elle. « Nourriture, vêtements, draps. Si vous ne vous occupez pas de votre fils, croyez-moi, votre vie deviendra un enfer. Et je reviendrai pour m'en assurer. »

Il prit la liste et hocha la tête.

Quand nous partîmes ce jour-là, j'étais rempli de crainte pour mon ami et je pouvais voir également qu'il avait peur de se retrouver seul avec son père. Il ne m'a jamais raconté en détail ce qui s'était passé après notre départ, si ce n'est qu'ils restèrent, cette nuit-là, assis un long moment, en silence, son père étant sobre pour la première fois dans son souvenir. Et que, finalement, de manière spontanée, monsieur Macaskill l'avait regardé et lui avait dit : « Je suis désolé, fils. »

Après ce week-end, ma tante m'encouragea à passer le plus de temps possible là-bas. Je ne pense pas qu'elle avait besoin que je sois ses yeux et ses oreilles, car je suis quasiment certain qu'elle fit elle-même de fréquentes visites à Uig pendant la semaine quand nous étions en classe, mais j'imagine qu'elle voulait que je m'y rende pour rappeler à monsieur Macaskill que l'on gardait un œil sur lui en permanence. C'est pour cela que je m'y trouvais le week-end où nous décidâmes d'aller pêcher au lac Tathabhal.

C'était au début du mois d'avril et il avait plu plus que de coutume, même pour la côte ouest de Lewis. Un front qui se déplaçait lentement et qui s'était chargé d'humidité en survolant l'océan Atlantique sur cinq mille kilomètres, s'était installé au-dessus de l'île et se délestait de son chargement en copieuses quantités. Cependant, le temps était doux, avec des vents tièdes et légers qui soufflaient du sud-ouest. Un temps parfait pour le début de la saison de pêche. Il y avait des tas de jeunes truites saumonées dans les lacs, délicieuses emballées dans du papier d'aluminium et cuites lentement sur les braises d'un feu de tourbe. Whistler et moi avions bien l'intention d'en attraper quelques-unes.

Bien sûr, nous aurions pu avoir des problèmes si nous étions tombés sur le garde-pêche, mais il n'était pas sur les dents à cette époque. Le braconnage n'était pas le problème qu'il est devenu. Les rivières et les lacs regorgeaient de truites. Le pire que nous pussions craindre c'était de prendre un coup de pied aux fesses et que l'on nous confisque nos prises. Si on avait été chopés avec du saumon, cela aurait été une tout autre affaire. Nous nous contentions donc des truites et restions vigilants pour éviter le garde-pêche et le garde-chasse.

Rejoindre le lac nous avait pris près de deux heures. Les sommets de Mealaisbhal, Cracabhal et Tathabhal se perdaient dans les nuages. L'eau dévalait le sentier en petits ruisseaux jaillissants, mettant au jour le lit de galets qui le composait, tourbillonnant sauvagement et creusant des nids-de-poule qui auraient pu briser un essieu. Les canaux de drainage, creusés profondément dans la tourbe, débordaient, envahis par les milliers de litres d'eau de pluie brune qui descendaient des montagnes.

Nous étions équipés de vestes cirées munies de capuches, de bottes en caoutchouc et de jambières imperméables, mais nous étions tout de même trempés en arrivant à destination. J'apercevais le visage de Whistler qui me souriait, les joues bien pleines, roses et luisantes de pluie sous sa capuche, ses cheveux noirs plaqués sur le front. Mais je vis aussi de la prudence dans son regard et il fit un signe de tête en direction du passage au pied du sentier qui montait vers le lac Tathabhal.

Une Land Rover était garée là. Nous scrutâmes l'horizon de tous les côtés sans voir personne et nous nous approchâmes du véhicule en silence. Whistler posa la main sur le capot. « Froid. Elle est là depuis un moment. » J'essuyai la pluie sur la vitre de la portière avant et regardai à l'intérieur. Les clés étaient sur le contact. Un exemplaire du journal du jour se trouvait sur le siège passager, ainsi qu'une casquette de pêcheur en laine avec des mouches artisanales plantées tout le long de la visière. Une protection inutile par un temps pareil. Mais je la reconnus immédiatement.

« C'est celle de Jock Macrae », dis-je. « Le garde-pêche. »

Whistler hocha la tête. « On a intérêt à faire gaffe alors. »

Nous escaladâmes le sentier en direction du lac en suivant un cours d'eau qui, bien qu'il ne soit qu'un filet d'eau en été, s'était mué en un torrent rugissant qui se fracassait et rejaillissait sur les rochers et les pierres, dégringolant la pente en une série de bonds impressionnants vers le lac Raonasgail en contrebas. Le terrain descendait ensuite en direction du lac Tathabhal. À l'endroit où le cours d'eau quittait le lac pour débouler vers les chutes, il était sorti de son lit et avait gonflé jusqu'à une largeur de trois à quatre mètres.

Quand nous atteignîmes le lac, nous vîmes que le niveau était monté au point qu'il ne restait qu'un espace de quelques centimètres sous le vieux pont de bois, là où il était normalement d'un peu plus d'un mètre. Si le niveau montait encore, l'eau emporterait la fragile structure pour ne laisser que les piliers en pierre sèche de part et d'autre. Même ces derniers étaient menacés. L'eau les encerclait et filait avec une puissance telle que le bruit en était assourdissant. Whistler dut hausser la voix pour couvrir le vacarme. « Allons lancer nos lignes depuis le pont. Vers le loch. Les courants doivent amener le poisson par là. » Nous étions vraiment des bleus à cette époque.

J'acquiesçai. Nous escaladâmes les rochers et nous arrivâmes sur le pont. Du côté du lac courait une balustrade en bois. Nous pouvions nous y appuyer pour lancer nos lignes. Nous laissâmes tomber nos sacs et nous assemblâmes nos cannes. L'eau passait sous nos pieds en bouillonnant. Sa puissance et sa proximité étaient inquiétantes. J'évitais de la regarder car cela me donnait le tournis.

Whistler sourit. « C'est la belle vie, hein ? »

Je lui souris en retour et pour une raison que je ne m'explique pas encore je fis un pas en arrière avant de lancer. Je fus emporté dans la seconde. J'eus la brève sensation de m'envoler avant de tomber dans l'eau et de sentir la puissance du courant me submerger. Le froid me coupa le souffle et m'empêcha de crier. Je me retrouvai sous l'eau et je sus avec certitude que j'allais mourir.

J'ai entendu des personnes raconter que dans les secondes qui précèdent un accident, ou lors d'un accident pouvant être fatal, le temps semble suspendu et l'on voit défiler sa vie devant soi, tous ces moments qui n'existent plus que dans votre mémoire et que vous allez perdre à jamais. Je n'ai rien vécu de tel.

La première chose que j'ai ressentie fut de la douleur quand je heurtai un rocher au milieu du courant. La force de l'impact et la force de l'eau elle-même me firent émerger pendant quelques secondes vitales. Je vis le cours d'eau qui continuait sa course en dessous de moi, l'eau blanche qui frappait les rochers, cascadait en écume et s'élevait en gerbes à travers la pluie qui continuait à tomber. Je m'échouai sur la dalle de pierre qui avait stoppé ma descente, dérapant sur sa surface noire et glissante, face contre terre, les pieds en avant, sachant que si je ne parvenais pas à m'agripper, je serais certainement réduit en miettes par la série de chutes qui suivraient.

Tandis que je glissais inexorablement, l'eau bouillonnant autour de moi, je tentais désespérément de trouver une prise, mes doigts cherchant à s'accrocher à n'importe quoi. Je me sentis partir et la certitude de ma mort me revint à l'esprit avant qu'au tout dernier moment je trouve enfin du bout des doigts un petit relief qui dépassait de la surface rocheuse. Ma main se referma sur les quelques centimètres de prise qu'il m'offrait.

Pendant ces quelques secondes, je sentis mon corps aspiré dans le courant comme si des mains essayaient de me tirer vers le bas et de m'emporter. Mais j'avais réussi à stopper ma descente. Suffisamment longtemps en tout cas pour lancer mon bras droit en travers du rocher et trouver une fissure dans le gneiss qui me procura quelque chose de plus substantiel pour m'accrocher.

Cela me sembla toutefois incroyable de penser qu'à peine quelques secondes auparavant je m'apprêtais à lancer une ligne pour pêcher la truite, sans me soucier de rien d'autre. Et que j'étais à présent, contre toute attente, en train de lutter pour rester en vie.

Étant donné la vitesse à laquelle tout cela s'était déroulé, je n'avais pas pensé une seule seconde à Whistler. Je l'entendis hurler. « Tiens bon, Fin ! Pour l'amour de Dieu, tiens bon ! » Je penchai la tête vers la droite. L'eau me passait dessus, obscurcissant presque entièrement ma vision. Je le vis sur la rive, à deux mètres de moi. Il avait un pied plongé dans l'eau et me tendait le bras. Mais il était trop loin pour m'atteindre et je savais que s'il avançait encore, la force du courant l'emporterait. Je pouvais lire le désespoir sur son visage. Cela aurait été un suicide d'essayer, mais mes forces allaient atteindre leurs limites, et ces limites n'étaient plus très loin.

Je vis dans son regard qu'il réfléchissait intensément. Il devait bien y avoir quelque chose qu'il pouvait faire.

Soudain, il hurla. « Je reviens. Je te promets. Surtout ne lâche pas. » Et il partit. Hors de mon champ de vision. Soudain je me sentis plus seul que je ne l'avais été de toute ma vie. Le spectacle et le son de l'eau emplissaient mes yeux, mes oreilles, mon esprit et je me concentrai exclusivement sur ma prise. J'étais convaincu que Whistler allait revenir avec un moyen de me sortir de là, mais je doutai de pouvoir tenir assez longtemps. Le froid m'engourdissait et la force quittait mes bras. Je ne sentais presque plus mes mains.

Je laissai ma tête reposer contre le rocher et je fermai les yeux, complètement concentré sur la nécessité de ne pas lâcher prise. J'aurais quasiment pu m'endormir et me laisser partir, glissant dans un rêve dont je ne me serais jamais réveillé. Cette pensée était presque réconfortante. Soudain, le bruit d'un moteur qui se rapprochait me fit reprendre mes esprits.

La Land Rover faisait marche arrière au plus près de la rive, les roues patinant et dérapant, avant de s'arrêter brusquement en laissant échapper le craquement d'un frein à main. J'entendis une portière claquer et Whistler arriva en courant à l'arrière. Il avait une corde dans les mains. Il en noua rapidement une des extrémités autour de sa taille et s'agenouilla pour amarrer l'autre autour de la barre de remorquage. Il se releva et, sans hésitation, il descendit dans l'eau pour me rejoindre. La force du courant le faucha presque aussitôt. Tandis qu'il tombait, je vis son bras tendu et la corde passée autour de sa taille et de son poignet, l'empêchant d'être emporté.

Contre toute attente, il put reprendre pied et le haut de son corps émergea des flots comme Neptune de la mer. Soudain, il fut tout à côté de moi, les veines de son front gonflées comme des cordes, un géant tirant sur tous ses muscles, affrontant les forces de la nature pour tenter de sauver son ami. L'eau en furie, blanche et mousseuse, le frappait de toutes parts. Il me souleva littéralement dans ses bras. Avec une confiance aveugle, je lâchai ma prise et saisis la corde. Je sentis ses bras se refermer autour de ma taille. Au même moment, il perdit à nouveau pied et nous fûmes tous deux repris par le courant. Soumis pendant une seconde à une puissance que nous n'aurions jamais pu imaginer. La corde se tendit et nous ramena à toute vitesse vers le côté où nous heurtâmes la rive. Whistler trouva la force de nous hisser jusqu'à ce que nous ayons atteint la Land Rover avant de se laisser tomber, hors d'haleine, sous les roues arrière, au milieu des roseaux et de la tourbe détrempée par la pluie. L'eau coulait à quelques centimètres de nos visages, sifflant, crachant et rageant. Nous l'avions vaincue. Il me vint à l'esprit que c'était ainsi que son arrière-grand-père avait dû utiliser la ligne de John Finlay Macleod pour sauver la vie de mon grand-père.

Whistler roula sur le dos et se mit à rire, le visage tourné vers le ciel. Je luttai pour reprendre mon souffle et je m'entendis d'une voix tremblante lui demander ce qu'il y avait de si drôle. Il se tourna vers moi, hilare. « Espèce d'imbécile. Tu es le plus gros poisson que j'aie jamais pêché, et tu n'es même pas comestible ! »

Tandis que nous roulions en direction de la vallée, tanguant et brinquebalant au milieu des nids-de-poule que la pluie avait creusés dans le sol, l'air chaud qu'expulsait le chauffage de la voiture ramenait lentement mes os gelés à la vie. Assis à côté de Whistler, grelottant, je le regardais manœuvrer la Land Rover comme s'il avait fait cela toute sa vie. Mais je n'étais même pas sûr qu'il ait le permis.

« Qu'est-ce que va dire Jock Macrae quand il va s'apercevoir que sa Land Rover a disparu ? », demandai-je.

Whistler rit à nouveau. « J'aimerais bien le savoir. Il va être vert de rage. Et il va falloir qu'il rentre à pied.

— On va avoir des ennuis.

— Mais non. » Whistler s'ébroua comme un chien évacuant l'eau de son pelage. Son sourire était diabolique.

« Il ne saura jamais que c'est nous. Et qui va le lui dire ? Ni moi ni toi. Estime-toi heureux qu'il ait été dans les parages et qu'il garde une corde dans son coffre. »

Une fois rentrés à la maison, nous nous débarrassâmes de nos vêtements mouillés. Whistler les plaça sur un étendoir devant un feu de tourbe et mit une bouilloire à chauffer. Il se rhabilla et je reconnus la chemise que ma tante lui avait achetée. « Je reviens de suite », dit-il avant de sortir. J'entendis la Land Rover démarrer et s'éloigner. En fait, une demi-heure passa avant qu'il ne revienne, à pied. Il me trouva, recroquevillé devant le feu, les mains autour de mon deuxième mug de thé brûlant. « J'ai quelque chose de plus efficace que cela pour te réchauffer. » Il disparut dans une pièce à l'arrière et revint avec une bouteille de whisky à moitié vide. Il m'en versa une bonne dose dans mon mug. Il sourit. « Chauffage central. Mon paternel croit que je ne sais pas où il le planque. » Il disparut de nouveau pour la replacer dans sa cachette puis vint s'asseoir à côté de moi.

Je le regardai. « Tu n'en prends pas ? »

Il se contenta de secouer la tête. « Qui sait ce que j'ai dans les gènes. Je n'ai pas envie de finir comme lui. »

Je contemplai le fond de mon mug un bon moment avant de prendre une généreuse gorgée et de tourner la tête vers Whistler. « Tu m'as sauvé la vie. »

Il haussa les épaules. « C'est mon boulot, Fin. »

J'appris plus tard que Jock Macrae était entré dans une rage folle quand il n'avait pas retrouvé sa Land Rover. Après une longue marche sous la pluie, il était entré dans la première ferme sur le chemin et avait téléphoné à la police pour signaler le vol. À son grand étonnement, et à celui de la police, elle fut retrouvée peu de temps après, garée devant chez lui. Personne ne sut jamais qui l'avait prise, ni pourquoi.

CHAPITRE 15

« Marsaili m'a dit que je pourrais vous trouver ici. »

Fin fut surpris par la voix dans son dos. Il se retourna, leva les yeux et vit George Gunn qui l'observait. Derrière lui, il aperçut la voiture du policier garée sur le bord de la route, à une centaine de mètres de la maison où Fin avait grandi. Le bruit du vent l'avait empêché de l'entendre approcher. Il se leva et lui serra la main.

Gunn portait une chemise blanche, une cravate sombre qui volait au vent, sous un anorak noir rembourré qu'il avait laissé ouvert. Le bas de son pantalon, un petit peu trop long pour lui, formait des plis sur ses richelieus parfaitement cirés. Son apparition, au beau milieu des réflexions de Fin, ne laissait rien présager de bon.

« Alors, comment s'est passée l'autopsie ? »

Gunn haussa les épaules et fit la grimace. « C'était assez désagréable, monsieur Macleod. Et elle ne nous a pas apporté un nouvel éclairage sur les circonstances ou la cause de la mort. » Il prit une inspiration. « Mais bon, le gratin a débarqué d'Inverness. Et ils considèrent qu'il s'agit d'un meurtre. »

Fin hocha la tête.

« L'avant-garde du quatrième pouvoir est arrivée également. Par le premier vol ce matin. Dieu sait comment la presse se jette sur ce genre de chose. Étant donné le statut de Roddy Mackenzie dans le monde de la musique, et la manière dont il a disparu, nous pouvons certainement nous attendre à les voir débarquer en masse les prochains jours. J'imagine que la plupart d'entre eux voudront vous parler, puisque c'est vous qui avez trouvé le corps. »

Fin sourit tristement. « Eh bien, je m'arrangerai pour ne pas me trouver sur leur chemin, George.

— Oui, ça serait une bonne idée. » Gunn se massa le menton, l'air pensif. « Avez-vous réussi à parler avec votre ami, monsieur Macleod ? » Le ton semblait presque désinvolte, mais Fin savait que ce n'était pas le cas.

« Whistler ?

— John Angus Macaskill », confirma Gunn.

« Non. » Il hésita. « Il y a un problème ?

— L'inspecteur principal voudrait lui parler.

— Pourquoi ?

— Comme je vous l'ai expliqué hier, il nous faut son témoignage. À propos de la découverte de l'avion. » Il se tut quelques secondes. « En plus, il connaissait le défunt.

— Moi aussi, non ?

— Oui, sir. Mais vous ne vous êtes pas volatilisé. »

Fin fronça les sourcils. « Et Whistler s'est volatilisé ?

— Eh bien, en tout cas, on ne le trouve pas, ou il ne souhaite pas qu'on le trouve. J'imagine que vous êtes allé à sa recherche hier ? »

Fin opina du chef.

« Et ce matin, à la première heure, nous avons envoyé chez lui le policier du coin. Mais il n'est pas dans sa ferme et, apparemment, il n'a pas passé la nuit chez lui. Vous ne sauriez pas où il pourrait se trouver ?

— Je n'en ai aucune idée, George. Whistler est un esprit libre. Il va où cela lui chante. Il a probablement passé la nuit dans un abri, quelque part, choqué à propos de Roddy. »

Toujours pensif, Gunn tira sur sa lèvre inférieure. « Les renseignements glanés sur le terrain nous conduisent à penser que Whistler Macaskill et Roddy Mackenzie étaient réputés pour avoir des différends. »

Fin éclata presque de rire. « Si qui que ce soit pense que Whistler a quelque chose à voir avec le meurtre de Roddy, il se fourre un putain de doigt dans l'œil, George. Et, de toute façon, la découverte du corps dans l'avion l'a autant retourné que moi.

— C'est bien possible, monsieur Macleod. Mais cela semble plus qu'étrange qu'il ait disparu de la surface de la Terre, vous ne trouvez pas ? » Il hésita. « Au risque de me répéter, je vous pose à nouveau la question. Y a-t-il quelque chose que vous ne me dites pas ? »

Tandis que le vent de l'ouest fraîchissait, Fin sentit les premières gouttes de pluie sur son visage. Et de nouveau il se demanda ce que Whistler lui cachait. « Non, George. Il n'y a rien. »

CHAPITRE 16

La *blackhouse* de Whistler semblait abandonnée. Fin n'aurait pas su dire pourquoi, mais il savait qu'il n'y trouverait pas Whistler. Ce n'est que quand il eût escaladé la colline qu'il réalisa que la porte n'était pas fermée, mais au contraire entrouverte de plusieurs centimètres, battant d'avant en arrière sous l'effet du vent, comme si la maison respirait.

Prudemment, il l'ouvrit en grand, en la faisant racler sur les dalles, et laissa ses yeux s'accoutumer à l'obscurité avant de pénétrer à l'intérieur. Il s'attendait plus ou moins à y trouver la petite Anna, comme la veille. Mais la maison était vide. Il s'avança et fut assailli par l'atmosphère glaciale qui y régnait. Une odeur d'humidité flottait dans l'air. Les restes d'un feu de tourbe vieux de quelques jours étaient froids comme la mort. La maison semblait abandonnée, comme si personne n'y était passé depuis plusieurs jours. Pour la première fois, Fin commença à prendre peur pour son vieil ami. Les figurines de Lewis étaient alignées contre le mur. Témoins silencieux tapis dans l'ombre. Mais témoins de quoi ?

Quand Fin regagna l'extérieur, un sombre pressentiment occupait ses pensées. La marée était haute, l'eau émeraude profonde d'une trentaine de centimètres couvrait les hectares de plage, la lointaine lumière du soleil perçait en éclats les nuages, projetant par flashs des lueurs qui se déplaçaient rapidement au loin, à la surface du machair.

Une Range Rover se gara sur la route en contrebas et deux hommes en sortirent. Fin dut plisser les yeux en raison de la luminosité de la mer et du soleil derrière eux pour les reconnaître, mais il sut grâce à la voiture que le conducteur était Jamie. Ce n'est que lorsqu'ils commencèrent à gravir la pente conduisant à la *blackhouse* que Fin reconnut le deuxième homme. Bien bâti et carré, la casquette enfoncée sur le front. Big Kenny.

Jamie s'arrêta devant Fin, un peu essoufflé par la montée. Kenny resta quelques pas en arrière, croisant brièvement le regard de Fin avant de le détourner comme s'il éprouvait de la honte.

« Il est là? », demanda Jamie.

« Qui? »

Jamie émit un petit claquement de langue pour marquer son irritation. « Macaskill, bien sûr.

— Non.

— Alors, où est-il?

— Je n'en ai pas la moindre idée. »

Jamie pencha la tête sur le côté, l'air sceptique. « Vous étiez avec lui quand vous avez trouvé cet avion.

— Difficile de garder un secret par ici. »

Si Jamie y vit de l'insolence, rien dans le ton de Fin ne la trahissait. « Alors, vous avez mordu à l'hameçon et vous êtes allé à Tathabhal l'autre nuit?

— Oui.

— Et?

— Et rien.

— Il n'était pas en train de braconner?

— Non. »

Jamie soupira, masquant à peine son agacement. « Et alors, que s'est-il passé? »

Fin se demanda ce qu'il devait lui dire, ou ne pas lui dire. Sa stupidité lui posait un problème. Le seul autre témoin des événements survenus cette nuit-là au lac, la nuit précédant l'orage, était James Minto. Et Minto, Fin en était persuadé, ne risquait pas de dire quoi que ce soit. Bien qu'à présent, il regrettât de l'avoir mêlé à tout cela.

CHAPITRE 17

Le temps que Fin rejoigne Uig, le lendemain de sa confrontation avec Whistler dans le bar, le vent était monté à force six ou sept. Mais il était encore anormalement chaud et des vents stratosphériques encore plus violents avaient aminci les nuages en d'étranges mèches et toupets, comme des plis de gaze voilant le soleil.

Tout autour de la maison de James Minto, nichée parmi les dunes qui dominaient la plage de Uig, les grandes herbes grêles formaient des vagues et des tourbillons comme la mer sous le vent. Une Land Rover était garée devant une dépendance décrépie qui n'avait pas eu droit à un coup de peinture depuis de nombreuses années. Au volant de son Suzuki, Fin quitta l'asphalte et se gara au bout d'un sentier sablonneux qui s'arrêtait devant la maison. Au-delà des dunes, les masses noires des montagnes s'élevaient comme des vagues de pierre léchant le ciel.

Il n'y avait aucun signe de vie derrière l'une ou l'autre des petites fenêtres percées dans la pierre épaisse blanchie à la chaux et le son des jointures de Fin frappant sur la vieille porte en bois résonna dans le vide. Il s'apprêtait à laisser tomber et à repartir en direction d'Ardroil quand la porte s'ouvrit. Le visage défait de James Minto, vêtu d'une robe de chambre, apparut, clignant des yeux dans la lumière crue du matin. Il plissa les paupières en regardant Fin, la main en visière pour se protéger les yeux.

« Seigneur, mec ! Ce n'est pas une heure pour débarquer. Vous ne savez pas que je travaille de nuit ? »

De leur première rencontre, Fin se rappelait l'accent cockney, monotone et doux, avec en arrière-plan un ton légèrement menaçant. Minto était un ancien des forces spéciales, engagé par le domaine deux ans auparavant pour faire la chasse aux braconniers. Travail qu'il avait accompli avec un succès indéniable et des moyens plutôt douteux. Il était tout autant craint que détesté par à peu près tout le monde à Uig. Mais, seul, Minto n'était plus de taille à s'occuper du braconnage qui s'effectuait maintenant à une échelle industrielle et il n'avait pas les dons d'enquêteur de Fin. C'était un rottweiler, pas un chien de chasse.

Fin le considéra pensivement, n'éprouvant aucun remords pour l'avoir sorti de son lit. « Vous ne vous souvenez pas de moi, n'est-ce pas ? »

Minto le dévisagea un moment, avant de réaliser soudainement qui il était. « Vous êtes ce poulet qui est venu, il y a un an environ, m'accuser d'avoir assassiné un braconnier à Ness.

— Il n'était pas question de vous accuser. Nous cherchions simplement à vous éliminer de la liste des suspects.

— Ouais, eh bien, ce n'est pas ce qu'il m'a semblé à l'époque, mon gars.

— Bref, c'est de l'histoire ancienne. Je ne suis plus un… poulet. Je suis le chef de la sécurité du domaine de Red River. Mon nom est Fin Macleod. Et il se trouve qu'à présent je suis votre supérieur.

— Oh, fichtre, j'en tremble dans mes pantoufles, monsieur Macleod. »

Fin fixa les yeux d'un vert presque transparent, le visage bronzé et émacié. Les cheveux bruns de Minto, coupés en brosse, étaient à présent parsemés de gris, mais ce n'était pas un homme que l'on avait envie d'affronter.

Entraîné à tuer, un physique affûté et élancé sous sa robe de chambre qui laissait apparaître son caleçon et une paire de tongs. « Eh bien, c'est certainement parce que vous n'êtes pas assez vêtu, et que vous avez froid. Pourquoi ne me faites-vous pas entrer, comme cela vous pourrez enfiler quelque chose de plus confortable ? », répliqua Fin.

Minto hésita un instant, comme s'il ne savait pas trop comment prendre sa remarque. Mais la lueur de malice dans l'œil de Fin lui tira un sourire. Il s'effaça et lui tint la porte. « Allez-y. Dans le salon. Je suis à vous dans une minute. »

Dès qu'il pénétra dans l'espace exigu du salon, Fin se rappela l'impression qu'il avait gardée de sa précédente visite, un sens de l'ordre maniaque et assez peu masculin. Chaque meuble était disposé avec un souci d'efficacité et d'accessibilité maximales, des têtières immaculées passées sur les dossiers et les accoudoirs d'un salon trois pièces. Des étagères impeccables remplies de livres et de bibelots arrangés avec soin. Une série de tisonniers suspendus, bien alignés, dans la cheminée, un carrelage propre et étincelant. On pouvait voir par la porte de la cuisine des plans de travail rangés, les mugs tenus par des crochets fixés dans les murs, alignés en rangs réguliers, la vaisselle propre en train de sécher dans un égouttoir à côté de l'évier.

Il flottait dans l'air un léger parfum d'antiseptique.

Fin se tourna vers la fenêtre et vit, sous le rebord de celle-ci, l'échiquier, sur sa petite table carrée. Il n'y avait pas de place pour installer des chaises de part et d'autre, mais il y avait une partie en cours. Des reproductions en résine des figurines de Lewis, couleur pourpre et ivoire. Fin s'approcha pour les observer et souleva le berserk de sa case pour examiner la barbe en broussaille, les lèvres retroussées et les dents plantées dans le bouclier. L'original lui faisait plus penser à Whistler qu'à Kenny. Il la reposa avec précaution. Minto entra dans la pièce tout en enfilant un pull en laine kaki sur un maillot de corps blanc, il portait à présent un jean et des chaussures de sport. Fin se retourna et vit que ses yeux étaient encore gonflés de sommeil.

Il fit un signe de tête vers l'échiquier. « Vous jouez toujours par téléphone avec votre ancien commandant ?

— On fait ça par e-mail maintenant. Les temps changent. » Il se dirigea vers la cuisine. « Une tasse de thé ?

— Oui, merci. » Fin se laissa aller dans le canapé et se mit à contempler un mur sur lequel étaient alignées des photographies encadrées de Minto avec divers groupes d'hommes, tantôt en uniforme, tantôt en civil. En uniforme de parade ou en tenue de camouflage dans une forêt tropicale luxuriante à l'autre bout de la planète. Il s'interrogea sur l'existence solitaire que menait cet homme après tant d'années de compagnonnage et de travail en équipe. Mais il avait compensé ce qu'il avait perdu en camaraderie par l'attention méticuleuse au moindre détail et l'organisation des choses que lui avait inculquée l'armée. Tout avait une place et devait l'occuper. Une raison d'aller se coucher le soir et de se lever le matin. Si ce n'est qu'avec Minto, c'était l'inverse.

Par la fenêtre, il jeta un coup d'œil au-delà des hectares de plage laissés nus par la marée descendante, Baile na Cille sur le rivage opposé, l'église, le cimetière, la beauté sauvage et indomptée de l'endroit. Minto s'en rendait-il compte ou bien tout cela n'était-il pour lui qu'un endroit où se préserver de la vie civile dans laquelle il avait eu du mal à se couler ? Un inadapté vivant à la marge.

Contrairement à sa dernière visite, Fin prit son thé dans un mug, mais le plateau sur lequel il arriva contenait un petit plat de porcelaine où étaient disposés des morceaux de sucre et du lait dans un pot. Minto déposa le mug précautionneusement sur l'un des six sous-verre alignés avec soin sur la table basse. Il choisit de boire le sien debout devant la cheminée, comme pour se réchauffer avec un feu qui n'existait pas. « Vous allez courir après ces braconniers, j'imagine. »

Fin opina du chef et but une gorgée de thé. « Connaissez-vous Whistler Macaskill ?

— Qui ne le connaît pas ? » Minto pointa le menton vers une reproduction sculptée d'une figurine de Lewis d'une cinquantaine de centimètres de haut, posée sur une petite table en bois dans le coin opposé de la pièce. Fin se tourna pour la regarder. « C'est lui qui a fait ça. Un travail magnifique.

— Où l'avez-vous eue ?

— Je la lui ai achetée. En fait, c'est en la voyant que le vieux sir John a eu l'idée pour la fête. »

Fin releva la tête et fixa Minto avec intensité. « De quelle idée s'agit-il ?

— D'en faire fabriquer un jeu complet et de les placer sur un échiquier géant sur la plage. Vous savez, pour quand ils apporteront les originaux ici, en octobre. Ils vont les installer dans des vitrines, dans l'église là-bas. » Il fit un signe de tête vers la fenêtre. « C'est intéressant. Le type qui les a trouvés à l'époque ne savait pas quoi en faire. Alors il les a portés au pasteur de l'église de Baile na Cille. Un certain révérend Macleod. C'est un beau symbole, les figurines qui reviennent dans cette église. Elles appartiennent à des collectionneurs privés dorénavant, mais on dirait que les nouveaux propriétaires sont contents de les prêter pour la fête. » Il prit une gorgée de thé, l'air pensif. « Apparemment, il va y avoir deux vrais grands maîtres qui vont jouer une partie avec les originaux. Et chaque déplacement sera transmis par talkie-walkie à un gars sur la plage. Les pièces seront déplacées pour reproduire la partie en train de se dérouler dans l'église. Enfin bref, c'était ça l'idée de sir John.

— Comment savez-vous tout cela ? »

Minto sembla surpris. « Eh bien, c'est le vieux qui me l'a dit. Ce n'est pas un secret.

— Son fils n'a pas l'air au courant.

— Crétin ! », lâcha Minto dans sa barbe comme s'il craignait la manière dont Fin pourrait réagir à ce manque de respect.

« Ce serait peut-être une bonne idée que vous lui en parliez.

— Pourquoi ?

— Parce que, suite à son attaque, sir John est toujours en convalescence quelque part en Angleterre et que Jamie affirme n'être au courant de rien. Ce qui fait que Whistler n'a pas été payé. »

« Typique ! », grogna Minto.

« Vous savez qu'il braconne ? »

Minto fronça les sourcils. « Qui ? Whistler ? » Fin acquiesça. « Bien sûr que je le sais. Mais c'est seulement de temps en temps, et pour sa consommation personnelle. Ça ne fait de mal à personne. Alors je le laisse tranquille.

— Jamie veut que j'y mette fin. »

Le mug de Minto s'arrêta à mi-chemin de sa bouche. Il regarda Fin, interrogateur. « Pourquoi ?

— Ils ne s'apprécient pas vraiment.

— Eh bien, ça ne m'étonne pas. » Il marqua une pause. « Et qu'est-ce que vous comptez faire ? »

Fin soupira. « Je pense qu'il y a de plus gros poissons que Whistler, Minto. Mais il y a une véritable inimitié entre ces deux-là, et si nous ne parvenons pas à persuader Whistler de laisser tomber, Wooldridge junior risque de sortir l'artillerie lourde. Ce ne serait pas une bonne nouvelle pour Whistler et cela risquerait de vous mettre au chômage. »

Minto réfléchit quelques instants. « Nous ? », finit-il par demander.

« Je ne peux pas y arriver tout seul. C'est un gars costaud. Je ne vous apprends rien. Même à vous, il donnerait du fil à retordre.

— Oh, je pourrais me le faire, monsieur Macleod. Sans problème. Mais il faudrait que je lui fasse mal. »

Fin secoua immédiatement la tête. « Je ne veux pas de ça. Je ne veux pas le blesser. Seulement l'arrêter. Juste lui faire comprendre le message. »

Minto ne semblait pas convaincu. « Et comment ? »

— Il sera au loch Tathabhal ce soir.

— Comment savez-vous ça ? »

Presque inconsciemment, Fin se passa la main sur la mâchoire. Elle lui faisait encore mal. « Parce qu'il a tenu à ce que je le sache. Un défi idiot. »

Minto secoua la tête. « Ça ne me plaît pas, monsieur Macleod. »

Fin posa son mug sur son sous-verre et se leva. « Je vais m'y rendre maintenant, pour essayer de lui parler et de le raisonner. Mais si je n'y arrive pas, je vous retrouverai là-haut ce soir, au vieux pont, là où la rivière quitte le loch.

— Pas de problème, mon gars. » Minto haussa les épaules. « Mais si je dois me le faire, il faudra que je lui fasse mal. »

Le soleil d'été avait commencé à tourner lentement, irrémédiablement, vers l'équateur, posant chaque soir un peu plus tôt un voile obscur sur les Hébrides. Ces longues nuits ou flottait encore la lumière du jour, et pendant lesquelles il était parfois possible de voir le soleil se lever et se coucher en même temps, étaient loin. L'heure officielle du coucher du soleil était maintenant 20 h 45, mais bien qu'il soit plus de 21 h 30, il y avait encore de la lumière dans le ciel. Un ciel inhabituellement dégagé, même au-dessus des montagnes qui se dressaient, sinistres, au sud. Le vent qui avait soufflé dans la journée était tombé et l'immobilité de l'air était presque inquiétante. Fin n'était pas parvenu à retrouver Whistler, il avait donc l'intention d'honorer le rendez-vous pris lors du défi de la veille.

Il vit en face de lui des bandes pâles taillées dans les collines sombres quand il arriva au sommet d'Ardroil, des cicatrices laissées dans le paysage par les excavations des carrières en contrebas, et le chatoiement argenté de la lune sur la route qui serpentait au-dessus de la distillerie Abhainn Dearg en direction de Mangurstadh.

Deux reproductions géantes de pièces d'échecs sculptées dans le bois gardaient l'entrée de la première et seule distillerie qui ait jamais existé sur l'île en près de cent soixante-dix ans. Abhainn Dearg signifie « rivière rouge » en gaélique, le même nom que le domaine. La distillerie avait été baptisée ainsi car elle était située près de l'endroit où la fameuse rivière se jetait dans l'Atlantique. Selon la légende, la rivière tenait son nom d'une bataille entre clans qui avait été si sanglante que ses eaux avaient viré au rouge.

La dernière distillerie de l'île de Lewis avait été fermée en 1844 quand sir James Matheson, abstinent et prohibitionniste, avait acheté l'île. L'ironie de la chose, bien qu'elle ne dût pas être évidente pour les insulaires de l'époque, était que Matheson avait accumulé la fortune qui lui avait permis d'acheter l'île en vendant de l'opium aux Chinois. Le paradoxe, en revanche, n'échappait pas à Fin et le fit brièvement sourire tandis qu'il passait devant les toits vert et rouge en pente légère de l'ensemble disparate de bâtiments de tôle et de parpaing qui constituaient Abhainn Dearg.

Son sourire s'effaça quand lui revint à l'esprit la raison de sa présence. Si Whistler avait essayé de l'éviter dans la journée, il y était parfaitement parvenu. Et Fin se dirigeait vers le lac Tathabhal pour un rendez-vous qu'il aurait préféré ne pas honorer.

Huit cents mètres plus loin, il quitta la route et se mit à rouler au pas quand il s'engagea sur un sentier cahoteux et criblé de nids-de-poule qui serpentait laborieusement au milieu de larges vallées jonchées de rochers.

La clarté lunaire se reflétait dans les petits ruisseaux et à la surface de toutes les flaques qui stagnaient dans les creux et les cuvettes de ce paysage primitif.

La lune était encore basse dans le ciel. Les montagnes qui s'élevaient de plus en plus haut de chaque côté plongèrent progressivement le sentier dans l'ombre et toute la luminosité se trouva concentrée dans le ciel. Le chemin contournait les eaux noires du lac Raonasgail, les sommets sinistres de Mealaisbhal et Tathabhal qui dominaient les rives opposées. Lorsque Fin arriva à l'extrémité du lac, après avoir grimpé plusieurs dizaines de mètres, son regard put embrasser toute la vallée devant lui jusqu'aux eaux scintillantes du lac Tamnabhaigh et aux lumières de l'auberge Cracabhal sur sa rive nord.

Là, il tourna vers l'est. Ses pneus arrachèrent de la tourbe et des cailloux sur son passage quand il quitta le sentier pour suivre le tracé à peine visible d'un ancien chemin. Le terrain montait brusquement et le conduisit aux eaux calmes du lac Tathabhal, niché à l'ombre de pentes abruptes couvertes d'éboulis. Dans la rivière qui quittait le lac, des langues d'eau palpitaient et glissaient sur le lit de pierres presque sec, cascadant en une succession de minuscules chutes jusqu'au lac Raonasgail en contrebas.

Au bout du lac, là où partait la rivière, un pont de bois l'enjambait d'une rive à l'autre, dressé sur des colonnes de pierres sèches et flanqué, côté lac, d'une balustrade branlante. Un bout de terrain avait été aplani pour que les pêcheurs puissent garer leurs voitures. La Land Rover de Minto était stationnée au bord de l'eau et quand Fin sortit du Suzuki après s'être garé, il entendit dans l'obscurité les cliquetis du moteur qui refroidissait. Minto était arrivé peu de temps avant mais il ne vit aucun signe de lui. Pas plus que de John Angus Whistler Macaskill. Il distingua les nuages de puces qui commençaient à s'agglutiner autour de lui et se prit à espérer que le répulsif avec lequel il s'était généreusement badigeonné le visage et le cou soit suffisamment efficace.

Il se tourna vers l'ouest. De sa position élevée, Fin avait une vue ininterrompue sur la vallée prise entre les sommets de Mealaisbhal et Cracabhal et, bien qu'il ne puisse pas la voir, il savait qu'au-delà se trouvait la mer. Il parvenait, en revanche, à apercevoir les nuages qui se rassemblaient sur l'horizon, noirs et menaçants, et quelques éclairs trop distants pour être entendus. Il sentit le premier courant d'air froid qui annonçait l'orage, le changement de temps attendu depuis si longtemps, et se tourna vers l'est où il vit la pleine lune annoncée par Whistler se lever dans un ciel sans nuages. Il espérait que tout serait rapidement réglé pour pouvoir rentrer chez lui et se mettre au lit avant que l'orage éclate.

Un son, comme un caillou tombant dans l'eau, attira son attention et il distingua des cercles concentriques argentés émanant d'un point situé non loin de la rive opposée. Peut-être un poisson qui venait de sauter pour attraper un insecte. Il n'y avait aucun signe de vie. Plus un bruit.

Fin s'avança sur le pont en bois et balaya le lac du regard. Il sentait le vent forcir et les nuages qui lui avaient semblé si lointains s'accumulaient maintenant au-dessus de lui, l'avant-garde de l'orage. Tandis qu'il contemplait depuis le pont le cours d'eau qui avait failli lui prendre la vie des années auparavant, il sentit la température chuter. Les puces s'étaient déjà évanouies et la lune de Whistler apparaissait et disparaissait à une fréquence de plus en plus élevée, comme un étrange spectacle son et lumière privé de couleurs.

Quand il se tourna à nouveau vers le lac, Fin capta un mouvement sur la rive opposée. Une ombre glissait à la surface des éboulis.

« Minto ! », lança-t-il dans la nuit. Le vent emporta sa voix.

En réponse, il entendit un rire qu'il connaissait trop bien. Soudain, à la faveur d'un rayon de lune, il aperçut Whistler qui l'observait de l'autre côté de l'eau. Il leva son bras droit et Fin vit un énorme saumon sauvage qui s'agitait dans sa main, ses doigts épais glissés dans les ouïes de l'animal. « On pourrait aller à la ferme, Fin. Se le faire griller dans du papier d'aluminium sur la tourbe. En partageant un verre et un ou deux souvenirs. Qu'est-ce que tu en dis ? »

Fin se serait presque laissé tenter. « Allez, Whistler, arrête tes conneries. Il faut qu'on parle, toi et moi.

— C'est pour ça que tu as amené ton homme de main ? Pour discuter ? Tu me déçois, Fin. Je m'attendais à mieux que ça de ta part. » Fin comprit l'erreur qu'il avait faite en impliquant Minto.

Presque au même instant, la lune disparut derrière un nuage et Whistler fut englouti par l'obscurité. Fin entendit des coups violents en provenance de la Land Rover de Minto. Il sauta du pont, traversa le parking en courant et ouvrit le hayon.

Minto gisait en boule sur le sol, fermement ligoté avec sa propre corde de remorquage, ficelé comme un poulet, un chiffon graisseux fourré dans la bouche. Il était parvenu à se mettre sur le dos pour taper dans la carrosserie avec le plat du pied.

« Seigneur, Minto ! » Fin grimpa à l'arrière, le détacha et lui ôta le chiffon de la bouche. Minto mit quelques secondes à retrouver son souffle, la salive moussant autour des lèvres.

« Je le tuerai. Putain, je le tuerai ! »

Fin le regarda, décontenancé. « Que s'est-il passé ?

— Il m'a agressé, voilà ce qui s'est passé. »

Fin faillit se mettre à rire. « C'est lui qui vous a agressé, vous ?

— Ce mec est aussi fort qu'un putain de bœuf, Macleod.

— Je croyais que vous alliez le neutraliser, Minto ? »

Minto lui lança un regard noir. Sa fierté en avait pris un coup. Personne n'était censé être capable de lui faire un truc pareil. « J'aurais pu si j'en avais eu la possibilité. » Il s'assit et grimaça, sa main gauche alla se poser sur son épaule droite. « Bordel, je crois qu'il m'a déboîté l'épaule. »

Fin l'observait, assis, les jambes croisées. « Eh bien, vous n'allez pas m'être d'une grande utilité maintenant. »

Minto le fusilla du regard. « Vous ne vous en sortirez pas tout seul, mec. Un petit nabot maigrichon comme vous. »

Fin se mit sur les genoux et avança accroupi vers l'arrière du véhicule. Il sauta. « Rentrez chez vous, Minto. »

Il resta debout à côté de la voiture et regarda Minto lutter pour s'installer sur le siège conducteur et démarrer le moteur. Ses feux furent dévorés par la nuit, presque invisibles. Le véhicule tourna et repartit en cahotant sur le chemin menant au lac situé un peu plus bas. Fin sentit les premières gouttes de pluie sur son visage.

Maintenant, la partie se jouait entre lui et Whistler.

Il se retourna et inspecta le lac Tathabhal du regard. La surface commençait à se rider sous l'effet du vent qui se levait et renvoyait la lumière de la lune en de brefs moments d'illumination. Il vit la silhouette de son ami qui se déplaçait le long de la rive opposée, son rire parvenant à couvrir le bruit du vent. « Allez, Fin, attrape-moi si tu peux. » Distante, sa voix s'envolait dans la nuit.

Pour Whistler ce n'était qu'un jeu. Rien de sérieux. Pourtant, affronter Jamie de la manière dont il l'avait fait, revenait à courir au désastre. S'il perdait sa maison, il perdrait à coup sûr la procédure pour la garde de sa fille. Et s'il perdait les deux, Dieu sait ce qu'il adviendrait de lui.

Pendant un long moment, Fin considéra la possibilité de grimper dans son Suzuki et de rentrer chez lui. Quel bénéfice pouvait-il tirer en jouant le jeu de Whistler ?

Toutefois, partir reviendrait à laisser tomber l'homme qui lui avait sauvé la vie. Whistler ne lui aurait jamais fait cela. Il devait au moins réussir à lui faire comprendre à quels ennuis il s'exposait.

« Whistler, attends ! » Mais sa voix ne portait pas et il vit la silhouette de Whistler se détacher sur le ciel juste avant qu'il ne commence à dévaler les éboulis vers la vallée en contrebas.

Fin soupira et eut une brève hésitation avant d'ouvrir l'arrière de son 4×4 et d'en sortir sa veste imperméable et un petit sac à dos. Il enfila la veste, passa le sac à ses épaules et agrippa fermement dans sa main droite la poignée antidérapante de son bâton de marche.

Il y allait, prêt ou non.

Au début, il n'eut aucun mal à ne pas perdre Whistler de vue. Étonnamment, il y avait encore de la lumière dans le ciel et, entre deux nuages, la clarté de la lune inondait abondamment les pentes. Il vit l'ombre de Whistler qui progressait aisément au milieu des rochers. Le vent continuait à forcir et la température à tomber au fur et à mesure que les nuages d'orage avançaient. Cependant, pour l'instant, la pluie se résumait à un léger crachin.

Le lac Raonasgail n'était rien d'autre qu'un grand trou noir creusé entre Tathabhal et Mealaisbhal par le déplacement des glaciers lors d'un lointain âge glaciaire, rempli à présent par les millions de litres d'eau de pluie en provenance des montagnes environnantes. Fin vit Whistler contourner la rive sud-ouest, traverser le sentier et s'avancer dans la vallée encombrée de rochers à l'ombre de Cracabhal.

Les éclairs furent là avant la pluie. D'immenses flashs zébrés qui illuminaient les montagnes et plongeaient les vallées dans une obscurité encore plus profonde. Les moments où Whistler était visible se faisaient plus rares et espacés en raison de l'obscurité qui tombait sur eux comme de la poussière.

La bruyère et les fougères sous ses pieds étaient sèches et craquaient dans l'obscurité. Normalement, quand elle était détrempée, la tourbe était dure et ne cédait pas sous le pied. Fin serra les dents et se força à poursuivre. Pendant une quarantaine de minutes, il suivit la forme spectrale de Whistler. Les muscles de ses jambes le faisaient souffrir, la dureté du terrain martelait ses articulations et sa respiration devenait de plus en plus haletante tandis que ses poumons tentaient d'envoyer suffisamment d'oxygène dans des muscles déjà épuisés.

En dépit de ses efforts, il ne parvenait pas à le rattraper. Il devint évident que si Whistler l'avait souhaité, il aurait pu semer Fin en un clin d'œil. Il continuait à faire des apparitions, souvent quand Fin pensait l'avoir perdu. Sautant d'un rocher à un autre comme une chèvre de la montagne. S'arrêtant pour scruter l'obscurité. Il jouait avec Fin. Il s'amusait. S'assurant qu'il ne le perdait pas, se montrant pour l'appâter, comme la mouche attire le poisson vers l'hameçon.

La foudre s'abattit si près de Fin qu'il se baissa instinctivement et se laissa tomber à genoux, l'image de la vallée devant lui imprimée sur la rétine. Un paysage étrange et brutal couvert par les résidus des explosions glaciaires vieilles de plusieurs millions d'années. Pendant un moment, il n'entendit plus rien et ses narines s'emplirent de l'ozone qui se diffuse dans l'air après les décharges électriques orageuses.

Whistler était lui aussi présent dans cette image gravée par la foudre, trois à quatre cents mètres devant lui. Escaladant de gigantesques amas de rochers avant d'être de nouveau avalé par l'obscurité.

De manière absurde, Fin se mit à penser au croquemitaine qui, sur l'île, avait hanté l'imagination de générations entières d'enfants. Mac an t-Stronaich, le hors-la-loi.

Un homme accusé de plus de crimes et d'agressions qu'aucun être vivant n'aurait pu commettre. Pourtant il avait existé, certainement moins effrayant dans la réalité, et s'était réfugié dans ces mêmes montagnes pour éviter d'être capturé. Avant d'être finalement traduit en justice et pendu en 1836. Whistler se déplaçait au milieu des rochers comme son fantôme.

Des éclairs dans les nuages illuminèrent une fois encore le ciel et Fin vit le dessous des nuages, sombres, qui roulaient sur les sommets, chargés d'humidité, menaçant de se déchirer. C'est à ce moment-là qu'il décida que cette poursuite infructueuse était une folie. Que Whistler aille donc gambader dans les montagnes. Qu'il aille au diable ! Fin retournerait vers Tathabhal pour récupérer son Suzuki. Il allait rouler jusque chez Whistler et il l'attendrait là-bas. Il finirait bien par rentrer, tôt ou tard, et là, il aurait une petite discussion avec lui.

Un autre flash lumineux fit apparaître Whistler, debout sur le flanc de la montagne, immobile, le regard tourné vers la pente qui montait dans sa direction. Ses cheveux volaient autour de son crâne. Il se tenait debout et fier, comme un ancien guerrier viking, le visage privé de couleur par la clarté de la foudre. Le tonnerre qui se déchaîna ensuite était à ce point au-dessus d'eux qu'ils en ressentirent l'impact physique. Et la pluie se mit à tomber. Sortie de nulle part. Balayant soudainement la vallée en une brume aveuglante, la première expiration de l'orage. Le visage de Fin fut fouetté par la grêle projetée par un vent dont le soudain regain de puissance manqua de le projeter à terre. Il fit demi-tour et commença à rebrousser chemin.

En l'espace de quelques minutes, il ne savait plus dans quelle direction avancer. La visibilité était nulle. Il ne parvenait à voir quelque chose qu'à la faveur d'un éclair. Il avançait alors avec, en tête, le souvenir des quelques mètres qu'il avait aperçus devant lui, jusqu'à ce que sa confiance s'évanouisse et qu'il s'arrête, attendant la prochaine explosion de lumière.

Très rapidement, il se rendit compte qu'il était en train de monter et non plus de descendre. Mais lorsqu'il repartit vers le bas, il ne savait plus s'il s'agissait de la bonne direction.

La pluie lui fouettait inlassablement le visage, s'insinuant sous sa veste aux poignets et dans le cou. Il n'avait pas de pantalon imperméable et son jean fut rapidement trempé et lourd. Dans ses vieilles chaussures de marche fatiguées, ses pieds commençaient à être mouillés et à se refroidir.

Il s'accroupit et attrapa son sac à dos pour en sortir sa lampe torche et une boussole accrochée à un ruban qu'il pouvait se passer autour du cou. Il agrippa la torche, mais avant qu'il ait pu saisir la boussole, une bourrasque de vent qui manqua de le faire tomber emplit d'air son sac à dos et le lui arracha des mains. Il se jeta en avant pour essayer de le rattraper avant qu'il ne disparaisse dans la nuit, un bond désespéré dans l'obscurité, mais ses mains se refermèrent sur le vide. Son sac à dos avait disparu, le laissant étendu au milieu de l'herbe et de la bruyère, et devant lui l'eau coulait telle une rivière sur la surface dure et imperméable de la tourbe.

Désespérément, il chercha autour de lui son bâton de marche. La lueur de sa torche perçait à peine l'obscurité. Il était certain de l'avoir posé à côté de lui quand il s'était accroupi pour ouvrir son sac à dos. Mais il ne le trouva pas et, pour la première fois, il commença à penser qu'il était vraiment en mauvaise posture. Il n'avait pas de boussole, ni de carte, pas de canne pour l'aider à rester debout. Il était trempé jusqu'aux os et commençait à sentir le froid lui glacer l'âme. Il n'avait aucune idée de là où il se trouvait ni de la direction dans laquelle il devait partir. Et à présent, assurément, dans de telles conditions, Whistler devait l'avoir semé définitivement.

Il s'accroupit, dos au vent, et essaya de faire le point sur sa situation, rationnellement. Mais toute la rationalité du monde ne pouvait évacuer les pensées qui occupaient son esprit. Des hommes étaient morts dans de pareilles conditions. Des marcheurs et des grimpeurs expérimentés, surpris par un orage dans les montagnes, entièrement équipés, et souvent en plein jour, pouvaient mourir en l'espace de quelques heures. Fin n'avait aucune expérience, pas d'équipement adapté et il était perdu. Un faux pas et il risquait de se fouler une cheville ou de se casser une jambe, de se retrouver immobilisé, à la merci des éléments. Le froid lui ferait perdre conscience. Le sommeil s'emparerait rapidement de lui et il ne se réveillerait pas. Il savait qu'il lui fallait trouver un abri, et vite.

Il ferma les yeux et essaya de se concentrer sur l'idée qu'il avait de l'endroit où il se trouvait. Whistler l'avait conduit à travers la vallée qui courait entre Mealaisbhal et Cracabhal, au sud. Quand il l'avait aperçu pour la dernière fois, il se tenait sur le replat de l'ombre qui remontait le long de ce qu'il pensait être Mealaisbhal, à sa droite.

Fin n'avait quasiment pas progressé depuis et s'il entreprenait de grimper, la pente le ramènerait sur le même replat. Il n'était jamais allé dans la vallée située au nord de la montagne. Mais il se rappelait des histoires de la Cailleach de Mealaisbhal que l'on racontait à l'école. Cailleach est le terme gaélique pour désigner une femme âgée. Celle-ci avait tué son fils et s'était réfugiée dans les grottes de Carnaichean Tealasdale sous les falaises à la pointe nord de Mealaisbhal où elle avait vécu en sauvage. En tout cas c'est ce que disait la légende. En tout cas, cela signifiait qu'il y avait là-bas de nombreuses grottes, au milieu des rochers et des falaises. Des grottes qui procureraient un abri à Fin et lui éviteraient la mort.

Il décida de poursuivre son ascension.

Il se força à avancer, le faisceau de sa lampe torche braqué droit devant lui, empruntant le chemin le plus court parmi les rochers et les pierres assemblés en tas sur la pente. Ils étaient glissants et traîtres. Avec la grêle qui lui fouettait le visage et la pluie qui lui tombait dans les yeux, Fin y voyait à peine.

Il sentit immédiatement quand le sol redevint plus plat. Dans le même temps, il se retrouva encore plus exposé aux éléments. Il avançait en titubant sous la pluie, le vent le heurtait avec une telle force qu'il tomba plusieurs fois. Mais il continuait à avancer, même si chaque muscle, chaque tendon de son corps criait grâce.

La silhouette d'un immense rocher se dressa devant lui. Il le contourna et se plaça de manière à être protégé du vent pendant quelques instants. Il s'adossa contre la surface abrupte du géant de pierre et resta ainsi quelques instants pour reprendre son souffle. De toute sa vie, il ne s'était jamais senti aussi petit et vulnérable. L'échelle et l'envergure du paysage, la puissance des éléments, faisaient de lui un être insignifiant.

Il commença à trembler de froid et à claquer des dents. S'arrêter risquait de lui être fatal. Il devait trouver un abri. Lorsqu'il se tourna pour faire face au trajet incertain qui l'attendait dans l'obscurité, une série d'éclairs illuminèrent le ciel et projetèrent leur éclat fantomatique sur la vallée qui se déroulait à ses pieds. Le spectacle en était saisissant et désolé sous cette lumière crue, un paysage à ce point étranger et primaire qu'il aurait pu trouver sa place sur la Lune. À sa droite, les falaises montaient à pic, noires et luisantes de pluie, reflétant les éclairs zébrant le ciel au-dessus d'elles. Le terrain descendait en une succession de pentes et de plats vers une large vallée jonchée de rochers de la taille d'un immeuble, en grappes, ou isolés, posés selon des angles improbables, en équilibre sur une pointe ou un rebord, projetant leurs ombres semblables à des poings allongés qui se perdaient dans la nuit. Fin n'avait jamais rien vu de pareil.

Plus avant dans la ravine, une grande pièce d'eau renvoyait les lumières de l'orage par flashs, comme en réponse à une lampe torche nichée dans le ciel envoyant des signaux en morse dans la nuit. Un lac caché au fond de la vallée.

Fin entama la descente, lentement tout d'abord, posant prudemment le pied à chaque pas. Il glissa et partit sur plusieurs mètres avant de parvenir à arrêter sa chute. Il se remit sur ses pieds et reprit sa progression, plus vite à présent, propulsé en avant par le poids de son corps, poussé par le vent comme par une main plaquée dans son dos. Le faisceau de sa lampe torche balayait d'avant en arrière l'enchevêtrement de fougères et de bruyère à ses pieds avant de saisir le chaos de pierres éclatées et d'éboulis qui plongeaient en pente raide vers les formes sombres et déchiquetées des rochers en contrebas. L'eau de pluie dévalait la pente en ruisseaux et rigoles, serpentant entre les pierres sur lesquelles il posait le pied. Il n'avait fait que quelques mètres en dérapant quand les éboulis commencèrent à dégringoler à sa gauche et à sa droite, lui faisant prendre encore de la vitesse. Puis, comme pris dans une avalanche, le sol se déroba sous ses pieds et l'emporta. Il glissait, impuissant, dans la nuit, les oreilles emplies du fracas des pierres qui dévalaient jusqu'à ce qu'il heurte quelque chose avec une telle violence qu'il en eut le souffle coupé. Pendant un bref et terrifiant instant, son esprit fut envahi de lumière avant de sombrer dans une obscurité dont il savait qu'il ne reviendrait jamais.

Une lumière jaune vacillante s'insinuait lentement dans sa conscience encore embrumée. Elle réveilla la douleur, la peur et un tremblement incontrôlable. Le grand visage pâle de Whistler, avec ses épais favoris poivre et sel, tremblotait également, comme une ampoule sur le point de griller. La brume était en fait de la fumée. Une fumée chaude, épaisse et étouffante qui emplissait l'atmosphère. Fin en aspira et se mit à tousser, une toux douloureuse et râpeuse. Il essaya de s'asseoir mais n'y parvint pas. Il était enveloppé dans quelque chose, comme pris dans un cocon, incapable de bouger.

Trois mètres au-dessus de lui, une voûte irrégulière en pierre partait en courbe avant de se perdre dans l'ombre. Un amas complexe de toiles d'araignées déchirées en pendait, réfléchissant la lueur des flammes qui trouaient l'obscurité à une cinquantaine de centimètres de son visage.

« Espèce de crétin ! » Il entendit la voix de Whistler, jaillissant de la brume. « Si tu as l'intention de suivre un homme de la nuit dans les montagnes un soir où un orage est annoncé, tu pourrais au moins y aller équipé. »

Fin parvint à décoller sa langue desséchée de son palais. « Tu savais qu'il y aurait un orage ? »

Whistler découvrit ses dents. « Bien sûr que je le savais. Je pensais que toi aussi. »

Fin vit ses vêtements et ceux de Whistler en train de sécher, étendus sur des pierres de l'autre côté du feu. De la vapeur s'en élevait et il réalisa qu'il était nu dans son cocon. « Pourquoi m'as-tu emballé comme cela ?

— Deux couvertures en laine et une en aluminium. Et ne te retiens pas de trembler mon gars. Ça permet de générer deux degrés de plus par heure. Les couvertures les empêchent de s'échapper et tu vas te réchauffer. Avec un peu de chance, tes vêtements seront secs demain matin. » Il se pencha en avant et posa les doigts sur le front de Fin. Son contact était aussi léger que de la mousseline. « Tu t'es pris un bon coup sur la tête. Je l'ai désinfecté et bandé, mais il faudra que tu consultes un médecin. »

Whistler était assis en tailleur de l'autre côté du cercle de pierres dans lequel se trouvaient les morceaux de tourbe en train de brûler qui généraient à la fois la chaleur et la fumée. Ses longs cheveux noirs étaient encore humides et ramenés en fouillis vers l'arrière de son crâne. Le pull qu'il portait sous sa veste était sec, de même que son jean, protégé par des jambières imperméables. « Où sommes-nous, Whistler ?

— Nous sommes dans une de ces petites ruches de pierre au nord d'une vallée à peu près inaccessible, quelque part entre Mealaisbhal et Brinneabhal. Il y en a quelques-unes regroupées par ici. Ce ne sont pas de vraies ruches, bien sûr. C'est juste le nom que leur ont donné les archéologues. Dieu seul sait qui les a construites et pourquoi. Peut-être des bergers lorsqu'ils conduisaient les moutons dans les hauts pâturages. En tout cas, la plupart sont en ruine. Juste des ronds de pierre et du gazon. Celle-ci, c'est moi qui l'ai reconstruite et j'y stocke de la tourbe sèche. C'est pas mal, hein ?

— Et que diable viens-tu chercher par ici ?

— Du cerf. Du lièvre variable. » Il se mit à rire. « Et j'ai passé un bon moment de ce côté à la recherche de la grotte aux épées. »

Fin plissa le front. « Quelles épées ? »

Un sourire un peu embarrassé apparut sur les lèvres de Whistler. « Ah, je suis sûr que c'est une chimère. Mais j'ai toujours été fasciné par cette histoire que j'ai entendue une fois à propos d'un homme qui connaissait ces vallées comme la paume de sa main. Un jour, il s'était perdu dans le brouillard et avait fait une chute dans une grotte masquée par les rochers. Quelques marches y descendaient. Une fois à l'intérieur, il découvrit un lot de vieilles épées rouillées. Des dizaines. Il ne pouvait pas les emporter seul, mais il était persuadé de pouvoir revenir avec des amis et de retrouver la grotte pour redescendre les épées au village. » Whistler secoua la tête. « Il n'y parvint jamais. Il a essayé de retrouver cette grotte un nombre incalculable de fois sans jamais réussir. Cependant, personne ne mit sa parole en doute et on se posa beaucoup de questions sur le fait de savoir d'où ces épées pouvaient bien venir et qui les avait mises là.

— Et ? »

Whistler haussa les épaules. « Et rien. Je ne les ai jamais trouvées, moi non plus. Ma théorie préférée est qu'elles appartenaient aux hommes de Uig qui les avaient cachées là après la défaite de l'armée jacobite à Culloden contre les Anglais. Tout ce qui était "Highland" fut interdit, dont le port du kilt et des armes. Ainsi, si les gens du coin cachaient leurs armes ici, il n'y avait aucune chance que quiconque les trouve, mais elles seraient facilement accessibles en cas de besoin. » Il rit. « J'aurais adoré sentir le poids d'une de ces épées jacobites dans ma main, Fin. Et puis elles doivent valoir une fortune à présent. » Il pencha la tête sur le côté, regardant Fin avec attention. « Comment te sens-tu ?

— Super mal.

— Très bien. Tant que tu sens quelque chose, tout va bien. »

Il se saisit d'un bâton épais et sortit plusieurs pierres noircies des braises pour les placer sur le sol en terre battue.

« Quand elles auront suffisamment refroidi pour que je puisse les manipuler, on les fourrera dans tes couvertures pour créer plus de chaleur. Sous tes aisselles et sur ta nuque. Dieu sait que tu n'as pas beaucoup de cervelle, mais le peu que tu as possède une petite zone à sa base qui régule ta température corporelle, ainsi que ta respiration et ta circulation sanguine. L'hypothalamus. Il faut le garder bien au chaud et en état de fonctionnement. » C'était typique de Whistler de balancer ce genre d'information sans même avoir l'air d'y penser.

Fin laissa retomber sa tête sur le côté, toujours grelottant, et entendit le vent qui se déchaînait à l'extérieur de leur petit refuge de pierre. « Je suppose que tu l'as encore fait », dit-il.

« Fait quoi, mon pote ?

— Me sauver la vie. »

Whistler éclata de rire. « Eh bien », dit-il quand il parvint à se retenir de rire. « Disons que c'est une tradition familiale. » Il sourit. « Et comme c'est moi qui ai profité de ta fichue fierté pour t'attirer jusqu'ici, je ne pouvais pas te laisser mourir. Même si tu faisais tout ton possible pour crever. » Son sourire s'évanouit, remplacé par quelque chose qui ressemblait à de la culpabilité. Il hésita un moment puis il dit : « Je suis désolé de t'avoir frappé l'autre soir.

— Moi aussi », enchaîna Fin avec un sourire contrit. « Je n'aurais pas dû faire ça.

— Non, en effet. »

Le sourire de Whistler reparut, se transformant aussitôt en une grimace qui fit scintiller ses yeux. « Non, j'aurais mieux fait de tuer ce bâtard de Jamie Wooldridge. C'est ce que je ferai la prochaine fois. »

Fin ferma les yeux et pour la première fois depuis qu'il avait repris conscience, constata que ses tremblements commençaient à légèrement s'atténuer. Il sentit Whistler glisser les pierres chaudes dans les plis de ses couvertures et la chaleur se diffuser, ramener la vie dans son corps glacé.

Whistler avait raison. Il s'était vraiment comporté comme un crétin.

Il fut réveillé par un bruit évoquant la fin du monde et sentit la terre bouger sous lui, comme si toute la montagne tremblait. Le feu brûlait fort et il pouvait voir la peur et la confusion sur le visage de Whistler installé de l'autre côté du foyer. Fin se redressa et manqua de se fracasser le crâne sur le plafond en pierre de la ruche. « Qu'est-ce que c'est que ce truc ? »

Le grondement couvrait le fracas de l'orage, emplissait l'atmosphère, le sol vibrait autour d'eux. Whistler posa la main à plat sur le plafond comme s'il craignait qu'il ne s'écroule sur eux. « Aucune idée. » Sa voix était à peine un souffle et Fin ne l'entendit presque pas.

« On dirait un tremblement de terre », hurla Fin pour couvrir le vacarme.

« Oui, en effet. Mais c'est impossible. Pas de cette ampleur en tout cas. » Le tremblement s'accentua. À présent, Whistler avait les deux mains plaquées sur le plafond, tel un Samson qui aurait essayé d'empêcher le temple de s'effondrer au lieu de le détruire. « Seigneur ! »

Fin n'eut aucune idée du temps que cela dura. Mais cela lui parut une éternité. Une éternité où la mort semblait pouvoir surgir à tout instant. Même si ni l'un ni l'autre ne l'exprima, ils craignaient tous les deux de mourir, sans vraiment savoir pourquoi. Puis, aussi soudainement qu'il les avait réveillés, le tremblement cessa et le bruit disparut. Le fracas de l'orage reprit ses droits.

Ils restèrent assis en silence pendant plusieurs minutes, n'osant espérer que cela soit terminé, craignant que cela ne recommence, quoi que cela puisse être.

Whistler se mit à genoux et rampa jusqu'à l'entrée. « Je vais jeter un coup d'œil. » Il fit rouler sur le côté la grosse pierre plate qui fermait l'ouverture et Fin sentit l'air froid se précipiter à l'intérieur, soulevant des étincelles du feu et attisant les morceaux de tourbe qui illuminèrent leur refuge de leur étrange lumière incandescente. Whistler s'extirpa dans la nuit et Fin resta blotti dans ses couvertures, plein d'incertitude et d'appréhension.

Whistler revint moins d'une minute plus tard, déjà trempé malgré le peu de temps passé dehors. Ses cheveux étaient en bataille et plaqués sur son visage inhabituellement pâle.

« Alors ? », lui demanda Fin.

Mais Whistler se contenta de se poser de l'autre côté du feu et haussa les épaules. « On n'y voit rien. Il fait nuit noire dehors. Il va falloir attendre l'aube.

— Quelle heure est-il?

— À peine deux heures passées. Il fera jour dans environ quatre heures. »

Fin s'allongea et roula sur le dos, encore tendu, attendant que le bruit et les tremblements reprennent. Mais seul l'orage troublait la nuit, et la pluie et le vent qui s'en prenaient à leur minuscule abri avec la rage d'assaillants frustrés. Le long été de sécheresse était bel et bien terminé.

Lorsqu'il se réveilla, il faisait jour. Ce fut à ce moment-là qu'il trouva Whistler, debout sur la crête, enveloppé par la lumière rose et étrange de l'aube, contemplant l'emplacement du lac disparu où se trouvait l'avion de Roddy, posé au milieu des rochers.

CHAPITRE 18

Jamie enfonça les mains dans les poches de sa veste Barbour et pointa la mâchoire en avant. « Alors ?

— Il ne s'est rien passé », répondit Fin. Il jeta un coup d'œil derrière Jamie et vit l'expression sceptique de Kenny.

« Rien ?

— Pas grand-chose. Whistler m'attendait au loch. Il s'est excusé pour l'autre soir. On a parlé du bon vieux temps et on s'est abrités de l'orage. »

Jamie n'en croyait pas un mot. « L'avion a été trouvé bien loin de Tathabhal. »

Fin se contenta de hausser les épaules. « Et pourquoi le cherchez-vous ?

— Pour le peu que ça vous regarde, Macleod, je suis venu notifier son expulsion à Macaskill. Mais je préfère venir le lui dire en personne plutôt que de lui envoyer les huissiers. »

Fin sentit ses poils se hérisser et il regarda Kenny. « Et vous êtes venu avec du renfort au cas où il vous botterait à nouveau le cul ?

— Je crois que je n'apprécie pas votre ton.

— Et je ne crois pas avoir envie de travailler pour quelqu'un qui veut expulser un homme de son foyer. »

Jamie se raidit. « Ce n'est pas son foyer. Que ce soit la terre ou la maison. Son père a vendu le foncier de la *blackhouse* à mon père pour avoir de l'argent liquide et le boire. J'ai vérifié les livres de comptes. Le loyer n'a pas été payé depuis le siècle dernier. »

Fin soupira entre ses lèvres serrées. « Un loyer symbolique. Je suis prêt à parier qu'on ne parle pas de plus d'une centaine de livres sterling. Même pas une fraction de la valeur des figurines qui se trouvent là. » Il pointa l'intérieur de la maison avec le pouce. « Whistler avait raison. Vous n'arrivez pas à la cheville de votre père. Lui et Whistler avaient un arrangement. Vous n'êtes qu'un petit bâtard revanchard. »

La colère bouillonnait dangereusement dans le regard de Jamie. « Et vous, vous êtes viré ! » Sa voix était serrée et faible, à peine audible dans le vent.

« Trop tard », rétorqua Fin. « J'ai déjà démissionné. »

Jamie resta un moment à fulminer, silencieux, mais quelles que furent les pensées qui lui traversèrent l'esprit, il ne trouva pas les mots pour les exprimer. Il fit demi-tour et partit à grandes enjambées en direction de sa Range Rover.

Kenny qui n'avait pas bougé regardait par terre, l'air embarrassé. Quand il entendit la portière claquer, il leva les yeux vers Fin. « Je n'y suis pour rien, Fin. »

Fin le dévisagea intensément, pendant un long moment, puis hocha la tête. « Je sais. » Il marqua une pause. « Où est-il Kenny ? On dirait qu'il a disparu. »

Kenny haussa les épaules. « Qui sait ? » Il désigna du regard les montagnes derrière la *blackhouse*. « Il peut être n'importe où. » Ses yeux revinrent sur Fin. « Mais je sais où il sera demain matin. »

Fin fronça les sourcils. « Et comment ?

— Il y a une audience au tribunal. Pour la garde de la petite Anna. S'il ne se pointe pas, le dossier se casse la figure. Je m'attends donc à ce qu'il vienne. »

Fin le regarda, l'air consterné. « Dis-moi, Kenny, comment peux-tu avoir pris sa femme, sa fille et être encore son ami ?

— Tu es parti de l'île pendant trop longtemps, Fin. Tu ne peux pas te permettre de laisser les choses s'envenimer dans un endroit pareil. Je ne dirais pas que Whistler est mon ami, mais des choses dans notre histoire nous lient et sont plus fortes qu'un différend à propos d'une femme ou de la garde d'un enfant. »

Fin regarda Kenny descendre la colline et rejoindre Jamie qui l'attendait, fumasse, dans la Range Rover. Comme s'il se mettait en accord avec son humeur, le ciel s'était couvert, la lumière était partie et le paysage était plongé dans une semi-obscurité.

CHAPITRE 19

C'était une matinée grise et morne. Bas dans le ciel, les nuages filaient au-dessus de la ville, lâchant un léger crachin pénétrant qui recouvrait toute chose d'un brillant uniforme et faisait ressembler les rues à de vieilles photographies en noir et blanc. Le tribunal, situé dans Lewis Street, était un bâtiment victorien en grès blond, aux pignons tachés par la pluie et surmonté de hautes cheminées. Deux portes plus loin se trouvait l'Église d'Écosse. L'un dispensait la justice des hommes, l'autre vous promettait d'être jugé dans l'au-delà.

Des badauds tournaient en rond sur le trottoir devant les grilles, agglutinés pour se protéger de la pluie et du vent sous un amas de parapluies noirs et luisants. Coupables et innocents, témoins et parents, tous égaux sous le ciel lugubre et partageant leur addiction au tabac. La plupart portaient des costumes sombres, des chemises blanches et des cravates noires. On avait sorti la tenue du dimanche pour faire bonne impression sur le juge. Il y avait une vieille blague qui circulait en ville depuis de nombreuses années sur le nom que l'on donnait à un gars de Stornoway en costume. La réponse, fort à propos, était : l'accusé.

Fin était arrivé en retard, retenu sur la route de Ness par un camion dont le chargement s'était renversé. Il ne savait donc pas si Whistler s'était présenté à l'audience. Il s'était longuement posé la question de savoir s'il devait mettre George Gunn au courant, mais avait finalement décidé qu'il préférait discuter d'abord avec Whistler.

Il se tenait debout de l'autre côté de la rue, seul, adossé contre les portes fermées donnant sur le dépôt d'un artisan du bâtiment, avec ses hangars en béton et ses toits rouges en tôle. Il portait un jean et des bottes, une casquette de base-ball et une veste imperméable, les mains bien enfoncées dans les poches, ramassé sur lui-même pour lutter contre le froid. Cela faisait une demi-heure qu'il attendait quand il reconnut l'assistante sociale qu'il avait rencontrée chez Whistler. Elle émergea de la porte en arche du palais de justice, ouvrit un parapluie rose et partit d'un bon pas à travers la foule qui attendait. Deux avocats en robe noire sortirent à leur tour pour fumer une cigarette, debout sur les marches. Enfin, Whistler apparut, passa entre eux et remonta à grands pas l'allée qui conduisait jusqu'aux portes. C'était la première fois que Fin le revoyait depuis la découverte de l'avion et sa première réaction fut d'être soulagé.

Mais il fut désarçonné par le changement opéré dans l'apparence de Whistler. Il s'était rasé, ses cheveux étaient propres et brillants, ramenés sur la nuque en une queue-de-cheval impeccable. Il portait sa tenue pour les enterrements – car Fin était certain qu'il ne mettait jamais les pieds à l'église – costume-cravate. Ses chaussures noires étaient reluisantes. Il aurait presque pu passer pour quelqu'un de respectable. Mais il n'avait ni manteau ni parapluie. Il se tourna, surpris, lorsque Fin l'appela par son nom avant de traverser la rue en hâte pour le rejoindre.

« Ça fait des jours que je te cherche, Whistler. »

Whistler n'avait pas l'air ravi de le voir et évita son regard, les yeux perdus dans le lointain comme s'il y avait repéré quelque chose de particulièrement digne d'intérêt. « J'étais occupé. »

Fin sourit. « Je vois ça. Alors, comment cela s'est-il passé ? »

Les yeux de Whistler se posèrent sur lui une seconde avant de se détourner à nouveau. « Le juge a fixé une nouvelle audience dans deux semaines pour avoir le temps de lire les rapports de l'assistante sociale. »

Fin hocha la tête. « Tu as pu parler avec Anna ?

— Non. » Il regarda Fin, l'air sombre et amer.

« Moi, je lui ai parlé », dit Fin.

Whistler eut soudain l'œil mauvais. « Et pourquoi donc ?

— Je t'ai cherché à la ferme et je l'ai trouvée, assise dans la maison. » Fin vit la colère de Whistler se transformer en consternation.

« Qu'est-ce qu'elle faisait là ?

— Elle venait retrouver ses souvenirs, Whistler. D'avec toi et sa mère. Elle espérait pouvoir revivre cette époque.

— Eh bien, ce n'est pas possible. Seonag est morte.

— Mais toi, tu es toujours là.

— La gamine ne s'intéresse pas à moi. Elle pense que... eh bien, elle pense que je suis bizarre. »

Fin ne put se retenir de rire. « Mais, Whistler, tu es bizarre ! » Il marqua une pause pour apprécier l'inclinaison que venait de prendre la tête de son ami et la brève lueur de colère qui traversa son regard. « Mais ça ne veut pas dire qu'elle ne t'aime pas.

— Ne dis pas de conneries, mec !

— Elle m'a dit que tu lui faisais franchement honte. Je la cite. Mais elle m'a aussi dit qu'elle t'aimait. À sa manière à elle. »

Whistler regarda Fin pendant un long moment sans sembler le voir. « Elle ne me l'a jamais dit. Jamais. » Sa voix était à peine un murmure, comme s'il craignait de ne pas parvenir à la contrôler.

« Est-ce que toi tu lui as dit, Whistler ?

— Lui ai dit quoi ?

— Que toi tu l'aimes. »

Whistler ne put continuer à le regarder en face et tourna la tête.

Mais Fin ne le lâchait pas. « Tu l'aimes, n'est-ce pas ?

— Mais, putain, bien sûr que je l'aime. »

Tel père, telle fille, pensa Whistler. Ils se ressemblaient tellement. « Alors peut-être que tu devrais le lui dire.

— Je suis son père. Cela va sans dire.

— Rien ne va sans le dire, Whistler. » Fin fit une pause. « Comme ce que tu t'obstines à garder pour toi depuis que nous avons retrouvé Roddy dans cet avion. »

Whistler devint méfiant. « De quoi parles-tu ?

— Tu ne voulais pas que j'ouvre le cockpit, n'est-ce pas ? Je pense que tu savais ce que j'allais y trouver. Tout au moins, tu t'en doutais. » Fin essaya de décrypter sa réaction, mais son regard était trop obscur. « Tu as tout de même été pris de court par ce qu'il y avait à l'intérieur, non ?

— Putain, occupe-toi de tes affaires. » La voix de Whistler n'était qu'un léger grognement, mais la menace était évidente.

« C'est pour cela que tu m'évites, Whistler ? Au cas où je te poserais la question ? »

Sa grosse main sembla sortir de nulle part. Pas son poing, mais la paume, comme le plat d'une pelle, qui frappa Fin en pleine poitrine. Fin fut pris par surprise et partit en arrière, son pied manqua la bordure du trottoir et il tomba, les bras écartés, sur le bitume. Sa casquette vola dans la rue. « Ne t'approche pas de moi, Fin. Ne t'approche pas. Compris ? » Il fit demi-tour et partit à travers la foule.

Le brouhaha qui régnait devant les portes du palais de justice se mua en silence et tous les regards se tournèrent vers Fin, allongé sur la route. Les avocats, qui continuaient à fumer devant le tribunal, lui jetèrent un regard intrigué.

Fin avait à peine eu le temps de reprendre son souffle qu'une main immense lui agrippa le bras et le souleva presque pour le remettre sur pied. Big Kenny lui tendit sa casquette et le dévisagea. « Que se passe-t-il, Fin ? »

Fin vit à son regard que Kenny était inquiet. « Je ne sais pas, Kenny. Et Dieu sait que j'aimerais. »

Il repéra Anna Bheag qui se tenait devant la porte avec un groupe d'amies de son école. On lisait la consternation et l'hostilité sur son visage. Les bijoux métalliques dont elle était parée luisaient sous la pluie. Il comprit que quel que fut le rapport qu'il avait pu établir avec elle le jour où ils s'étaient rencontrés chez Whistler, il n'existait plus. Pendant un moment, il eut l'impression qu'elle allait dire quelque chose puis elle se tourna vers ses amis. « Allons-y », dit-elle et le groupe d'adolescentes partit d'un pas vif en direction de Francis Street. Fin se douta qu'elles ne retournaient pas à l'école.

Tout le long du trajet qui le ramenait vers la côte ouest, Fin broya du noir et tenta de s'expliquer la réaction de Whistler.

Octobre n'était pas loin et l'hiver commençait à donner les premiers signes de sa présence. L'été indien avait avalé l'automne et, apparemment, ils allaient passer directement de l'été à l'hiver. La température avait chuté et le vent tournait au nord-ouest. Il était tranchant comme un rasoir et la pluie apportait avec elle la promesse de la grêle et de la morsure du froid.

Sous la pluie, Fin voyait défiler les villages, les uns après les autres. Humides et sombres, ils s'étalaient tout le long de la route comme autant de petites boîtes suspendues à un fil, nus, sans arbres, livrés aux éléments. Seuls quelques arbustes suffisamment vigoureux poussaient dans le sol tourbeux où des âmes optimistes avaient vainement tenté d'arracher à la lande inflexible des jardins et des pelouses. Barabhas, Siadar, Dail, Cros. Tous signalés par leur salle de prière ou leur église, avec de temps à autre une épicerie de village ou une station-service.

Des écoles élémentaires minuscules. Et des poteries ouvertes par des gens venus de l'extérieur pour profiter du tourisme, comme si l'île elle-même et les gens qui y vivaient étaient accessoires.

En arrivant à Ness, il vit les vagues qui écumaient le long de la côte nord-ouest et les pierres tombales dressées sur le machair au-dessus des falaises où, depuis des siècles, les habitants de Crobost enterraient leurs morts. La perspective d'un autre hiver sur l'île lui serra le cœur comme une main aux doigts glacés. Il allait devoir interrompre la remise en état de la ferme de ses parents et, sans travail, il allait tourner en rond. Après toutes les mauvaises directions qu'il avait prises à chaque croisement de sa vie, il semblait qu'il avait finalement réussi à se perdre.

Il pensa à Donald, quand il lui avait dit qu'il était toujours resté seul avec son deuil et sa haine. Le deuil de son fils, la haine de l'homme qui lui avait ôté la vie et échappé aux conséquences de son acte. Mais Donald avait oublié le désespoir. Le désespoir d'une vie gâchée et d'un amour gaspillé. Mona, la femme qui avait mis son fils au monde, mais qu'il n'avait jamais aimée. Marsaili dont il avait méprisé l'amour. Certes, il partageait à nouveau son lit, mais quelque chose de précieux avait été perdu pendant toutes ces années et, d'une certaine manière, ils n'étaient pas parvenus à le retrouver. Comme toutes ces âmes perdues arrivées à la quarantaine, à la recherche de leur passé sur les réseaux sociaux, pour finir par s'apercevoir que la réalité ne serait jamais à la hauteur de ces souvenirs idéalisés.

Il en venait presque à envier la foi de Donald. Cette sensation que tu as de n'être jamais seul, lui avait-il dit, et Fin se demanda comment cela devait être.

Alors qu'il passait devant l'Église libre de Crobost, il vit une voiture qu'il ne reconnut pas garée à côté de celle de Marsaili, sur l'aire de gravier au-dessus du pavillon. Quand il s'arrêta à côté, il vit qu'il s'agissait d'une plaque locale, mais elle lui était inconnue. Sur l'île, on reconnaissait ses amis sur la route grâce au numéro d'immatriculation de leur voiture. Les pare-brise étaient généralement trop humides ou, plus rarement, renvoyaient trop de soleil, pour que l'on distingue le visage du conducteur. En sortant de sa Jeep, il regarda par la vitre côté conducteur et vit un contrat de location posé sur le siège passager.

La curiosité le poussa à remonter le chemin et à gravir les marches menant à la porte de la cuisine. En poussant la porte, il entendit des voix de femmes qui riaient puis, quand il quitta le froid et le vent pour la chaleur, le silence se fit. Marsaili se tenait debout, appuyée contre le plan de travail situé de l'autre côté de la pièce, un mug de thé entre les mains. Une femme aux cheveux noirs coupés court, vêtue d'un long manteau noir, était assise à la table de la cuisine, son mug posé sur le sous-bock devant elle. Elle se tourna vers Fin, guettant sa réaction, avec une pointe d'amusement mêlé de tristesse dans le regard.

C'était Mairead.

CHAPITRE 20

Je pense que mon obsession pour Mairead a commencé le premier jour où j'ai posé les yeux sur elle dans la salle de répétition à l'institut Nicolson.

J'avais rompu avec Marsaili quelque temps avant et j'arrivais à Stornoway, à quinze ans, sans attaches sentimentales et noyé de testostérone. Mairead venait de Uig telle une étoile éclatante tandis que le petit gars de Crobost à Ness, le teint frais, inexpérimenté, entamait sa première année à Nicolson. Un vrai bleu. Elle était une déesse dont la voix me donnait des frissons jusque dans le bas du dos.

Bien sûr, il y avait d'autres jolies filles à l'école, mais Mairead était un cran au-dessus. Elle avait un maintien magnifique, de l'assurance, de la confiance en elle, et elle diffusait une sexualité larvée qui semblait exclusivement destinée à enflammer les ardeurs d'un adolescent.

Je me souviens qu'elle avait des mains magnifiques, délicates, avec de longs doigts et des ongles parfaitement manucurés. Ses traits étaient fins mais affirmés. Elle était grande et se déplaçait avec un balancement de hanches, la poitrine toujours suggestivement soulignée par le fait que ses seins tiraient sur sa blouse d'écolière. Ses cheveux étaient châtain foncé avec un mouvement naturel. À cette époque, elle les portait longs, jusqu'aux épaules, ou ramenés en une queue-de-cheval qu'elle enroulait en un chignon tenu par une pince.

Mais ce furent ses yeux qui m'ensorcelèrent. Ils étaient d'un bleu très sombre, avec un cercle légèrement plus foncé autour de l'iris et on y lisait toujours quelque chose qui ressemblait à de l'amusement, moqueur et un peu condescendant. Je me souviens de la première fois où elle m'a regardé. Mon estomac s'est retourné et mes genoux se sont mis à trembler.

Évidemment, je n'étais pas le seul garçon à être éperdument amoureux d'elle. En fait, je me demande s'il y avait un seul garçon qui ne l'était pas. À l'exception, peut-être, d'un garçon de Carloway, plutôt délicat, appelé Anndra, qui s'avéra être homo.

Mairead était parfaitement consciente de l'effet qu'elle produisait et elle n'aurait pas été un être humain normalement constitué, je le crois, si cela ne lui était pas monté à la tête. Elle nous aguichait, nous tourmentait et jouait avec nous comme si nous étions des enfants. En vérité, mentalement, elle avait probablement plusieurs années d'avance sur nous dans la mesure où il y a toujours un fossé entre les adolescents et les adolescentes du même âge. Elle me faisait penser à une chanson des Beatles que ma tante avait l'habitude de passer, intitulée *Girl*. Il y était question d'une fille qui pouvait vous anéantir parce que cela l'amusait, qui considérait votre adoration comme étant acquise, et vous faisait souffrir par plaisir. Des observations touchantes sous la plume du jeune John Lennon, à l'évidence une expérience vécue. Une autre Mairead, sans aucun doute.

Chanter et jouer avec Sòlas plaçait Mairead à part, sur une sorte de piédestal. Elle était, déjà à cette époque, affligée du syndrome de la star. Mais rien de tout cela n'entamait mon ardeur. Le fait qu'elle soit impossible à atteindre ne la rendait que plus désirable.

Ce n'est que l'année suivante que j'eus mon premier vrai contact avec elle.

C'était le début de l'été, avant les vacances, et notre groupe de motards avait déjà décidé de ne plus se rendre à Holm Point après la découverte de l'histoire de l'*Iolaire*. Nous étions tous à Garry Beach avec nos motos. Cela faisait dix-huit mois que je transportais le matériel de Sòlas et j'avais admis depuis longtemps qu'une relation avec Mairead n'était pas inscrite dans mon avenir. Cela ne m'empêchait pas de l'admirer de loin et je rougissais toujours comme un idiot quand elle s'adressait à moi. En ce qui concernait le sexe opposé, j'avais décidé de me concentrer sur ce qui était accessible. Même si je ne rencontrais pas un franc succès, il faut bien le dire.

La relation intermittente entre Mairead et Roddy était dans une de ses fréquentes périodes de froid et, ce jour-là, elle avait fait le trajet jusqu'à Tolastadh sur la moto de Whistler, à mon avis pour rendre à la fois Roddy et Strings jaloux.

Ce qui avait commencé avec la promesse d'un après-midi à se prélasser au soleil tourna court rapidement. Des nuages sombres se déroulaient au-dessus de la lande depuis l'ouest, apportant avec eux un vent froid et un parfum de pluie à venir. Nous étions une dizaine à batifoler, fumer, tremper les pieds dans les eaux glacées du Minch, à courir sur la plage en hurlant tandis que la mer venait lécher nos mollets.

Nous restâmes le plus longtemps possible, nous ne voulions pas que cela se termine. Mais, lorsque les premières gouttes de pluie commencèrent à tomber, nous prîmes à regret la décision de rentrer à Stornoway.

Malgré tous ses efforts, Whistler ne parvenait pas à faire démarrer sa Mobylette. Certains étaient déjà partis et ceux d'entre nous qui étaient encore là n'avaient pas l'intention de traîner sous la pluie.

Je lançai à Whistler, avec un sourire moqueur : « Bon retour. » Je ne doutais pas qu'il finirait par la faire démarrer, mais c'était amusant de le taquiner.

Il me rétorqua avec son humour habituel. « Va te faire foutre, Macleod. »

Je démarrai mon moteur et m'apprêtai à partir lorsqu'une voix m'appela : « Fin, attends ! »

Je regardai autour de moi et vis Mairead qui traversait la plage en courant. Elle tenait un magazine ouvert au-dessus de sa tête, mais il n'allait pas lui servir à grand-chose. Son visage était cramoisi et ses yeux brillaient.

« J'ai besoin d'un chauffeur. »

Mon cœur battait la chamade. « Tu ne rentres pas avec Whistler ? »

Elle fit la grimace. « J'aimerais rentrer chez moi avant la fin de la semaine. »

Je ris, un peu nerveux, et balayai les alentours du regard. Elle aurait pu demander cela à d'autres, mais elle m'avait choisi. J'avais la bouche sèche. « Ça marche », répondis-je. J'allais l'inviter à grimper, mais elle avait déjà lancé une jambe par-dessus la roue arrière pour s'installer à cheval sur le porte-bagages et passer ses bras autour de ma taille.

« Allons-y », me cria-t-elle au-dessus du raffut de ma petite 50 cc. « Je suis déjà trempée. »

J'accélérai, enclenchai l'embrayage et partis à travers le parking parsemé de gravier en direction de la route en faisant patiner et déraper ma roue arrière pour essayer de l'épater. Je sentis ses bras resserrer leur emprise. Un frisson me traversa le corps pour finir par se transformer en un désir profond et douloureux au creux des reins. Je jetai un coup d'œil en arrière et vis Whistler, debout à côté de sa moto, qui nous regardait d'un œil mauvais. La pluie se mit alors à tomber pour de bon.

Habituellement, il fallait environ vingt-cinq minutes pour revenir à Stornoway. Ce jour-là, je mis largement plus d'une demi-heure. Vous pourriez penser que je roulais plus lentement à cause de la pluie. Mais la vérité était que j'aurais voulu que ce moment ne cesse jamais.

Même si nous fûmes tous les deux trempés jusqu'aux os en quelques minutes. La sensation des bras de Mairead autour de moi était enivrante, ses paumes ouvertes posées sur ma poitrine, la douceur de son corps contre le mien, la fermeté de sa poitrine dans mon dos. Je sentais la chaleur qui passait entre nos corps et je pense que j'étais plus excité que je ne l'avais jamais été de toute ma vie.

À un moment, je la sentis poser sa tête contre mon épaule. Je mourais d'envie de me tourner et de regarder son visage, de capter son regard, et d'embrasser tendrement ses lèvres. Mais je n'osai pas quitter la route des yeux.

Mon esprit était envahi d'émotions contradictoires. Du désir, de la peur, et un millier de possibilités. Qu'allais-je lui dire une fois que nous serions en ville ? Comment faire durer ce moment ? Y avait-il la plus infime chance qu'elle m'ait demandé de la ramener parce qu'elle avait toujours été secrètement attirée par moi ? Je passai en revue une dizaine de répliques dans ma tête. « Qu'est-ce que tu fais ce soir ? », « Un café, ça te branche ? » Toutes aussi banales les unes que les autres, sans esprit ni inspiration.

Quand nous arrivâmes enfin au sommet de Matheson Road avant de tourner dans Springfield Road, je me garai sur le trottoir devant l'entrée de l'école. La plupart des autres étaient arrivés avant nous. Tous trempés. Mais la pluie avait cessé et ils discutaient et riaient en petits groupes. Mairead descendit du porte-bagages et me sourit. Ses cheveux étaient trempés, collés sur son visage. Elle les écarta de ses doigts élégants et je pensais que jamais je ne l'avais vue si belle.

Mes yeux furent immédiatement attirés par l'éclat blanc de son chemisier sous son blazer. Trempé et rendu transparent par la pluie, je fus sidéré d'apercevoir le contour de ses seins et les cercles plus sombres de ses aréoles à travers le plus léger des soutiens-gorge. Elle baissa les yeux pour voir sur quoi mes yeux s'attardaient et se contenta de sourire en reboutonnant son blazer. Lentement, sans hâte ni gêne, ses yeux braqués dans les miens, tout à fait consciente de l'effet qu'elle produisait sur moi. J'ai dû rougir comme une fillette. Toutes les répliques que j'avais répétées dans ma tête furent noyées dans une mer d'hormones. Je restai sans voix.

« Merci, Fin. À plus tard », dit-elle. Et elle se hâta de rejoindre ses amis. C'est un de ces instants de ma vie que j'ai rejoués dans mon esprit à de nombreuses reprises. Et, à chaque fois, je lui rends son sourire, sans rougir, et je dis quelque chose d'intelligent qui la séduit. C'est fou comme on peut être brillant après coup, suave et sophistiqué dans notre imagination. Donald aurait su quoi faire ou quoi dire et, sans aucun doute, aurait fini par la mettre dans son lit. Peut-être pas le soir même, mais une autre fois. Et après tout, qui sait ? Connaissant Donald, il y était peut-être déjà parvenu.

Ma rencontre du « deuxième type » survint peu de temps après. J'étais à Uig le week-end suivant. Le groupe ne jouait pas, Whistler et moi avions décidé de planter la tente dans les montagnes pour une petite pêche illégale à la truite saumonée. Nous nous étions installés sur la rive de l'un des milliers de lacs à l'ouest de Brinneabhal. Au pied des montagnes, le terrain s'élargissait et offrait une vue dégagée sur la lande et le machair en direction des falaises, l'Atlantique écumait sur le littoral aux contours brisés.

Les nuages étaient bas et masquaient les sommets des montagnes, la pluie dérivait au-dessus du lac comme de la brume. Équipés de vêtements imperméables et de bottes en caoutchouc, nous nous sommes assis le long de la rive, au milieu des rochers, nos cannes dressées, les lignes tendues au travers de l'eau sombre et ondoyante. Aucun de nous n'était particulièrement pressé d'attraper un poisson. Nous savions que cela finirait par arriver. Le lac en était plein. Tant que nous aurions deux truites à cuire sur le feu au moment où nous aurions faim, cela suffirait à notre bonheur. Je repense toujours à ces jours de ma vie avec une immense nostalgie. Des moments perdus depuis longtemps que j'aimerais être capable de faire revivre. Hélas, c'est impossible.

Nous n'avions pas prononcé un mot depuis un moment. Mais c'était un silence agréable. Les meilleures amitiés sont celles où il n'est pas nécessaire de parler pour combler les silences.

Soudain, Whistler dit : « Comme cela se fait-il que tu te transformes en idiot balbutiant quand Mairead ne fait ne serait-ce que poser les yeux sur toi ? »

Je fus si surpris que je pivotai rapidement la tête dans sa direction mais sans trouver quoi que ce soit à lui répondre. Je finis par marmonner : « C'est ce que je fais ? »

Whistler me lança un de ses regards entendus. « Oui, exactement. »

Cela me laissa le temps de recouvrer mes esprits et de nier catégoriquement. « Non, c'est faux ! »

Il se mit à rire. « Elle te plaît, hein ? »

Je pouvais difficilement le nier. « À qui ne plaît-elle pas ? »

Son regard se perdit au-dessus de l'eau. « Elle n'est pas celle que tu crois, tu sais.

— Ah bon ? »

Il eut un petit haussement d'épaules. « Tout le monde pense qu'elle est supercool, très en confiance, voire arrogante. Égocentrique et imbue d'elle-même. »

Je restai silencieux. J'aurais difficilement pu la décrire avec autant de justesse.

Whistler secoua la tête. « La vérité, c'est que derrière tout ça, elle est très peu sûre d'elle.

— Qu'est-ce que tu en sais ? »

Il continuait à fixer le point où sa ligne pénétrait dans l'eau et où son reflet dessinait un angle oblique avec la surface. « Mairead et moi avons été ensemble pendant presque toute l'école primaire. Je l'ai même emmenée au bal traditionnel quand nous étions au CM2. »

C'était la première fois que j'entendais parler de leur relation et je le regardais avec admiration et une pointe de jalousie. « Eh bien ! Que s'est-il passé ? Je veux dire, pourquoi vous n'êtes plus ensemble ? »

Il pointa sa mâchoire vers l'avant et pencha la tête sur le côté. « Toutes les bonnes choses ont une fin. »

Bien sûr, je sais à présent que leur liaison s'était terminée quand Roddy s'était mis entre eux. Mais, à cette époque, Whistler n'était pas disposé à l'avouer.

« Enfin, bref, je la connais. J'ai grandi avec elle. Elle n'est pas vraiment comme on croit. Elle est perdue, incertaine et… eh bien, elle essaye d'être quelqu'un qu'elle n'est pas. » Il jeta un coup d'œil vers moi. « C'est pour cela qu'elle et Roddy sont ensemble sur le mode un coup oui, un coup non. Elle aimerait être la copine de Roddy. L'image qu'elle s'en fait. Mais ce n'est pas vraiment elle. » Puis, il sourit. « Je crois qu'elle en pince quand même un petit peu pour toi. »

Je me sentis rougir jusqu'à la racine des cheveux. « Ce sont des conneries !

— Tu crois ? Elle aurait pu choisir n'importe qui pour rentrer à Stornoway l'autre jour. Mais c'est toi qu'elle a choisi, Fin. Et j'ai bien vu la manière dont elle te regarde.

— Allez, fous-moi la paix ! » Je cessai d'être gêné. Il devait se moquer de moi.

Il haussa les épaules. « Comme tu veux. » Et il se remit à contempler le lac. « Je me suis dit qu'il fallait que tu sois au courant, pour ne pas laisser passer l'occasion vendredi prochain. »

Je fronçai les sourcils. « Que se passe-t-il vendredi prochain ?

— Le gros Donald Ruadh et Ceit "Cat" Mackinnon se marient à Mangurstadh. Tu n'as pas été invité ?

— Oh, si. » Cela m'était complètement sorti de l'esprit. Donald Ruadh était de Ness, un cousin au deuxième degré ou quelque chose de ce genre. Je n'ai jamais trop su. Il n'était pas exceptionnel d'être parent avec des gens sans les connaître. Il avait dix ans de plus que nous, bien sûr, et c'était un peu une grande gueule. La dernière chose à laquelle tout le monde s'attendait était qu'il se marie. Encore moins avec une fille de Uig qu'il n'avait même pas mise enceinte. Le mariage devait se dérouler à l'église de Baile na Cille et la fête dans la maison de Ceit à Mangurstadh. Un de ces mariages qui durent toute la nuit et se terminent avec le petit-déjeuner le matin suivant. Ce qui expliquait pourquoi il avait lieu le vendredi et non pas le samedi, sans quoi la fête aurait dû cesser à minuit à cause du début du sabbat.

« Eh bien, Roddy, Mairead et moi sommes invités, nous aussi. Et à n'en pas douter, Roddy viendra avec Cairistiona. » Cairistiona était le nouveau flirt de Roddy. Un flirt qui cesserait aussitôt que Mairead le sifflerait pour qu'il revienne. Mais pour le moment, Mairead était libre et Whistler ajouta : « Ce qui signifie que Mairead sera disponible pour le premier d'entre nous qui lui demandera de danser. » Ses yeux brillaient, il avait un sourire malicieux. « Tu te sens prêt à relever le défi, mon pote ?

— Le défi ?

— Oui. Le vainqueur remporte la mise. Ou peut-être n'as-tu pas les couilles de lui demander. »

C'était assez simple, assis là, de m'y croire et de m'imaginer aller au-devant de Mairead pour lui demander une danse. Et, encore mieux, imaginer qu'elle accepte, de la tenir près de moi et de sentir la chaleur de son corps contre le mien et la douceur de sa poitrine appuyée contre la mienne tandis que je la serrerais entre mes bras. Facile d'en rêver quand vous êtes à des millions de kilomètres de la réalité. Mais le souvenir que j'avais d'elle, assise à l'arrière de ma Mobylette, ses bras autour de moi, était encore vif et pendant un moment je crus que tout était possible.

Je rendis son sourire à Whistler. Il l'avait eue et l'avait perdue. Peut-être était-ce mon tour.

La petite église de Baile na Cille était bâtie sur la colline qui dominait le machair et offrait une vue panoramique sur la plage de Uig. Elle était pleine à craquer pour la cérémonie. Plus de places assises. L'après-midi du vendredi touchait à sa fin et lorsque tout le monde fut de retour à la maison de Mangurstadh, il était près de sept heures du soir. Il faisait encore jour, nous n'étions qu'au milieu de l'été, et le soleil ne plongerait pas dans l'océan, derrière l'horizon, avant plusieurs heures. Et même alors, il ne ferait pas complètement nuit.

Les parents de Ceit Mackinnon vivaient dans une *whitehouse* au bout d'un chemin de terre qui allait jusqu'à la plage de Mangurstadh. Deux extensions avaient été ajoutées, à l'avant et à l'arrière, et il y avait aussi une vaste grange en pierre avec un toit en tôle ondulée couleur rouille où devait se tenir le bal. Des voitures étaient garées tout le long du chemin jusqu'à la route, et dans un ancien enclos à moutons abandonné.

De là, on n'apercevait que la plage et, au-delà, un cap en courbe à l'extrémité sud de la baie, de grandes parois rocheuses qui surgissaient de l'océan où elles résistaient depuis une éternité aux assauts de l'Atlantique. C'était un paysage vert et ondulant de machair, ponctué de temps à autre de fermes et de clôtures sinueuses de pierres sèches tombées depuis longtemps en ruine. Au sud et à l'est, les montagnes rejoignaient les nuages. À l'ouest, la mer scintillait sous le soleil. Le temps avait été clément avec le jeune couple.

À l'église, je n'avais qu'entraperçu Mairead au milieu de l'assemblée. J'avais fait la route dans un minibus blanc avec un groupe d'invités de Ness et j'étais donc tributaire d'eux pour le trajet du retour. Quand nous arrivâmes, Mairead se tenait avec toutes les autres femmes de Uig occupées à préparer le repas dans la cuisine.

On avait installé deux longues tables dans la maison. Une dans le salon. L'autre dans la salle à manger. Mais ce n'était pas suffisant pour faire asseoir tous les invités. Nous savions que nous serions appelés par groupes pour manger. Nous restâmes donc dehors à attendre, à fumer, rire et boire de la bière en fût que l'on avait apportée de Stornoway. L'attente fut longue.

Un certain nombre d'invités étaient venus avec des poulets et des lapins pour le repas. Comme il ne faut jamais apporter un animal mort à un mariage, il fallut donc les tuer, les plumer ou les dépecer puis les vider et les cuire. Mais le temps ne pressait pas puisque personne ne partait avant le lendemain matin.

Je croisai Whistler une ou deux fois, mais il s'occupait des gens de Uig. Chacun traînait avec les habitants de son village, comme des factions lors d'une réunion tribale. Le mélange ne se ferait que quand la musique démarrerait et que l'on se mettrait à danser. Ensuite, la bière et le whisky en flasque, que les hommes avaient apporté en douce dans la poche arrière de leur pantalon, feraient leur effet en endormant les inhibitions et tout le monde prendrait du bon temps.

Il était tard quand on appela les Niseachs pour manger et la lumière déclinait. J'avais déjà bu quelques bières, les joues bien rouges et le pas légèrement chancelant. Beaucoup d'hommes portaient le kilt. Je n'en avais pas et avais donc revêtu mon beau costume, lustré aux fesses et aux coudes. Ma cravate bleu foncé de rigueur était desserrée sur le col ouvert de ma chemise blanche. J'étais à ce point nerveux que je pus à peine manger. Je savais que tôt ou tard il me faudrait affronter Mairead et lui poser la grande question.

Les filles n'ont aucune idée de la difficulté qu'éprouve un adolescent à trouver le courage de leur demander un rendez-vous ou une danse. Ils doivent systématiquement prendre l'initiative, avec le risque toujours possible d'un refus et d'une humiliation. Je repoussais l'instant fatidique.

Après le dîner, je partis à la recherche des garçons de Ness qui se trouvaient dehors, à l'arrière de la maison et nous restâmes à parler, fumer et contempler la mer qui passait du cuivre martelé au rouge sang avant de finir dans une brume bleu foncé, la tache que dessinait St Kilda sur l'horizon s'estompant peu à peu dans le crépuscule. J'entendis de la musique s'élever de la grange. Un accordéoniste et un joueur de violon. J'avais essayé de garder un œil sur Whistler, mais je ne l'avais aperçu que par intermittence. Il me semblait qu'il s'était passé une éternité depuis qu'il m'avait adressé un clin d'œil, les pouces dressés, au-dessus des têtes des autres invités avant de disparaître dans la grange.

Je le vis ressortir, la tête baissée, les mains enfoncées dans les poches. Il me passa devant et s'éloigna vers le chemin de terre qui descendait en direction de la plage. J'écrasai ma cigarette et me hâtai de le rejoindre. « Il y a un problème ? »

Il ne tourna même pas la tête. « Va te faire foutre », me lança-t-il dans un grognement quasi inaudible.

J'essayai de lui agripper le bras mais il se dégagea. « Whistler, qu'est-ce qui s'est passé ?

— Elle ne veut pas danser avec moi. » Il se tourna vers moi, les yeux perdus sous ses sourcils froncés. « J'ai été avec elle pendant presque six ans à l'école primaire et elle me snobe. Elle m'a dit qu'elle attendait quelqu'un d'autre. » Il détourna le regard. « Je suppose qu'elle parlait de toi.

— Impossible !

— Eh bien, qui alors ? Roddy et Cairistiona se pelotent dans un coin. Strings est avec une fille de troisième. Et Mairead ne daignerait même pas poser le regard sur Skins ou Rambo, je peux te le garantir. » Il m'adressa un sourire méprisant. « Ça ne peut être que toi. Pourquoi t'aurait-elle demandé de la reconduire à Stornoway ? »

Je peinais à le croire. Était-il possible que Mairead Morrison soit dans la grange, attendant que j'aille l'inviter à danser ?

« Vas-y, espèce de crétin. Tu ferais mieux de te décider avant qu'elle se lasse et dise oui à quelqu'un d'autre. »

La grange m'avait semblé immense quand j'y étais passé plus tôt alors qu'elle était encore vide. À présent elle était bondée et paraissait minuscule. Les gens se tenaient sur deux ou trois rangs le long des murs et l'on dansait avec enthousiasme le *Drops of Brandy* sur un sol boueux jonché de foin. Les couples passaient d'un bout à l'autre des rangées d'hommes et de femmes qui, face à face, attendaient leur tour pour aller tournoyer bras dessus bras dessous avec leurs partenaires au milieu des autres danseurs.

Des lampes-tempête pendaient aux chevrons, et la fumée s'élevait sous la charpente où elle se mêlait aux rires et à la musique. Je repérai Mairead, seule, debout à l'autre bout de la grange, scrutant avec anxiété au-dessus des têtes des danseurs comme si elle cherchait quelqu'un. Je pris une profonde inspiration et traversai la foule. Elle me vit arriver au dernier moment et m'adressa un de ses sourires. « Salut Fin. Tu t'amuses bien ?

— Tout à fait », répondis-je, soudain mal à l'aise, obligé de crier pour couvrir le bruit. C'était maintenant ou jamais. « Tu danses ? »

Elle sourit de nouveau. « J'aimerais bien. » Pendant un bref instant j'eus l'impression que le temps s'arrêtait. « Mais je suis venu avec quelqu'un et je ne pense pas qu'il serait très content si je le faisais. »

J'eus l'impression qu'elle venait de me planter une épingle dans le corps et que j'éclatais, comme la baudruche que j'étais. Je ne pus m'empêcher de lui demander. « Qui ?

— Whistler, bien sûr. » Et, par-dessus mon épaule, elle sourit à Whistler qui venait de surgir de la foule pour lui prendre la main et la conduire sur la piste. Je les regardai, bouche bée, incrédule, et Whistler se tourna à demi pour jeter un coup d'œil dans ma direction, le visage fendu par un large sourire. Il me fit un clin d'œil et passa ses bras autour de la taille de Mairead.

Je pense que le pire était de rester coincé là, avec mon humiliation. Je ne désirais plus qu'une seule chose : rentrer chez moi. Mais je ne pouvais pas. Je devais endurer une longue nuit de compagnie virile, de cigarettes et de bière, et supporter la vue, trop fréquente, de Whistler et Mairead qui entraient et sortaient de la grange.

Quand, finalement, nous eûmes apaisé nos gueules de bois avec un petit-déjeuner le matin suivant et que je fus installé dans le minibus pour le long trajet du retour, mon humiliation s'était transformée en colère. Je compris que la jalousie de Whistler avait été attisée le jour où Mairead était revenue en ville avec moi et que toute cette comédie lors du mariage n'avait été qu'un moyen de me décourager. Il me fallut un moment pour digérer la chose. Je ne crois pas lui avoir adressé la parole avant la fin des vacances.

À présent, toutefois, il est clair pour moi qu'il avait désespérément essayé de la reconquérir. Il avait toujours été amoureux d'elle et il le serait toujours. Pendant toute sa relation chaotique avec Roddy, il avait nourri l'espoir qu'un jour elle lui reviendrait. Un espoir qui, devait-il finir par admettre, était vain. Mairead avait entamé un voyage qu'il ne pouvait faire, une route qu'il ne pourrait jamais suivre.

C'est pour cette raison qu'il prit la décision de rester sur l'île alors que nous partions tous pour Glasgow.

Il l'avait perdue et n'avait pas l'intention d'endosser le rôle de l'amoureux transi et éconduit pendant toutes nos années de fac. Aujourd'hui, quand j'y repense, avec le recul, je n'éprouve plus de colère. Simplement de la tristesse.

Ce dont je n'aurais jamais pu rêver à cette époque était que mon fantasme d'une relation avec Mairead se concrétiserait trois ans plus tard pendant ma pitoyable deuxième année à l'université de Glasgow.

Cela faisait près d'un an et demi que je faisais le *roadie* pour le groupe, accordant de moins en moins d'attention à mes études, toujours plus mécontent de la vie que je menais et de moi-même. J'étais parti en vrille suite à ma séparation définitive d'avec Marsaili. Tenir le volant pour Amran était une activité routinière qui me permettait de gagner l'argent dont je manquais cruellement et m'offrait une succession de groupies prêtes à coucher avec le chauffeur faute de mieux. Un enchaînement de coucheries sordides et frustrantes loin d'améliorer mon amour-propre.

Je n'ai jamais cherché à m'évader dans la boisson ou les drogues, mais j'ai quand même largement bu ma part et fumé plus que mon content de joints. Mon problème était plutôt la lassitude. Je n'arrivais pas à me préoccuper des choses. Rien ne m'intéressait.

Nous approchions de la fin de l'hiver, vers février ou mars. Nous venions de donner un concert quelque part au sud-est de la ville et on nous avait invités à une fête dans une de ces énormes maisons de grès rouge à Pollokshields. Elle se dressait fièrement au sommet d'un immense jardin, entourée de marronniers, noirs et sinistres dans leur nudité hivernale. La propriété occupait un terrain triangulaire qui devait couvrir un hectare.

Une gigantesque véranda, avec des toits aux courbes élaborées, avait été érigée à l'arrière de la maison et abritait une piscine intérieure. La maison elle-même était meublée avec goût. Des tapis en laine épais, des lithographies signées aux murs, du mobilier ancien. Des bibelots hors de prix en cristal et en porcelaine étaient rangés sur des étagères et exposés dans des vitrines. Ce n'était pas le terrain de jeu idéal pour cinquante à soixante jeunes gens défoncés et saouls bien décidés à s'amuser.

Apparemment, Mairead et Roddy avaient définitivement rompu. Roddy était venu avec sa nouvelle petite amie, une fille blonde magnifique du nom de Caitlin. Nous étions dans la maison de ses parents, partis en vacances. Le gardien autoproclamé de la maison était le frère de Caitlin, Jimbo, un jeune homme désagréable avec une coupe à la mode et un anneau à l'oreille. Il semblait avoir plusieurs filles sous la main et se pavanait, dans ses chaussures Gucci et son costume Armani, comme si la maison lui appartenait.

L'alcool coula à flots et, vers une ou deux heures du matin, tout le monde se retrouva nu dans la piscine, renversant du champagne et hurlant pour couvrir le volume assourdissant de la sono.

J'étais fatigué, écœuré et rien de tout cela ne m'intéressait. J'étais installé dans le grand salon, avachi sur le canapé, une canette à la main, et je regardais une vidéo sur le plus grand écran de télévision que j'aie jamais vu. Je ne sais pas vraiment si je regardais en fait. Je n'ai aucun souvenir de ce qui se passait sur l'écran. Un film peut-être, ou des clips. Du chewing-gum pour les yeux. Et le cerveau.

Je ne me rendis pas tout de suite compte que quelqu'un s'était assis à côté de moi. Je sentis la chaleur d'une cuisse qui se pressait contre la mienne et un parfum si familier qu'il en était presque réconfortant. Je tournai la tête et vis Mairead qui me souriait, un sourire qui, en son temps, aurait accéléré le rythme de mon pouls. Mais, dorénavant, j'y étais habitué et je ne lui accordais plus la même importance.

« Qu'est-ce que tu fais ici tout seul ? » me demanda-t-elle.

Je haussai les épaules. « Je me dis que j'aimerais être ailleurs. » Malgré tout, cela me faisait plaisir de parler en gaélique.

« Pareil. »

Je levai un sourcil. « Tu n'es pas obligée de rester. Tu peux prendre un taxi et rentrer chez toi quand tu veux. Moi j'ai des gens qui comptent sur moi pour les ramener. »

Même si je n'en pinçais plus pour elle, je pense que j'étais toujours subjugué par sa beauté. Sa chevelure noire était coupée court, sa coupe n'avait plus changé depuis l'accident sur la Route Vers Nulle Part, et elle était devenue une femme splendide. Les traits souples de l'adolescente s'étaient durcis, transformés en quelque chose de plus mûr, mais elle n'en était pas moins belle. Elle avait perdu du poids et ses yeux semblaient plus grands, plus fascinants.

Elle portait encore sa tenue de scène, une longue robe noire qui moulait son corps fin et s'ouvrait, depuis les bretelles, en un décolleté en V plongeant entre ses seins, créant un contraste extraordinaire avec sa peau blanche de Celte. On pouvait dire sans craindre d'exagérer qu'elle était époustouflante.

« Et si je te demande de me raccompagner chez moi ? »

Je l'observai, l'air suspicieux. « Pourquoi ferais-tu cela ?

— Peut-être que je n'ai pas envie de rentrer chez moi seule. »

Comme je ne répondais pas, son sourire s'agrandit.

« Tu te souviens de la fois où tu m'as ramenée à Stornoway sur ta vieille Mobylette pourrie ? »

J'étais surpris qu'elle s'en souvienne. « Ouais, on s'était bien fait tremper.

— Et pendant des jours j'ai eu des bleus sur le cul de la forme de ton porte-bagages. »

Je hurlai de rire. « Tu déconnes !

— Je te l'aurais bien montré, mais tu te serais fait des idées. Roddy avait toujours une couverture pliée sur le sien. Sur le tien les tubes en métal étaient nus. J'ai eu un mal de chien. Pendant tout le trajet.

— Et moi qui pensais que c'était la passion qui te faisait serrer ainsi les bras autour de moi. »

Il y avait de la malice dans ses yeux. « C'était peut-être ça.

— Ouais, bien sûr. »

Son bras reposait derrière moi sur la tête du canapé et ses doigts jouaient distraitement avec les boucles de mes cheveux. Cela me mit mal à l'aise. « Tu avais le béguin pour moi, Fin, n'est-ce pas ? », me demanda-t-elle.

« Je l'ai eu, en effet.

— Mais plus maintenant ? »

Je me contentai de hausser les épaules.

« Que s'est-il passé ? »

Je tournai la tête pour la regarder droit dans les yeux. « J'ai appris à te connaître, Mairead. »

Ce fut comme si une lumière venait de s'éteindre dans son regard, son visage se figea. Elle ôta son bras du canapé et s'assit sur le rebord, les mains glissées entre les genoux. Je ne voyais plus son visage. « Je crois que c'est la chose la plus douloureuse qu'on m'ait jamais dite. » Sa voix tremblait légèrement.

J'eus une sensation désagréable au creux de mon ventre. Je n'avais pas eu l'intention de la blesser, cependant c'était une sorte de revanche pour toutes ces années de frustration adolescente pendant lesquelles elle avait pris plaisir, du moins je le croyais, à jouer avec ma faiblesse. Je me demandai soudain si tout cela n'avait été que le fruit de mon imagination.

« Personne ne me connaît », dit-elle. « Pas vraiment.

— Whistler le croyait. Il m'a dit une fois que tu n'étais pas sûre de toi. Et que tu essayais d'être quelqu'un qui ne te ressemblait pas. »

Elle se tourna vers moi, l'air surpris. Des larmes coulaient sur ses joues. Mais je ne savais toujours pas si elle était sincère. « Whistler a dit ça ?

— Il t'aimait, Mairead. Et il t'aime probablement encore. Je me suis toujours dit que c'était pour cela qu'il n'était pas venu à Glasgow. Pour se tenir éloigné de ce qui le faisait souffrir. »

Pendant quelques instants son regard se perdit dans le vide, puis elle se concentra à nouveau sur moi. « Ramène-moi, Fin. S'il te plaît. »

Je ne pense pas que l'on ait remarqué notre départ. Je vis Mairead jeter un coup d'œil en arrière vers les portes-fenêtres qui donnaient sur la véranda où Roddy faisait le fou, nu dans la piscine, avec Caitlin. Je ne m'inquiétai pas trop de savoir comment les autres rentreraient. Ils avaient tous les moyens de se payer un taxi dorénavant. Et je me sentais coupable de ce que j'avais dit à Mairead. C'était une chose de le penser, c'en était une toute autre de le dire, sans se soucier de la douleur infligée.

Nous roulâmes en silence dans la nuit. Les réverbères qui se reflétaient sur le bitume humide se succédaient de façon ininterrompue tout le long des rues de la banlieue résidentielle du sud de la ville jusqu'à Paisley Road West. Mairead avait acheté un loft situé dans un ancien entrepôt de tissus victorien construit sur un triangle formé par le croisement de deux rues. Au sommet du triangle, le point le plus à l'est, se dressait la sculpture dorée d'un ange dont le regard était tourné vers la ville. La résidence s'appelait l'Immeuble de l'Ange et j'avais toujours pensé que Mairead n'aurait pas pu trouver de domicile qui lui convienne mieux.

Elle ne prit pas la peine d'allumer les lumières de l'appartement. Des baies vitrées de chaque côté laissaient entrer les lumières de la ville qui projetaient des ombres d'un noir profond tout autour du salon. À l'autre bout de l'appartement, derrière une cuisine ouverte, une porte menait à sa chambre.

« Je vais me changer », dit-elle. « Sers-toi quelque chose à boire. » Ses talons claquèrent sur le plancher de bois ciré et elle poussa la porte. Derrière le lit, par une large fenêtre en arrondi qui faisait face à l'est, je vis la ville qui s'étalait en contrebas. Je restai immobile. Je n'avais pas envie d'un verre. Elle se retourna, sa silhouette se découpant sur l'image de la ville derrière elle, et me fixa dans l'obscurité pendant un temps qui me sembla extraordinairement long. Puis, elle leva la main pour faire glisser les bretelles de ses épaules et sa longue robe noire tomba au sol dans un murmure de soie. Elle était entièrement nue.

Je sentis ma gorge se serrer et tous les désirs refoulés de mon adolescence refirent surface. Elle était debout devant moi, l'objet de tous mes fantasmes, nue, s'offrant à moi d'une manière dont aucune femme ne l'avait fait auparavant ni ne l'a fait depuis. Lorsque je la rejoignis, je m'étais déjà débarrassé de mon tee-shirt, deux secondes plus tard de mon jean et, un instant plus tard, je partageais sa nudité. Nous nous tenions debout, à quelques centimètres l'un de l'autre, à nous observer tout en écoutant notre respiration dans la pénombre. Je savais que dès que je la toucherais il n'y aurait pas de retour possible. Une vanne s'ouvrirait et nous finirions noyés.

J'entourai de ma main l'arrière de sa tête et sentis le contact doux de ses cheveux, la forme de son crâne. Je l'attirai vers moi. Quand nos lèvres se touchèrent, je fus englouti. Nos corps se joignirent et je sentis ma passion se presser fortement contre son ventre tandis que nous basculions au ralenti vers le lit. Son corps si blanc, cerné par le satin noir des draps tendus sur le matelas. Elle était enfin à moi. Mais, comme toujours, selon ses conditions.

Cela dura plus de trois mois. Une relation basée sur le sexe. Sans dîners aux chandelles, sans instants romantiques. Sans se tenir la main, ni échanger des déclarations d'amour éternel. Seulement de la luxure.

Nous faisions l'amour chez elle, dans ma chambre meublée, à l'arrière du fourgon. Dans un nombre incalculable de chambres d'hôtel. Mon appétit pour elle ne faiblissait jamais. Je ne cessais de la désirer. Apparemment, il en allait de même pour elle.

En réalité, nous ne faisions que nous utiliser l'un l'autre. Elle, comme un moyen de reconquérir Roddy, en m'exhibant devant lui, avec l'espoir de le rendre jaloux. Malgré tout, je pense qu'en vérité elle appréciait autant que moi notre badinage sexuel. De mon côté, seul le sexe m'intéressait. Je ne l'aimais pas vraiment, mais d'une certaine manière je devins dépendant d'elle. Elle me manquait lorsqu'elle n'était pas avec moi. Nous discutions très peu et, dans un sens, c'était ce que j'appréciais le plus. Elle n'attendait pas de moi que j'éprouve des sentiments. Pas de sautes d'humeur ou de crises de jalousie, pas de besoin de m'entendre dire des choses que je ne pensais pas. Ce fut certainement la relation à la fois la plus sexuellement satisfaisante et la moins contraignante que j'aie jamais eue.

Par conséquent, je le pris assez mal lorsqu'elle y mit fin un soir, soudainement et sans avertissement.

Nous devions sortir faire la fête et avions convenu de nous retrouver au bar le Cul-de-Sac sur Ashton Lane, dans le West End de Glasgow. Mairead m'avait dit qu'elle me rejoindrait à sept heures. À huit heures et demie, je l'attendais toujours, et j'en étais à ma troisième pinte. L'endroit était bondé et j'observais la rue qui grouillait de monde. La vieille rue pavée comptait plusieurs restaurants, des bars et un cinéma. L'un des restaurants situés en face du bar avait installé des tables en extérieur pour que les clients puissent profiter de la douceur du temps estival et de la longueur des jours.

Je ne m'inquiétai pas tout de suite. Il lui arrivait d'être en retard, comme quand elle décidait cinq minutes avant de sortir qu'elle avait besoin de prendre une douche. Au moins, elle ne passait pas des heures à se coiffer mais le maquillage pouvait lui prendre une demi-heure. Elle était très soucieuse de son apparence ou, comme elle aimait à le dire, de son image. Mairead avait un téléphone portable et j'aurais pu l'appeler. Mais je n'avais pas les moyens de m'en offrir un et ce n'était donc pas possible. J'étais sur le point de partir et de me rendre à l'Immeuble de l'Ange quand je la vis fendre la foule des buveurs et se diriger vers moi. Comme toujours, les têtes se tournaient sur son passage.

« Salut », dis-je, « que s'est-il passé ? » Je m'apprêtai à l'embrasser sur la joue quand elle détourna brusquement la tête. Je compris immédiatement ce qui allait suivre.

Elle se rapprocha, baissa la voix et le regard. « Fin, je suis désolée. C'est fini. »

J'attendis qu'elle relève la tête et me regarde dans les yeux. « Pourquoi ? »

Il y avait comme de l'exaspération dans sa voix. « Tu savais que ça ne durerait pas, Fin. On le savait tous les deux. »

J'acquiesçai. « Oui, en effet. Mais j'aimerais quand même savoir pourquoi. »

Elle secoua la tête. « Ça ne sert à rien. Des explications ne nous aideront pas à nous sentir mieux. » Soudain, elle prit mon visage entre ses mains. Il y avait dans son regard une intensité que je n'avais encore jamais vue, et elle m'embrassa si doucement, avec tellement de tendresse que je faillis presque croire qu'elle éprouvait quelque chose pour moi. « Je suis vraiment désolée, Fin. »

Et elle partit. En quelques instants, tout ce que j'avais été, ce que j'avais connu ces derniers mois venait de mourir. Le rêve était terminé. Plus moyen de se cacher. Je me tournai vers le bar et vidai ma pinte.

Dehors, l'air était frais mais encore doux sur la peau. Je traversai le West End à pied, comme dans un brouillard, me dirigeant instinctivement vers la fête où Mairead et moi étions censés aller. Elle se déroulait dans un immeuble de grès rouge dans Hyndland. Je n'avais pas envie de rentrer chez moi. Il est toujours plus aisé d'être seul au milieu d'une foule. Je n'aurais jamais cru que me séparer de Mairead serait aussi douloureux. L'idée que plus jamais je ne l'embrasserais, ni ne caresserais ses seins, ni ne sentirais ses jambes se serrer contre mon dos m'était presque intolérable. Tout ce que je désirais à présent, c'était me saouler.

Quand j'arrivai, la fête battait déjà son plein. Je saluai quelques visages familiers et entendis quelqu'un me demander où était Mairead. Je ne répondis pas. Je me trouvai un siège confortable dans un coin sombre, posai un pack de six à côté de moi et ouvris la première canette.

La musique était assourdissante, les gens dansaient. La fille la plus proche de moi trébucha en arrière sur un sac à main et se retrouva brusquement assise sur mes genoux. Une jolie fille avec de courts cheveux bruns.

Elle avait bu. Elle gloussa. « Oups. Pardon. »

Peut-être me rappela-t-elle Mairead. Je ne sais plus bien pourquoi. Je lui souris. « Fais comme chez toi », dis-je.

Elle pencha la tête sur le côté et me regarda avec curiosité. « Tu es à la fac ?

— Oui.

— Je me disais bien que je t'avais vu quelque part. Quelle année ?

— Deuxième.

— Moi en première.

— Parfait », répondis-je. « Nous autres, intellectuels, il faut que nous nous serrions les coudes. Je m'appelle Fin. »

Elle gloussa de nouveau. « Oui, faut se serrer les coudes. Moi, c'est Mona. »

Et c'est ainsi que je rencontrai la fille qui me réveillerait le matin suivant pour m'annoncer que Roddy était mort. La fille que j'épouserais et qui porterait mon enfant. La fille dont je divorcerais seize ans plus tard quand la seule bonne chose que nous avions faite ensemble ne serait plus de ce monde.

CHAPITRE 21

I

Mairead n'avait pas ôté son manteau comme si, peut-être, Marsaili avait espéré qu'elle ne reste pas et ne le lui avait pas proposé. Il était long, noir, et tombait en accordéon sur le sol autour de sa chaise. Son style n'avait pas changé en dépit des années. Des années qui d'ailleurs avaient été clémentes avec elle. Elles avaient fait fondre un peu de chair autour de son visage, lui donnant presque un profil de faucon, mais elle était encore belle, avec une peau pâle et nette. Seules de légères pattes-d'oie se devinaient aux coins de ses yeux. Ses lèvres pleines et remarquablement sombres contrastaient avec le reste de son visage. Il y avait de la complicité dans son sourire et une tendresse inattendue dans son regard.

« Salut, Fin », dit-elle. Et ce fut comme si leur ultime conversation au Cul-de-Sac s'était déroulée seulement la veille.

Les yeux de Fin s'attardèrent un instant sur Marsaili avant de revenir sur Mairead. « Salut Mairead. Je vois que tu n'as pas changé de coiffeur. »

Elle sourit et passa la main sur ses cheveux ultracourts. On y distinguait à présent un peu de gris mais cela ne l'avait pas suffisamment inquiétée pour qu'elle les teigne. « C'est ma marque de fabrique. On me mettra dans mon cercueil avec cette coupe. J'espère juste que d'ici là ils seront devenus complètement blancs.

— Fin, tu veux une tasse de thé? » La voix de Marsaili interrompit leur échange comme un gamin vexé qu'on ne prête pas attention à lui.

« Je prendrai une bière », répondit-il avant de se tourner pour sortir une canette du réfrigérateur.

« Tu n'as pas changé Fin. » Mairead but une gorgée de thé. « Toujours une bière à la main. »

Fin dévissa la capsule. « Que fais-tu ici, Mairead?

— Elle te cherchait », expliqua Marsaili.

« On m'a dit en ville que tu restaurais la ferme de tes parents. J'étais stupéfaite d'apprendre que tu étais revenu. La dernière fois que j'ai eu de tes nouvelles, tu étais flic à Édimbourg. » Et elle eut un petit rire. « J'ai éclaté de rire quand j'ai entendu ça. Fin Macleod. Policier! Tu te souviens quand tu as pourchassé les flics à travers les rues de cette station touristique en Angleterre? »

Fin sourit. « Je crois que nous avons eu de la chance de ne pas finir en taule.

— De quoi parles-tu? »

Le regard de Marsaili, perplexe, passait de Fin à Mairead qui riaient de concert. « Quelqu'un voudrait m'expliquer ce qu'il y a de drôle? »

Fin agita la main pour signifier que cela n'avait pas d'importance. « C'est une longue histoire, Marsaili. » Il se tut un instant pendant qu'une idée lui venait à l'esprit. « J'imagine que vous vous êtes rencontrées à l'école?

— Nous avons parfois été dans les mêmes classes », dit Mairead. « Mais nous n'avions pas les mêmes amis. » Elle sourit à Marsaili. « Je ne pense pas que je t'aurais reconnue. Si ce n'est que l'on m'a dit que vous étiez ensemble maintenant.

— Moi, évidemment, j'ai su tout de suite qui tu étais. » Marsaili souriait, mais il y avait une certaine tension dans sa voix. « Qui ne te reconnaîtrait pas? » Elle se tourna vers Fin. « Je l'ai vue par la fenêtre. Elle était debout sur le flanc de la colline, l'air perdu. »

Fin se hâta de recentrer la conversation. « Je suppose que tu es venue pour l'enterrement ? »

Le visage de Mairead s'assombrit. « Pas seulement pour y assister, Fin. Pour l'organiser. Il n'a pas de famille connue. C'est donc aux amis de Roddy de lui organiser des adieux dignes de ce nom. Vous viendrez tous les deux ? »

— Pas moi. » Marsaili s'éloigna du plan de travail pour vider le reste de son thé dans l'évier et rincer le mug. « Je ne connaissais pas bien Roddy. Et il faut que je m'occupe du bébé. »

Surprise, Mairead leva un sourcil. « Un bébé ? »

— Notre petite-fille », précisa Fin. Il se sentit obligé d'expliquer. « Nous avions un fils dont j'ignorais l'existence jusqu'à récemment. »

À son tour, Mairead vida son mug et se leva. « Tu n'as jamais su la garder dans ton froc, hein Fin ? » Fin rougit et cela la fit sourire. « Et tu rougis toujours, je vois. Tu as toujours eu le cœur en bandoulière. » Elle soutint son regard pendant un long moment. « On a vraiment vécu une époque intéressante. »

Fin hocha la tête. « Elle l'était, en effet. » Il prit une gorgée de bière pour masquer sa gêne. « Tu me préviendras de la date de la cérémonie ?

— Oui, maintenant que je sais où te trouver. Je loge en ville, au Cabarfeidh. » Elle marqua une pause et sa réponse sonna comme une invitation. Puis, elle ajouta : « Strings, Skins et Rambo sont venus également. »

Fin trouva étrange d'entendre à nouveau ces surnoms d'adolescents, comme s'ils auraient dû s'en détacher avec le temps. Et pourtant, il appelait toujours Whistler, Whistler.

Mairead adressa un sourire de politesse à Marsaili. « J'ai été contente de te revoir. Merci pour le thé. » Fin lui ouvrit la porte de la cuisine. Elle fit une brève halte en passant devant lui, elle sembla chercher ses mots. Mais elle se contenta de dire : « On se revoit aux funérailles. » Et elle partit.

Un silence assez long régna dans la cuisine après son départ. Comme si Marsaili attendait d'entendre le son de la voiture qui démarrait, pour être certaine qu'elle soit loin avant de parler. « Alors, vous avez été ensemble ? »

Cela ne servait à rien de le nier. « Ça se voit tant que ça ?

— Oh oui. » Une longue pause. « Pourquoi ne me l'as-tu jamais dit ? »

Fin haussa les épaules. « Il n'y avait rien à en dire. C'était un autre moi, un autre endroit, une autre époque.

— J'ai l'impression qu'il y a beaucoup de Fin Macleod dont je ne sais rien. » Elle prit le mug de Mairead sur la table pour le rincer dans l'évier et saisit son reflet dans la fenêtre de la cuisine. Fin la vit lever la main, presque involontairement, pour écarter ses cheveux de son visage. « Elle est encore très belle », dit-elle, comme si le contraste avec son propre reflet lui avait inspiré cette réflexion.

« En effet. » Fin but une autre gorgée de bière. « Nous avons eu une relation. Mais je ne l'ai jamais beaucoup appréciée. »

Marsaili fut surprise. « Non ? »

Fin secoua la tête.

« Et pourquoi ?

— Je la connaissais trop bien. Elle ne se souciait de rien ni de personne, à part d'elle. C'était toujours moi, moi, moi. »

Marsaili s'essuya les mains avec le torchon et un petit sourire triste se dessina sur ses lèvres. « Un peu comme quelqu'un d'autre de ma connaissance. » Et elle passa devant lui pour se rendre dans le salon.

II

La voix de Mairead résonnait sous la charpente de l'église, claire et pure, *a cappella*. Les portes étaient ouvertes pour que la partie de l'assistance restée dehors puisse l'entendre, et dans la quiétude de cette matinée triste et grise sa voix s'envolait au-dessus du lac Ròg, un chant plaintif pour un vieil ami et un ancien amant.

Quand je marche dans la vallée de l'ombre de la mort,
je ne crains aucun mal,
car tu es avec moi ;
ta houlette et ton bâton
me rassurent.

D'une certaine manière, entendus en gaélique, les mots et la mélodie n'en étaient que plus puissants, plus tribaux, plus ancrés dans la terre, le lieu et les gens. Fin sentit se dresser les cheveux sur sa nuque. Il n'avait pas assisté aux premières funérailles, mais tous les autres enterraient Roddy pour la deuxième fois, comme ils l'avaient déjà fait dix-sept ans auparavant. Cette fois-là, le cercueil qu'ils avaient transporté était vide, à l'exception de quelques pierres et souvenirs d'enfance. Ses parents avaient voulu qu'il en soit ainsi. Pour faire leur deuil. Avoir une chance de lui dire au revoir.

Cette fois-ci, le corps reposait bien dans le cercueil et attendait devant son ancienne demeure qui dominait la plage de Uig depuis le rivage nord. Ses propres parents étaient morts, mais les nouveaux propriétaires de la maison que son père avait construite avaient donné leur accord pour que le cortège funéraire puisse partir de là.

Alors que ce dernier quittait la petite église de Miabhaig, Fin se dit que tout cela ressemblait plus à un cirque qu'à des funérailles. Les médias écossais étaient venus en masse, accompagnés de pigistes dépêchés par la plupart des journaux anglais. Les flashs crépitaient et les stylos notaient fiévreusement sur les calepins tandis que tout

254

était enregistré en vidéo pour la postérité – et le journal du soir. La découverte du cadavre de Roddy occupait la place d'honneur des infos depuis plusieurs jours. Des images d'archives vieilles de dix-sept ans avaient été exhumées et remontées à la hâte avec les dernières vidéos pour satisfaire l'appétit insatiable du public pour les nouvelles people. La mort d'une célébrité excitait encore plus cette curiosité malsaine. Ajouter à la sauce un peu de meurtre et de mystère et les audiences étaient garanties. Les ventes de CD d'Amran étaient remontées en flèche.

Fin s'était attendu à voir Whistler. Il avait de nouveau disparu après leur rencontre devant le tribunal, mais il n'était pas à l'église. Et ce n'est qu'à sa sortie de l'église que Fin vit Strings, Skins et Rambo pour la première fois.

Il fut choqué de voir à quel point Skins et Rambo avaient vieilli. Rambo était presque complètement chauve et semblait avoir vingt ans de plus que les autres. Les cheveux de Skins, coiffés en arrière, étaient zébrés de gris argent et son visage avait perdu toute trace de son charme adolescent. Strings, lui aussi, avait doucement glissé dans la quarantaine, espérant apparemment que des cheveux jusqu'aux épaules, teints et ramenés en queue-de-cheval puissent encore créer l'illusion de la jeunesse. Il était plus maigre, presque maladif, ses doigts qui couraient sur le manche de sa guitare semblaient plus longs et osseux que dans le souvenir de Fin. Seule Mairead semblait touchée par le syndrome de Peter Pan. Elle était aussi radieuse et belle que lorsqu'elle était adolescente. Elle n'avait pas perdu ce quelque chose d'indéfinissable qui avait envoûté tant de garçons et, plus tard, à n'en pas douter, tant d'hommes. Elle était l'unique image identifiable d'Amran. C'était toujours son visage qui figurait sur les pochettes de leurs CD, sur leur site Internet, sur les affiches de leurs concerts. Personne, hormis leurs plus grands fans, n'aurait reconnu Skins ou Rambo, ni même Strings. Ils faisaient partie du décor. Du papier peint. Seulement des musiciens. Mairead était Amran.

Bon nombre de ceux qui assistaient à l'enterrement se rendirent directement au cimetière d'Ardroil en voiture. Ceux qui souhaitaient suivre la procession à pied se réunirent à l'extérieur de l'ancienne maison des Mackenzie sur la route au-dessus de la plage, avec les clowns des médias.

Fin fut étonné d'y voir Donald, sorti de l'exil qu'il s'était imposé à lui-même à Ness, s'exposant ainsi aux yeux de tous pour la première fois depuis la fusillade d'Eriskay. Il était tout autant une source de curiosité et d'intérêt pour la foule que les célébrités d'Amran. Il apparut qu'il faisait partie des premiers porteurs du cercueil, à la demande de Mairead, avec Fin, Strings, Skins, Rambo et Big Kenny. Réunis tous ensemble pour la première fois depuis leur année de terminale à Nicolson.

Comme le trajet jusqu'au cimetière faisait plus de trois kilomètres, six autres hommes étaient là pour les relayer quand le besoin s'en ferait sentir. Le cercueil lui-même était bien plus lourd que les restes de l'homme qui s'y trouvaient, le chêne massif pesait sur les larges épaules qui le soulevèrent des chaises disposées sur la route, sur lesquelles il reposait. Un hélicoptère loué par l'une des chaînes de télévision survolait la scène.

Il fallut à la procession, qui réunissait bien plus d'une cinquantaine de personnes, une heure pour atteindre le carrefour du cimetière. Il y avait un panneau peint à la main avec une flèche blanche qui pointait au-delà du portail tubulaire d'une ferme, et un chemin de terre sinueux traversait le machair jusqu'aux murs du cimetière qui se trouvait de l'autre côté du sommet de la colline. Quand ils y arrivèrent, leurs épaules les faisaient souffrir et ils avaient les mains engourdies.

Les montagnes où l'avion de Roddy s'était abîmé toutes ces années auparavant s'élevaient face à eux, menaçantes, dominant l'horizon au sud. Le cimetière partait en pente vers l'ouest et, tandis que la procession s'avançait au milieu des pierres tombales vers la petite extension entourée de murs construite à son extrémité – ceux qui avaient planifié le cimetière à l'origine n'avaient pas vu assez large – la pluie se mit à tomber.

La pluie était fine, en crachin, à peine plus lourde que de la brume. Mais elle bouchait presque complètement la vue au-delà du mur en direction de la plage, et rendait les derniers mètres traîtres sous le pied. La descente du cercueil avec des cordes humides, à la force des bras et des mains, passablement épuisés, était rendue encore plus périlleuse par la pluie et il alla taper et racler les parois de la tombe avant de toucher le fond. La tombe elle-même avait été creusée la veille et l'on avait exhumé les restes de l'ancien cercueil placé là dix-sept ans plus tôt. Sous l'herbe, le sol était exclusivement constitué de sable, sans rochers ni galets, et commençait déjà à s'effriter quand le cercueil toucha le fond du trou. La pierre tombale était couchée sur le côté, attendant d'être replacée.

Bien que la tradition qui veut que seuls les hommes soient présents au bord de la tombe demeure encore observée par tous, personne ne fut surpris de constater que Mairead n'en tint pas compte. Elle était au milieu des hommes, pâle et impassible, tout de noir vêtue, elle qui fut l'amante à éclipse de Roddy pendant plus de dix ans.

C'est à ce moment que Fin leva les yeux et vit, à son grand étonnement, Whistler, debout à l'extrémité supérieure du cimetière, à l'écart de la foule. Son costume avait disparu, remplacé par sa veste imperméable et son jean, ses cheveux lâchés tombant sur les épaules. Il n'était pas rasé et ses yeux étaient cernés. Son visage bronzé par la vie au grand air et son air sain étaient atténués par une pâleur discrète.

L'espace d'un instant, Fin eut l'impression que Whistler regardait dans le vide, au-delà du petit groupe assemblé dans le cimetière, avant de se rendre compte que ses yeux étaient rivés sur Mairead. Était-il possible, après toutes ces années, qu'il soit encore amoureux d'elle ? Toutefois, son expression exprimait plus de haine que d'amour. Ou du mépris plus que de l'affection. Cela inquiéta Fin.

Il concentra à nouveau son attention sur la tombe tandis que Donald lisait un texte de la Bible gaélique : « C'est à la sueur de ton visage que tu mangeras le pain, jusqu'à ce que tu retournes à la terre ; car c'est de là que tu as été pris : car tu es poussière, et tu retourneras à la poussière. » Une poignée de sable fut jetée sur le couvercle du cercueil. Quand Fin releva les yeux, Whistler n'était plus là.

III

Fin ne fut donc pas surpris d'apercevoir son vieil ami à la veillée organisée par Amran à l'hôtel Cabarfeidh à Stornoway. Le bar était plein à craquer de gens revenant des funérailles qui avaient entendu dire que les boissons seraient gratuites. Des journalistes se mêlaient librement à la foule, à la recherche d'un angle, d'un point de vue personnel, quelque chose qui sorte de l'ordinaire pour les infos télévisées du soir et les journaux du matin.

Fin se tenait au bar avec Strings, Skins et Rambo, partageant bières et souvenirs tout en riant de bon cœur au récit de leurs aventures avec Roddy au début de la carrière du groupe. Toutefois, même si personne n'osait aborder le sujet, planait au-dessus d'eux l'idée que Roddy n'était pas simplement mort. Il avait été assassiné.

Fin vit Whistler qui fendait la foule en direction de la porte. Il posa sa pinte sur le bar. « Bon, les gars, je vous retrouve plus tard. » Il partit en hâte derrière Whistler.

Quand il déboucha dans le hall d'entrée, Whistler n'y était pas. Il traversa le salon en vitesse, mais n'y trouva que quelques petits groupes qui discutaient autour des tables basses. Il retourna dans l'entrée et s'apprêtait à regagner le bar quand il entendit des cris en provenance du parking. Une voix de femme et une voix d'homme. S'exprimant en gaélique. Fin sortit sur le perron et vit Mairead et Whistler plus loin dans l'allée. Whistler tentait de s'en aller. Mairead s'agrippait à son bras pour le retenir. Il se retourna soudainement et lui hurla dessus, à quelques centimètres de son visage. Fin n'était pas suffisamment proche pour saisir ce qu'il lui disait, mais il était visiblement en colère. Mairead tressaillit et Whistler, jetant un coup d'œil par-dessus l'épaule de Mairead, aperçut Fin qui les observait. Il dit quelque chose et Mairead se retourna. Lorsqu'elle se tourna de nouveau vers Whistler, celui-ci s'éloignait à grands pas en direction du portail. Cette fois-ci, elle ne chercha pas à le retenir et Fin vit ses épaules s'affaisser.

Il l'observa faire demi-tour et remonter l'allée goudronnée pour le rejoindre tout en essayant de se ressaisir et d'inventer, Fin n'en doutait pas, un quelconque mensonge à propos de ce qui venait de se passer. Quand elle fut face à lui son regard était clair et souriant. Il se souvint à quel point elle était capable de masquer ses sentiments. Elle anticipa sa question avec un sourire nimbé de tristesse. « Un jour, tu m'as raconté que tu pensais que Whistler n'avait jamais cessé de m'aimer. Et que c'était la raison pour laquelle il n'était pas venu à Glasgow. » Elle fit une pause, l'air songeur. « Pour se tenir éloigné de ce qui le faisait souffrir. Je crois que c'est ainsi que tu l'avais formulé. »

Fin opina du chef.

« Eh bien, je crois que j'ai ramené la douleur avec moi. »

Mais Fin savait que ce n'était pas de l'amour qu'il avait vu dans les yeux de Whistler au cimetière. Et qu'il n'y avait que de la colère dans sa voix quand il lui avait crié dessus. S'il y avait de la douleur, elle était provoquée par autre chose. Mairead dut se rendre compte que Fin n'était pas convaincu car elle changea brusquement de sujet.

« Enfin, bref, je suis contente de te trouver. J'ai apporté un album photo avec moi. Plein d'images de cette époque. Tu figures sur beaucoup d'entre elles. Je me suis dit que tu aimerais les revoir.

— Une autre fois, peut-être. » Fin jeta un coup d'œil à sa montre. « Il faut que j'y aille. »

Mais elle insista. « Il n'y aura peut-être pas d'autre fois, Fin. Je pars dans deux jours et je ne crois pas que j'aurai une raison quelconque de revenir. »

Fin fut surpris. « Qu'est-il arrivé à tes parents ?

— Je les ai fait venir à Glasgow il y a des années. Je n'ai plus de famille sur l'île. Et, pour être honnête, la raison pour laquelle nous nous sommes retrouvés ici aujourd'hui a assombri tous les bons souvenirs. Cela avait déjà été difficile d'encaisser la mort de Roddy à l'époque. Mais perdre quelqu'un deux fois ? C'est insupportable, Fin. Je ne l'aurais jamais cru, mais c'est encore plus dur la deuxième fois. » Elle passa son bras sous le sien et lui fit franchir la porte du hall d'entrée. « Donne-moi un peu de ton temps. Tu me dois bien ça. »

Fin s'arrêta net, l'obligeant à se tourner pour lui faire face. « Je ne pense pas te devoir quoi que ce soit, Mairead. C'est toi qui es partie, tu te souviens ? »

Ses yeux étaient grands ouverts, humides, d'un bleu impénétrable. « Et il ne se passe pas un jour sans que je le regrette. »

Les rideaux de sa chambre, bleus et épais, étaient tirés. Un couvre-lit à carreaux bleu et crème était impeccablement plié en travers du lit, fait le matin même par la femme de chambre. Une grosse valise était posée sur le sol, sous la fenêtre, le couvercle ouvert reposant contre les rideaux. Mairead s'accroupit et fouilla au milieu d'un tas de vêtements à la recherche de l'album photo puis elle se releva et le lança sur le lit avant d'ôter son manteau et de le poser sur une chaise. Elle portait un chemisier noir et une longue jupe noire qui descendait sur des bottes de la même couleur.

« Ça ne t'ennuie pas si je me change ? » Elle n'attendit pas sa réponse et Fin se demanda ce que cela aurait changé s'il avait dit non. Elle se débarrassa de ses bottes en agitant les pieds. « Rien que tu ne connaisses déjà. »

Il se tourna malgré tout, gêné, prit l'album et l'ouvrit. La première image qui attira son attention était la photo officielle de Roddy quand il était en troisième ou en seconde à Nicolson. Le blazer de l'école avec son passepoil de préfet de classe, la chemise blanche immaculée et la cravate réglementaire. Le sourire légèrement en biais de Roddy, ses boucles blondes en cascade. Il leva les yeux un instant et vit Mairead qui enfilait son jean. Elle portait un soutien-gorge et une culotte minuscules, sa peau semblait faite d'ivoire. C'étaient les courbes et les lignes douces d'un corps qu'il avait bien connu. Et, malgré lui, il sentit au plus profond de ses reins les tiraillements du désir. Il se reconcentra sur l'album et tourna la page.

Plusieurs photos étaient collées sur les pages suivantes. L'une d'elles représentait une très jeune Mairead sur scène, son visage bien plus rond qu'aujourd'hui. Le groupe s'installant pour un concert. Donald, assis dans un fauteuil lors d'une fête. Les yeux rouges à cause du flash et l'air complètement saoul. Et puis il y avait Fin, avec Whistler et Strings, âgés d'environ dix-sept ans. Tous avec une bière à la main, les bras passés autour des épaules, grimaçant devant l'objectif. Fin ne se souvenait pas du moment où elle avait été prise et cela lui fit un choc de se revoir ainsi. Il n'avait pas de photographies de cette période de sa vie. Il n'avait pas d'appareil photo et sa tante n'était pas du genre à en prendre. Le jeune Fin, souriant comme un idiot. Il discernait la douleur derrière le regard, le refus d'une vérité qu'il n'avait pas été capable d'affronter.

« Elles sont chouettes, non ? » Mairead se pencha à côté de lui pour les regarder. Elle portait un sweat-shirt trois fois trop grand pour elle et était encore pieds nus. « J'ai amassé des centaines de photos. Je suis tellement contente maintenant de les avoir conservées. Elles ravivent des souvenirs que j'aurais oubliés sans cela. » Elle passa devant lui pour tourner une page et il sentit sa poitrine frotter contre son bras.

Il y avait d'autres clichés du groupe sur scène lors d'un bal traditionnel dans un endroit quelconque, et sur la page opposée quelques-uns pris au Pont Vers Nulle Part. Beaucoup de visages qui avaient réapparu au cimetière aujourd'hui, mais tellement plus jeunes.

Mairead lui prit l'album des mains et s'assit au bout du lit. Elle tapota de la main sur le lit, à côté d'elle. « Viens t'asseoir. »

Mais Fin savait que cela serait fatal. « Il faut que j'y aille, Mairead. »

Elle soutint son regard pendant un long moment, l'air déçu, avant de refermer l'album et de se lever. Elle était grande, presque autant que Fin, et se tenait très près de lui. Il sentait presque son souffle sur son visage. « Reste. » Sa voix n'était plus qu'un murmure.

Il pouvait presque entendre cogner son cœur, le sang lui battait les tempes. Cela serait si facile. Il effleura son visage du bout des doigts. Il se perdrait en elle en quelques secondes. Une fois encore. Toutes ces passions primitives qu'elle avait excitées en lui des années auparavant, ravivées, aussi puissantes et séduisantes qu'alors. Il songea à Marsaili, à la manière dont il l'avait traitée pendant ces premières semaines à l'université. À Mona, et au fait qu'il n'avait jamais essayé, après l'accident, de réparer le lien qui les unissait, bien que l'un comme l'autre, ils aient eu besoin de quelqu'un pour partager leur douleur. Il pensa à la manière dont il avait à chaque fois pris le mauvais chemin à chaque carrefour de sa vie, même quand il savait lequel était le bon. Et il se demanda comment il était possible que Mairead ait envie de coucher avec lui alors qu'elle venait juste d'enterrer l'amour de sa vie.

« Je suis désolé, Mairead. » Il se pencha en avant et l'embrassa doucement sur le front. « Porte-toi bien. »

Il la laissa là, seule au milieu de la chambre. Quand il ouvrit la porte et se glissa dans le couloir, elle ne se retourna pas.

Tout en roulant à travers les vastes espaces de la lande de Barabhas, il ressentit un immense soulagement, comme un poids s'envolant de ses épaules. Un fardeau qu'il avait porté pendant des années presque sans s'en rendre compte. Le ciel devant lui reflétait son état d'esprit, gris se transformant en bleu, le soleil tombait par touches éclatantes sur des étendues de tourbe scarifiée par des siècles de taille. Avec le changement de lumière, de la couleur apparut sur toute la lande, or et mauve. Le vent se levait et glissait au milieu des herbes hautes, annonçant un temps plus doux et lumineux.

En repoussant Mairead, il s'était senti plus attaché à Marsaili et il avait hâte à présent de rentrer. De la prendre dans ses bras. De lui dire ce qu'il ressentait pour elle. Si quelqu'un méritait le meilleur de lui-même, c'était bien elle.

Elle suspendait une lessive quand il gara son Suzuki à côté de sa voiture. Il resta un moment debout sur la route qui passait au-dessus du pavillon à l'observer, les cheveux volant devant son visage, soulevés par le vent, comme les draps qu'elle accrochait à la corde à linge. Son visage, rosi par la brise, était toujours beau, même sans maquillage, et il se souvint de la petite fille aux couettes retenues par des rubans bleus qui l'avait protégé lors de son premier jour d'école, qui avait raccourci son nom en Fin et qui avait pris son cœur la première fois qu'il avait posé les yeux sur elle. Puis, il sentit une douleur quelque part au fond de lui. Du chagrin pour leur innocence perdue, pour la moitié de leur vie, gâchée et perdue à jamais.

Il descendit lentement le chemin et s'arrêta devant les marches de la cuisine. Elle ne l'avait pas encore vu ou entendu, et il contempla son corps cabré contre le vent, les bras tendus, luttant pour retenir la corde et démêler les draps. Puis, elle se tourna et le vit. Elle se baissa pour ramasser son panier à linge vide et commença à avancer d'un pas fatigué à travers l'herbe, vers lui. Ses yeux bleu pâle, anxieux, essayaient de lire sur son visage. « Je ne m'attendais pas à ce que tu rentres aussi tôt. »

Il haussa les épaules. « Un enterrement n'est pas une occasion qui donne envie de traîner.

— Tu n'es pas allé à la veillée ?

— Brièvement. »

Il y avait un questionnement dans la manière dont elle inclina la tête et se mit à le dévisager. « Comment était-ce ?

— La veillée ?

— La cérémonie.

— Rien d'exceptionnel. Donald était là, il a aidé à porter le cercueil. »

Elle leva un sourcil. « Ça, c'est inattendu. »

Il sourit. « En effet. » Il hésita. « Mairead a chanté le vingt-troisième psaume à l'église. *A cappella.*

— Cela a dû être émouvant. » Il n'y avait pas une once de sarcasme dans sa voix, mais Fin le ressentit malgré tout.

« Oui. » Il avait envie de lui dire ce qui s'était passé dans la chambre de Mairead. Comment il lui avait résisté, comment il l'avait repoussée. Mais il savait que cela ne pouvait être que mal interprété. Il tendit la main pour lui toucher le visage, comme il l'avait fait avec Mairead moins d'une heure plus tôt. Mais elle se tourna vers les marches.

« En tout cas, je suis contente que tu sois rentré. Je m'apprêtais à partir chez ma mère. Tu peux t'occuper du bébé. Et surveiller le linge. Tu le rentreras s'il se met à pleuvoir. » Elle disparut dans la maison par la porte ouverte. Fin resta dehors encore quelques instants, à regarder les draps, agités par le vent, claquer et tirer sur la corde. Il vit que, déjà, les nuages s'accumulaient à l'horizon et sut qu'il ne se passerait pas beaucoup de temps avant qu'il soit obligé de les rentrer.

IV

Il se réveilla paniqué, en sueur. Le rêve était encore présent, horrible, dans son esprit. Il était gravé sur sa rétine comme s'il avait regardé un film et que les images aient persisté une fois la lumière éteinte. Il lutta pour se souvenir exactement de ce qui s'était passé. Le rêve s'estompait déjà, mais le sentiment de sa trahison, de la blessure faite à Marsaili ne le quittait pas, comme une pierre sur son cœur. Pendant un instant, il pensa qu'elle l'avait aperçu avec Mairead. Peut-être dans le rêve. Mais ensuite il se rappela, avec le sentiment insupportable de sa propre cruauté, la réalité de ce qui s'était réellement passé presque vingt ans auparavant. Ce jour-là, dans les logements étudiants qu'ils partageaient, quand elle était rentrée et l'avait trouvé au lit avec la fille qui logeait de l'autre côté du couloir. Leur lit. Au dehors, la neige tombait sur les immeubles décrépis zébrés de traces d'humidité. La fin, au bout du compte, de tout ce qu'ils auraient pu être.

Il était allongé dans le noir, la respiration lourde, fixant le plafond. La seule lumière dans la pièce provenait de l'affichage du réveil sur la table de nuit. Il pouvait entendre la respiration lente et régulière de Marsaili. Elle dormait encore.

Mais quelque chose d'indéfinissable subsistait, hors de portée. Quelque chose qui appartenait à son rêve et dont il ne parvenait pas à se souvenir. Il s'était rendu dans la chambre de Mairead, il en était sûr. L'avait-il en fait embrassée dans le rêve? Était-ce ce qu'il voulait en réalité? Était-ce ce qui avait réveillé l'horrible souvenir de ce lit pliant dans son appartement d'étudiant? En partie, peut-être. Mais il y avait autre chose. Il ferma les yeux et vit l'album photo sur le lit dans la chambre d'hôtel de Mairead, toute la bande, debout sur le Pont Vers Nulle Part, souriant pour la photo, et soudain il sut ce que c'était. Il s'assit d'un seul coup et il se demanda pourquoi diable cela ne lui était pas venu à l'esprit plus tôt.

CHAPITRE 22

I

Fin gara son Suzuki sur l'aire de parking recouverte de gravier située juste au-dessus de Garry Beach et coupa le moteur. Il resta assis quelques instants à écouter les cliquetis du moteur qui refroidissait, observant la courte bande de machair qui descendait vers la courbe de la plage. C'était la première fois qu'il revenait là depuis la course de moto. De là où il se trouvait, il pouvait voir la travée de béton du Pont Vers Nulle Part et la route qui longeait la ligne des falaises émergeant du Minch.

Il agrippa le volant des deux mains, posa le front sur ses avant-bras et ferma les yeux. Il songea à la manière dont Whistler s'était comporté quand ils avaient découvert l'avion, comment il avait regardé Mairead au cimetière, la colère dans sa voix au Cabarfeidh. Puis, il pensa à Mairead, comment elle avait voulu épater la galerie en chantant à l'église, et au bord de la tombe en ne respectant pas les traditions. Son prétendu deuil, alors que rien dans son attitude ne le laissait paraître. Comment elle avait voulu coucher avec Fin alors que le sable n'avait pas encore, pour ainsi dire, recouvert le cercueil de son amant. La peur et la confusion, jumeaux démoniaques, hantaient son esprit.

Il entendit une voiture sur la route et regarda en direction de Tolastadh, derrière un fragment de lac envahi de roseaux et de nénuphars. Il vit le véhicule de Gunn faire le tour du promontoire et commencer à descendre en douceur vers le parking. Il se gara à côté de la Jeep et éteignit le moteur. Il jeta un coup d'œil en direction de Fin, mais ni l'un ni l'autre ne se saluèrent. Le regard de Fin revint vers la plage et il serra un peu plus fort son volant avant d'ouvrir les mains et de saisir la poignée de la portière. Il posa le pied sur les gravillons et referma sa portière avant d'ouvrir celle de la voiture de Gunn et de se glisser sur le siège à côté de lui. Il la referma, baissa la vitre et les deux hommes restèrent ainsi, silencieux, pendant quelques minutes.

« Vous n'êtes jamais venu à la maison, sir, pour déguster ce saumon sauvage.

— George, ne m'appelez pas sir. Ça me donne l'impression d'avoir réintégré la police.

— Désolé, monsieur Macleod. Ma langue a fourché.

— George, appelez-moi Fin. »

Gunn hocha la tête. « Ma femme en a cuisiné un hier soir. Un beau poisson.

— Poché ?

— Certainement pas, monsieur Macleod. Elle le préfère grillé. » Il sourit. « Vous pourriez venir avec Marsaili.

— Cela lui ferait sûrement plaisir », répondit Fin. Puis, ce fut à nouveau le silence. Cette fois-ci mêlé à de la gêne. Finalement Fin demanda : « Vous l'avez apporté ? »

Le visage de Gunn s'assombrit. « Je pourrais perdre mon boulot.

— Je le sais et je vous en suis reconnaissant, George.

— Vraiment ? Je me le demande, monsieur Macleod. J'ai l'impression que vous me demandez toujours des faveurs et je ne sais jamais ce que je vais obtenir en retour. »

Fin ne sut quoi répondre.

« Et de toute façon, qu'est-ce que vous pensez pouvoir trouver dans le rapport d'autopsie ? Je veux dire, qu'est-ce qu'il pourra bien vous apprendre que nous ne sachions déjà ?

— Tant que je ne l'aurais pas vu je n'en saurai rien.

— Je ne peux pas vous le donner, monsieur Macleod. Ça me coûterait mon travail. » Il serra les mâchoires et regarda en direction de la plage. « Mais bon… supposons que je le laisse sur la banquette arrière et que vous le consultiez sans ma permission… eh bien, cela me permettrait d'invoquer, comment appellent-ils ça, le déni plausible ? » Il jeta un coup d'œil à Fin. « Il faut que j'aille prendre l'air. »

Il s'extirpa du siège conducteur dans un glissement de Nylon matelassé et Fin le regarda s'éloigner à travers le machair en direction de la plage, emmitouflé dans son anorak. Le vent soulevait ses cheveux sombres qui évoquaient la crête d'un coq. En jetant un coup d'œil pardessus son épaule, Fin vit une enveloppe A4 marron sur la banquette. Il lança le bras en arrière pour l'attraper et en sortit les photocopies du rapport d'autopsie.

Il ne fallut à Fin que quelques minutes pour le parcourir. Le passage qu'il recherchait se trouvait dans le préambule. La description détaillée de l'état du corps effectuée par le professeur Wilson. Ce qu'il lut le remua si profondément qu'il fut pris de tremblements.

Quand Gunn revint à la voiture, le rapport était revenu dans son enveloppe, posé sur la banquette arrière, là où il l'avait laissé. Mais, en voyant l'expression de Fin, il était clair qu'il l'avait consulté et que ce qu'il y avait trouvé l'avait rendu livide.

« Qu'avez-vous découvert, monsieur Macleod ? Vous avez la tête de quelqu'un qui vient de voir un fantôme. »

Fin tourna brusquement la tête et fixa Gunn droit dans les yeux. « C'est exactement ça, George. » Il ouvrit la porte, prêt à sortir.

« Attendez une minute, monsieur Macleod. Je mérite de savoir. »

Fin hésita. « C'est juste, George. Et je vous promets que vous serez le premier à savoir. Mais pas tout de suite. » Il claqua la portière et tandis qu'il montait dans sa Jeep, il entendit Gunn qui, exceptionnellement, jurait dans sa voiture.

II

Le ciel au-dessus de la plage de Tràigh Uige semblait avoir été repeint. De larges coups de pinceau gris pâle et crème. Le vent était vif et frais et agitait les dernières potentilles de la côte, flétrissant leurs pétales jaunes comme le premier souffle de l'hiver. Fin quitta le bitume de la route et remonta le chemin jusqu'à l'aire plane et rocailleuse devant la *blackhouse*. Il n'avait pas grand espoir d'y trouver Whistler, mais c'était l'endroit le plus évident par où commencer.

Quand il sortit de la Jeep, il sentit l'odeur de la fumée de tourbe flotter dans l'air, comme celle que dégagent les galettes d'avoine grillées quand on les a trop laissé chauffer. Peut-être était-il chez lui, finalement. La porte d'entrée n'était pas complètement fermée. Fin la poussa et appela dans la pénombre.

« Whistler, tu es là ? Whistler ? Il faut qu'on parle. »

Silence. Il entra et fut saisi par le spectacle qui l'accueillit. C'était le chaos. Les meubles renversés, des morceaux de vaisselle brisée étalés sur le sol au milieu des copeaux de bois. L'alignement des figurines de Whistler avait été brisé, plusieurs sculptures gisaient sur le sol. Il avança d'un pas et, à la faveur de la lumière oblique qui filtrait par la fenêtre étroite du fond, il vit la forme massive de Whistler, prostré, le visage contre le sol. Du sang coulait de son crâne et formait une flaque sur le plancher.

« Seigneur, Whistler ! » Fin traversa la pièce en trois enjambées, s'agenouilla à côté de lui et posa deux doigts sur son cou pour sentir son pouls. Sa lèvre était fendue et du sang s'échappait de sa bouche. Fin vit les jointures meurtries et sanguinolentes de sa grosse main tendue. Il était vivant. Derrière lui, le raclement d'un pas sur le sol surprit Fin. Il se tourna à moitié et un flash lumineux envahit son crâne. La douleur lui traversa le corps et il sombra dans la nuit.

III

Depuis aussi longtemps que quiconque pouvait s'en souvenir, Padraig la Poste distribuait le courrier de ce côté de l'île et plus personne ne trouvait son surnom ridicule. Il laissait toujours sa camionnette sur la route et allait jusqu'à la maison de Whistler à pied. Aujourd'hui, il apportait une lettre recommandée du tribunal pour laquelle il lui fallait une signature. C'est pour cette raison qu'il frappa et ouvrit la porte sur le chaos qui régnait à l'intérieur.

Fin pouvait à peine bouger mais prit conscience de la lumière qui l'atteignit lorsque la porte s'ouvrit. Il referma les yeux sous l'effet de la douleur et fut aveuglé par la clarté qui envahit son crâne. Quand il les ouvrit de nouveau, il sentit une présence, quelqu'un agenouillé à côté de lui, il y avait un sac postal jeté au milieu des débris. Une main se posa sur son épaule, quelqu'un lui intima de ne pas bouger. Une ambulance était en route. La voix résonnait dans les tympans. Il cligna des yeux pour évacuer le voile rouge qui lui obstruait la vue et vit Whistler couché à une trentaine de centimètres, son imposant visage mangé de barbe écrasé contre le sol, les lèvres sanguinolentes et entrouvertes, la mâchoire relâchée. Tout autour d'eux, les visages des guerriers nordiques semblaient les narguer en silence.

Il n'avait aucune idée du temps qui était passé. Il était conscient de moments fugaces, comme de brèves éclaircies dans un ciel nuageux. Le grondement des roues derrière lui, le son d'une sirène. De la lumière, l'obscurité, puis à nouveau la lumière. Bleue maintenant. Et puis des lueurs blanches au-dessus de lui, comme une procession de gros ballons. Il crut voir le visage de Marsaili, creusé par l'inquiétude, mais il n'aurait pu dire s'il s'agissait d'un rêve.

Enfin, émergeant de l'obscurité, le monde sembla redevenir tangible. La douleur était encore présente, comme un écho lointain au fond de son esprit, une sensation cotonneuse. Il était dans un lit dont la tête et les pieds étaient faits de tubes de métal. Il y en avait un autre à côté de lui. Deux en face. Tous vides. La lumière du soleil se glissait entre les bandes des stores verticaux. La silhouette d'un homme se pencha au-dessus de lui. Un homme vêtu d'un manteau blanc avec un accent étranger. Allemand peut-être. Surgi de nulle part, le souvenir lui revint que Gunn lui avait raconté que l'hôpital regorgeait d'internes d'origine étrangère. Dieu seul savait ce qui les attirait sur l'île.

Il inspecta les yeux de Fin, relevant ses paupières, l'une après l'autre. « Il souffre d'une sérieuse commotion », dit-il, et Fin se demanda à qui il s'adressait. « Je vais le garder en observation pendant encore vingt-quatre heures. » Il se redressa et s'éloigna du lit. « Après ça… » Fin le vit hausser les épaules. « Vous pouvez passer quelques instants avec lui. »

Il sortit du champ de vision de Fin qui se rendit compte qu'il n'était pas capable de tourner la tête pour le suivre du regard. Une ombre s'avança. Puis une autre. Il sentit une odeur d'après-rasage, entêtante, comme celle d'une pute qui se parfume trop. Ce détail, et quelque chose dans l'attitude de l'homme situé le plus près de son lit, fit immédiatement comprendre à Fin qu'il s'agissait d'un flic.

« Inspecteur principal Colm Mackay. » Il eut sa confirmation. L'homme se tourna à demi. « Inspecteur Frank Wilson. » Un silence. Il s'approcha et baissa un peu la voix. « Dès que vous serez rétabli, monsieur Macleod, je vous arrêterai sur présomption du meurtre de John Angus Macaskill. D'ici là, un officier de police sera posté à votre porte. Juste au cas où vous auriez la mauvaise idée de partir faire une balade. »

Et tout ce à quoi Fin put songer, avec une douleur encore plus forte que celle qui lui emplissait le crâne, c'était que Whistler était mort.

CHAPITRE 23

I

La lumière du soleil entrait de biais par la fenêtre à barreaux percée haut dans le mur. Fin s'assit sur son lit, les mains agrippées aux rebords comme s'il avait peur de tomber. Il avait la tête penchée et scrutait le sol en béton. De l'autre côté de cet espace minuscule, une flèche blanche peinte à même le sol à côté de la porte pointait vers La Mecque. S'il avait cru en Dieu, et qu'il fut de cette confession, il aurait pu être tenté de s'agenouiller et de prier. Prier pour un ami mort. Un moment passé, une vie perdue. Sans moyen de la faire revenir. Impossible de remonter le temps et d'essayer autrement. Dorénavant, Whistler n'existait plus que dans sa mémoire, et celle des autres. Et quand à leur tour ils auraient disparu, il ne resterait plus aucune trace de lui sur terre, si ce n'est ses os, enterrés sous la surface, et ses éoliennes et figurines sculptées. Et une fille à présent orpheline.

Fin avait l'impression que sa tête était prise dans un étau. Un bandage blanc lui entourait le crâne et maintenait en place le pansement qui se trouvait sur l'arrière où ils avaient recousu la plaie. Mais il n'éprouvait pas de douleur. Il était encore trop insensibilisé pour sentir quoi que ce soit. Il ne réaliserait l'ampleur de ce qui lui était arrivé que lorsque l'anesthésie cesserait de faire effet et que la douleur s'installerait. Il se demanda s'il serait capable de la supporter.

Il ferma les yeux. Combien d'âmes perdues étaient-elles passées par cette pièce ? Ivrognes, maris violents, escrocs et bagarreurs. Il était, en revanche, l'un des rares à risquer d'être accusé de meurtre. Pour le moment, il ne faisait qu'aider la police dans son enquête. Non qu'il ait été, ou puisse être, d'un grand secours. Il n'avait aucune idée de ce qui était arrivé à Whistler, et on ne l'avait pas encore interrogé. Il avait perdu une journée à l'hôpital, et maintenant il avait perdu sa liberté, enfermé dans une cellule, victime d'événements qui lui échappaient totalement.

Une clé tourna dans la serrure et la porte s'ouvrit. George Gunn se glissa dans la cellule et referma prestement la porte derrière lui. Il portait le même anorak que la veille. Il se tourna et regarda Fin qui lut la tension sur son visage. « Je suppose qu'il ne reste plus de saumon », dit Fin.

Mais cela ne fit pas sourire Gunn. « Pour l'amour de Dieu, monsieur Macleod ! Vous savez qu'ils veulent vous inculper ? »

Fin baissa la tête et contempla à nouveau le sol. Il acquiesça.

« Cet inspecteur Mackay est un bâtard en or massif. Je l'ai connu quand j'étais à Inverness.

— Je ne l'ai pas tué, George.

— Seigneur, monsieur Macleod. Ça ne m'a pas traversé l'esprit une seconde.

— Whistler était encore vivant quand je suis arrivé. J'ai senti son pouls. »

Gunn hocha la tête. « Apparemment, il a rampé sur le sol pendant que vous étiez inconscient. Il a laissé une traînée de sang. Comme s'il avait essayé d'atteindre quelque chose. Le légiste dit qu'il est mort d'un hématome épidural, et qu'il n'est pas rare que survienne une brève période de lucidité après l'inconscience. Mais elle est ensuite suivie d'un coma et de la mort. Il avait un sacré trou dans le crâne, monsieur Macleod.

— On aurait dit qu'il y avait eu une bagarre, George.

— Oui, c'est évident. Mais que faisiez-vous là, monsieur Macleod ? Qu'est-ce que vous avez vu dans le rapport d'autopsie qui vous a poussé à partir à la recherche de Whistler Macaskill ? » Fin ne répondit pas. Il soupira d'exaspération entre ses dents serrées. « Bon, laissez-moi vous dire ce que moi je sais. Je sais que je vous ai laissé consulter le rapport d'autopsie de Roddy Mackenzie. Je sais que vous y avez trouvé quelque chose que vous ne souhaitez pas partager avec moi. Et je sais que vous êtes allé directement de Tolastadh jusqu'à la ferme de John Angus Macaskill à Uig. Et voilà qu'on retrouve le type en question mort, et vous, allongé à côté avec le crâne ouvert. » Toujours le silence. « Nom de Dieu ! J'ai fait des pieds et des mains pour vous aider, monsieur Macleod. Et plus d'une fois. Je crois que vous m'êtes redevable. »

Fin prit une profonde inspiration. Mairead, et maintenant Gunn. « En effet. Mais je ne peux rien vous dire, George. Pas encore. » Il entendit Gunn soupirer, excédé.

Gunn entrouvrit la porte et passa la tête pour jeter un coup d'œil inquiet dans le couloir. Il baissa la voix. « Je ne devrais même pas être là. Et je ne peux pas vous aider si vous n'y mettez pas du vôtre. » Il lança un regard noir à Fin. « J'espère juste que vous n'allez pas me foutre dans la merde. »

Fin leva le regard, fixa Gunn dans les yeux et leva un sourcil. « Je pensais que vous me connaissiez mieux que ça, George.

— Je veux le croire, monsieur Macleod. Je veux vraiment le croire. »

Il ouvrit un peu plus la porte, se faufila dans le couloir et referma derrière lui. Fin entendit à nouveau la clé tourner dans la serrure.

Une demi-heure passa avant qu'il n'entende le grincement de chaussures en cuir épais sur le béton et, à nouveau, le bruit de la clé dans la serrure. Cette fois-ci, un sergent en uniforme se tenait debout dans l'embrasure et regardait Fin avec une curiosité attentionnée. « L'inspecteur principal souhaiterait vous voir, monsieur Macleod. »

Fin hocha la tête et se mit lentement sur ses pieds.

Il n'y avait qu'une seule fenêtre dans la salle d'interrogatoire. Elle donnait sur une sorte de cour ou de parking. L'inspecteur principal Mackay et l'inspecteur Wilson se tenaient debout derrière une table en bois, deux chaises derrière eux et, de l'autre côté de la table, une chaise seule. Le sergent en uniforme referma la porte et se posta devant, les bras croisés. Mackay fit signe à Fin de s'asseoir.

L'inspecteur principal était un homme grand, avec une tête de fouine. Il laissait pousser ce qui lui restait de cheveux et les plaquait sur son crâne avec du gel pour masquer sa calvitie. Fin s'était toujours méfié des types ayant aussi peu d'amour-propre. Il était rasé de près, avec la peau légèrement rose et piquée de ceux qui ne supportent pas les lames. Son long cou était ponctué d'une énorme pomme d'Adam et se perdait dans un col de chemise trop large. En s'asseyant, il enclencha avec un doigt long et osseux le bouton d'enregistrement du magnétophone numérique qui se trouvait sur la table à côté d'un dossier marron.

L'inspecteur Wilson était au contraire un homme de petite taille, réduit au rôle d'observateur par son officier supérieur. Il était presque invisible. Ni Fin ni Mackay ne lui accordaient la moindre attention.

Mackay, qui s'exprimait avec un fort accent d'Inverness, annonça la date et l'heure pour l'enregistrement ainsi que le nom de ceux qui étaient présents. Il entrelaça ses doigts squelettiques devant lui, sur la table.

« Peut-être voudriez-vous nous dire, monsieur Macleod, pourquoi vous avez assassiné John Angus Macaskill ? »

Fin soutint le regard de Mackay jusqu'à ce que l'inspecteur principal commence à se sentir mal à l'aise. Il devait savoir que Fin avait lui-même atteint le rang d'inspecteur principal avant de quitter la police et il flottait donc entre eux une forme de rivalité. Presque une hostilité déclarée.

« Permettez-moi de mettre les choses au clair dès le début, inspecteur. Je n'ai pas tué John Angus Macaskill. » En prononçant ces mots, la douleur de la mort de Whistler ressurgit. À chaque fois qu'il l'exprimait, elle devenait de plus en plus réelle.

« J'écoute.

— John Angus a été un ami cher et proche depuis notre première rencontre à l'institut Nicolson, ici même à Stornoway, il y a plus de vingt ans.

— Pas si proches que cela selon les témoins auxquels j'ai parlé. » Mackay l'observa avec attention. « Apparemment, vous avez tous les deux été impliqués dans une bagarre au bar de l'auberge Suaineabhal il y a à peine plus d'une semaine, au cours de laquelle la victime vous a frappé. Des menaces ont été proférées. » Il ouvrit son dossier beige. « Et de nouveau l'autre jour. Devant le palais de justice. On vous a vu vous disputer, et la victime vous a jeté à terre.

— Peut-être que si vous arrêtiez de vous concentrer sur le mobile pendant cinq minutes et que vous vous contentiez d'examiner les faits… », dit Fin. La pomme d'Adam de Mackay se déplaça de haut en bas tandis qu'il ravalait sa colère.

« Continuez.

— Je suis allé rendre visite à John Angus, à sa ferme de Uig, hier matin et je l'ai trouvé étendu sur le sol, inconscient. Il m'a paru évident qu'il y avait eu une altercation. Les meubles étaient renversés, il y avait du verre et de la vaisselle brisés partout sur le sol. Je me suis agenouillé à côté de lui pour tâter son cou et trouver son pouls, et à ce stade il était encore vivant. À ce moment-là, j'ai entendu quelqu'un qui s'approchait de moi par-derrière et je ne me souviens pas de ce qui est advenu ensuite jusqu'à ce que je reprenne conscience et que je voie le facteur accroupi à côté de moi. »

Il fit une pause, sans quitter l'inspecteur des yeux.

« Whistler avait l'arrière du crâne qui saignait. Il y avait une flaque de sang sur le sol à côté de lui. Son visage était tuméfié. Sa lèvre était fendue et saignait. Les jointures de sa main droite étaient gonflées et égratignées. Je suis sûr que tout cela, ainsi que d'autres blessures, a été décrit dans le rapport d'autopsie du légiste. Je suis également sûr qu'il en aura conclu que cet homme a été pris dans une sacrée bagarre.

— Les indices le confirmeront certainement », concéda Mackay.

Fin se leva. Le sergent en uniforme se mit immédiatement sur ses gardes et s'écarta de la porte contre laquelle il était appuyé.

« Où diable croyez-vous aller ? », lui demanda Mackay.

« Je ne vais nulle part, inspecteur. » Fin déboutonna sa chemise, l'enleva et la suspendit sur le dossier de sa chaise, tandis que les deux inspecteurs le regardaient avec stupéfaction. « Vous pouvez demander à un médecin de m'examiner. » Il tendit les bras devant lui et écarta les mains pour en montrer les jointures. « Mais je ne crois pas que vous trouverez un seul hématome, une seule coupure ou éraflure sur mon torse, mes bras ou mes mains qui pourraient avoir été provoqués par ma participation à une bagarre de ce genre. Whistler Macaskill était un colosse. Il a certainement mis celui qui l'a tué dans un sale état. Et qui que cela ait pu être, à l'évidence, ce n'est pas moi. »

Il observa les yeux de l'inspecteur qui couraient sur son torse et ses mains, vit le doute qui s'y installait. Il saisit sa chemise sur le dossier de la chaise et l'enfila.

« Maintenant, je suis disposé à vous aider dans la mesure de mes moyens. Mais je ne pense pas que vous ayez une raison quelconque de me maintenir en détention, même pour les quelques heures autorisées par la loi. Par conséquent, je vous suggère soit de m'inculper soit de me laisser partir. Et, à moins que vous n'ayez l'intention de vous ridiculiser complètement, je vous conseille fortement d'opter pour la deuxième solution. »

Mackay le fusilla du regard. Il tendit le bras au-dessus de la table pour éteindre le magnétophone. « Vous autres, foutus ex-flics que vous êtes, vous vous croyez plus malin que tout le monde. » Il se leva et pointa un de ses doigts osseux vers Fin. « Mais je suis prêt à parier, Macleod, que vous en savez foutrement plus que ce que vous voulez bien nous dire. Et quand j'aurai trouvé de quoi il s'agit, croyez-moi, je vous ferai ramener ici à une telle putain de vitesse…

— Que mes pieds ne toucheront pas terre ? C'est ce que vous vous apprêtiez à dire, monsieur Mackay ? » Fin marqua une pause. « Très original. »

Pour la première fois, le regard de Fin glissa un instant vers le collègue de Mackay et il lui sembla voir l'esquisse d'un sourire sur ses lèvres.

II

Le sergent de garde l'aiguilla vers le parking situé à côté du commissariat et l'informa que sa Jeep y avait été garée après avoir été ramenée de Uig par un officier en uniforme.

Fin sortit du commissariat dans Church Street baignée par le soleil changeant d'un jour venteux d'octobre. Ce qui l'étonna était que la vie continuait comme si rien ne s'était passé. Une jeune mère, les cheveux virevoltant autour de la tête, avançait avec son bébé assis dans une poussette. Deux vieillards discutaient devant la salle du royaume des Témoins de Jéhovah. Des voitures roulaient en direction du port où des nuages de mouettes tournoyaient en cercles sans fin autour des chalutiers, leurs cris plaintifs portés par le vent se mêlant au brouhaha de la circulation de Bayhead.

Whistler n'était plus, mais le monde continuait de tourner. Fin avait ressenti la même chose quand Robbie était mort. Ses jouets étaient encore dispersés sur le sol de sa chambre, là où il les avait laissés. Un dessin au crayon de couleur qu'il avait fait de Fin était encore posé sur la table de la cuisine à côté de sa boîte de crayons ouverte. Il avait écrit dessous « Mon Paba ». Même à huit ans, il lui arrivait encore de confondre ses *p* avec ses *b*. Et chaque fois que Fin remontait le couloir à l'étage, cela lui brisait le cœur de penser que plus jamais Robbie ne viendrait en courant de sa chambre pour sauter dans ses bras.

Il se souvenait parfaitement d'un dimanche matin après l'accident où, assis sur le bord de son lit, il avait entendu un voisin tondre sa pelouse. Si banal. La vie ne s'était tout simplement pas arrêtée, même si Robbie n'en faisait plus partie. C'était cette sensation d'un monde qui n'avait rien remarqué qui l'avait le plus touché. Hier comme aujourd'hui.

Tandis qu'il se rendait vers le parking, il sentait que ses jambes étaient lourdes comme du plomb. Il avait à peine glissé sa clé dans la portière de son Suzuki qu'il entendit le raclement d'une chaussure sur le gravier, juste derrière lui. Il se retourna, inquiet, et dut battre en retraite sous la pluie de coups qui s'abattirent sur sa poitrine et son visage, de cris dans ses oreilles, face au souffle chaud sur sa peau. Il eut l'impression fugace d'être attaqué par une nuée d'oiseaux pris de folie. Son champ de vision était envahi de bras qui fendaient les airs, ses oreilles emplies de hurlements de colère perçants. Des pieds frappaient ses jambes, des coups précis et douloureux dans les tibias. Il fut surpris de constater que tout cela n'était le fait que d'une seule fille, plutôt menue.

Il se débattit pour esquiver les poings qui le frappaient comme des pistons lancés à toute vitesse. Il vit son père dans ses yeux, dans sa colère, dans ce tempérament qu'il n'avait jamais su maîtriser. Au bout d'un moment qui lui parut durer une éternité, il parvint à se saisir de ses poignets, à la faire pivoter pour lui plaquer les bras en travers de la poitrine et à la ramener contre lui pour mettre fin à l'assaut.

« Arrête ça ! Arrête ! », lui cria-t-il.

Mais elle continuait à se débattre et il faillit lâcher prise. « Vous avez tué mon père ! Vous l'avez tué !

— Pour l'amour de Dieu, Anna, je n'ai pas tué ton père. La police m'aurait-elle relâché si je l'avais tué ? » Il sentit presque immédiatement l'effet de ses paroles sur Anna qui commença à se calmer. « J'aimais ce type. »

Le corps d'Anna se relâcha et ses sanglots incontrôlables atteignirent Fin au plus profond de lui-même, faisant monter des larmes dans ses yeux. Il n'avait encore jamais formulé les sentiments qu'il éprouvait à l'égard de Whistler. Il n'avait jamais eu de raison de le faire. Whistler était simplement son ami, le garçon et l'homme qui lui avait sauvé la vie par deux fois. Liés par leur histoire et les heures qu'ils avaient partagées quand ils étaient adolescents, les espoirs et les rêves, les combats et l'amitié. Whistler était imprévisible, d'un caractère de cochon, quelquefois cruel. Mais il avait toujours été présent quand Fin avait eu besoin de lui, un engagement pris des années auparavant en cette journée passée au monument de l'*Iolaire*. À présent il n'était plus, et tout ce qui restait de lui se trouvait entre les bras de Fin.

Fin lâcha les poignets d'Anna et la tourna vers lui. Ses cheveux noirs coupés court barrés d'un trait rose, les anneaux et les clous qui parsemaient son visage, lui donnaient l'air d'une grotesque caricature en deuil. Son maquillage noir coulait sur ses joues. Ses lèvres peintes de mauve tremblaient comme celles d'un enfant. Son nez coulait et elle avait du mal à reprendre son souffle au milieu de ses sanglots.

« Je… je ne lui ai jamais dit », bafouilla-t-elle.

Fin fronça les sourcils. « Dis quoi ?

— Que je l'aimais. »

Il ferma les yeux et sentit les larmes chaudes sur sa peau. Il passa ses bras autour d'elle, pour l'envelopper, la serrer contre lui.

« Et maintenant, c'est trop tard. » Sa voix était étouffée contre sa poitrine. « Pour tout. »

Fin la prit par les épaules et la fit reculer d'un pas, l'obligeant à le regarder. « Anna, écoute-moi.

— Quoi ? » Elle le dévisagea avec défi, comme s'il essayait de la forcer à écouter quelque chose qu'elle ne voulait pas entendre.

« Les hommes ne parlent pas souvent d'amour entre eux. » Il prit une profonde inspiration, tremblante. « Mais on en a parlé, ton père et moi. L'autre jour, devant le palais de justice. Et je lui ai répété ce que tu m'avais dit chez lui. » Malgré tout, il sourit à travers ses larmes. « Bien sûr, j'ai omis les gros mots. Même si ça ne l'aurait pas choqué. Simplement, ne pense pas qu'il soit mort sans savoir que sa fille l'aimait. » Il lui fallut un petit moment pour reprendre le contrôle de sa voix. « Et je sais que le seul regret qu'il aurait à cet instant, c'est de n'avoir jamais eu l'occasion de te dire la même chose. »

Elle le fixait avec le même regard que son père, le visage défait, sa respiration encore irrégulière et il percevait sa douleur et sa confusion.

« Laisse-moi te reconduire chez toi. »

Dans un soudain accès de colère, elle leva le bras et se libéra de son emprise. « Non ! », cria-t-elle. « Ne vous approchez pas de moi. Vous, Kenny, tous les autres. Je vous déteste. Je vous déteste tous. » Elle fit demi-tour et partit en courant dans Church Street, laissant libre cours à ses larmes. Quelques secondes après, elle avait disparu.

Fin resta figé pendant un long moment, adossé contre sa Jeep, avant de se tourner, péniblement, et de grimper sur le siège conducteur. Une fois installé, il resta ainsi un moment encore plus long jusqu'à ce qu'il succombe à son tour à son propre chagrin. Pour Whistler et sa petite fille perdue.

III

Le trajet jusqu'à Uig se déroula dans un brouillard douloureux. De grosses gouttes de pluie s'écrasaient sur son pare-brise telles des larmes versées pour Whistler. Elles tombaient d'un ciel si sombre et si bas, qui touchait et s'accrochait à chaque relief du paysage, que Fin avait l'impression qu'il aurait pu l'atteindre en levant le bras. Les montagnes du Sud-Ouest étaient perdues dans une brume qui noyait tout.

Les pensées de Fin étaient braquées et concentrées sur un seul homme. Le seul homme capable d'infliger suffisamment de dégâts à Whistler pour le tuer.

La Land Rover était stationnée sur le remblai compact qui s'étendait devant sa maison. La pluie tombait à l'horizontale à travers les hectares de sable qui s'étendaient en travers de la baie vers Baile na Cille, aplatissant les hautes herbes qui poussaient comme des roseaux autour de la maison.

Si Fin s'était arrêté un moment pour penser à ce qu'il devait faire, il aurait fait une pause pour réfléchir, mais il était aveuglé par le linceul de colère écarlate qui était descendu sur lui. Il fit voler la porte de la maison avec une telle force qu'elle alla frapper le mur du hall d'entrée où elle laissa une marque profonde dans le plâtre. « Minto ! » Il entendit sa propre voix rugir et revenir vers lui en écho dans la maison. Il débula dans le salon et sentit la douce chaleur des braises d'un feu de tourbe presque éteint qui planait encore dans l'air. La pièce était vide. La porte de la cuisine était entrouverte. Il s'y précipita, mais il n'y avait personne. Soudain, il pivota sur lui-même en entendant le plancher grincer derrière lui.

Minto se tenait debout, vêtu d'un caleçon et d'un maillot de corps, un fusil calé sur son bras gauche, maintenu contre son épaule gauche par sa main gauche. Il tremblait légèrement, mais il était pointé directement sur Fin. Son bras droit était tenu en écharpe contre sa poitrine.

« Qu'est-ce que vous voulez, bordel ? »

Il regardait Fin avec un mélange de colère et d'incompréhension. Mais Fin ne pouvait détacher son regard de l'écharpe qui retenait son bras. Il leva les yeux et les braqua dans ceux de Minto. Il avait oublié que Whistler lui avait déboîté l'épaule lors de leur rencontre à Tathabhal. « Quelqu'un a tué Whistler Macaskill.

— Je sais. Le bâtard m'a devancé. » Minto gardait le canon de son fusil braqué sur Fin. Un demi-sourire se dessina sur ses lèvres et il émit un petit grognement de satisfaction. « Vous pensiez que c'était moi ? »

Fin secoua la tête. Même Minto n'aurait pas été capable de venir à bout de Whistler avec un seul bras. Mais, si ce n'était pas Minto, la seule possibilité envisageable risquait de le conduire aux frontières de l'impensable.

CHAPITRE 24

I

Il n'y avait qu'une poignée de voitures sur le parking du Cabarfeidh. Tandis qu'il garait sa Jeep sur une place faisant face à l'entrée principale, Fin jeta un coup d'œil sur les autres véhicules. Il ne vit aucun signe de la voiture de location de Mairead. Il traversa le hall d'entrée en toute hâte et se dirigea droit sur la réception. La fille derrière le guichet le gratifia d'un sourire bien rôdé mais, en dépit de l'accueil américanisé, on ne pouvait manquer son accent de Stornoway. « Bonjour. En quoi puis-je vous être utile ? » Il vit son regard se poser quelques instants sur le bandage qui ornait sa tête.

« Mairead Morrison est-elle là ? »

La fille eut l'air surpris. « Miss Morrison a quitté l'hôtel ce matin, sir. Le loueur de voitures Lewis Car Rental vient juste de récupérer son véhicule. Elle s'est rendue à l'aéroport en taxi. »

Fin consulta sa montre. « Son vol est à quelle heure ?

— Le vol pour Glasgow décolle à 12 h 20. »

Il était 11 h 45.

Fin arriva à l'aéroport en à peine plus de dix minutes. Tandis qu'il remontait la route menant d'Oliver's Brae au rond-point, il pouvait apercevoir le petit avion à hélices stationné sur le tarmac et les bagages qu'on remorquait vers la soute.

Les essuie-glaces usés de sa Jeep étalaient la pluie qui continuait à tomber sur son pare-brise. Il n'avait pas le temps de trouver une place de stationnement. Il dépassa le parking et se gara devant les portes coulissantes qui permettaient d'accéder au petit bâtiment du terminal. Il abandonna son Suzuki, le moteur en marche, et courut à l'intérieur. Quelques personnes patientaient dans la salle d'attente, des silhouettes se découpaient sur les baies panoramiques donnant sur les pistes. Les derniers retardataires qui faisaient la queue pour passer la sécurité et rejoindre la salle d'embarquement attendaient patiemment leur tour.

Il repéra Mairead, facilement reconnaissable dans son long manteau noir. Elle présentait son billet à l'officier de sécurité.

« Mairead ! » Sa voix résonna dans le petit aéroport et les voyageurs, dont Mairead, se tournèrent dans toutes les directions. Il fut presque choqué par la pâleur de son visage qui contrastait violemment avec le noir qu'elle affectionnait tant et le châtain foncé de ses cheveux.

L'officier de sécurité avait encore son billet à la main, attendant de le lui rendre. Mais elle restait figée, comme un lapin pris dans le faisceau des phares d'une voiture. Elle regardait Fin, les yeux écarquillés. Il commença à traverser le hall dans sa direction. « Il faut que je te parle », lui lança-t-il.

Elle finit par retrouver sa voix. « Je n'ai pas le temps. Mon vol va partir. » Elle se tourna pour récupérer son billet.

« Tu prendras le suivant. »

Les passagers qui faisaient la queue derrière elle regardaient successivement Mairead, puis Fin et réciproquement, fascinés par le drame qui se jouait sous leurs yeux. Non seulement la chanteuse Mairead Morrison allait prendre le même avion qu'eux, mais elle était en pleine dispute avec un homme au regard fou, à la tête bandée et sanguinolente.

« Je ne peux pas.

— Si tu prends cet avion, je me rends directement au commissariat de Stornoway pour dire aux flics ce que je sais. » Il lisait dans ses yeux l'anxiété et l'incertitude.

« Il faut que je vous demande de vous dépêcher, madame », dit l'officier de sécurité.

Fin s'arrêta et soutint son regard pendant un long moment avant de voir sa résistance s'effriter, capituler face à l'inévitable. Elle prit une profonde inspiration, fendit la queue des derniers passagers et se dirigea résolument vers Fin, la main fermement serrée autour de son billet, hostile. Elle baissa la voix et plaça son visage à une quinzaine de centimètres du sien. « Dis-moi », siffla-t-elle.

« Je sais que ce n'était pas Roddy dans l'avion. »

Ses yeux bleus se glacèrent et pendant quelques instants il put presque discerner le raisonnement qui se déroulait dans son esprit. Elle finit par prendre une décision, lui saisit le bras et l'éloigna rapidement, en direction de la salle d'attente, face aux baies vitrées. « De quoi parles-tu ?

— Je te parle de l'opération qu'a subie Roddy pour réparer son fémur fracturé après l'accident sur la Route Vers Nulle Part. On a placé des vis et des plaques pour le maintenir en place. Bizarrement, il n'y en avait pas sur le cadavre retrouvé dans le cockpit. » Elle détourna le regard. Silencieuse et pensive, elle contemplait l'avion qui attendait de l'autre côté de la vitre. Sans doute aurait-elle souhaité se trouver déjà à bord. « Mairead, qui avons-nous enterré l'autre jour ? »

Ses yeux revinrent brièvement sur lui avant de se détourner à nouveau.

« Whistler savait que ce n'était pas Roddy. Je ne sais pas comment, mais il le savait. Il n'a plus été le même après que nous avons découvert cet avion. Que savait-il,

Mairead? » Comme elle s'obstinait dans son silence, il lui saisit le bras au-dessus du coude, enfonçant ses doigts dans la chair souple. Il la vit grimacer sous l'effet de la douleur. « Avoue! Quelqu'un a tué Whistler pour le faire taire, n'est-ce pas? »

Elle tourna brusquement la tête, les yeux emplis d'un étrange mélange de colère et de douleur. « Non! » Elle respirait difficilement. « Je n'ai aucune idée de qui a pu tuer Whistler. Ni pourquoi.

— Je ne te crois pas. » Il la dévisagea d'un œil mauvais. « Il y avait quelque chose entre vous deux. Vous saviez tous les deux qu'il ne s'agissait pas de Roddy. » Il fut presque choqué en voyant ses yeux se remplir de larmes.

« Pauvre Whistler. » Des larmes se mirent à couler sur ses joues d'une blancheur de la porcelaine.

Fin resta de marbre. « Si je ne te connaissais pas, Mairead, je pourrais presque croire qu'elles sont sincères. » Elle leva les yeux sur lui et il y lut une douleur authentique. « Dis-moi la vérité sur Roddy. Est-il vivant ou est-il mort? Je veux la vérité, Mairead. » Ses yeux, son visage, tout son langage corporel exprimaient l'hésitation. « Je ne te laisserai pas en paix. Tu peux me le dire à moi ou tu peux le dire à la police. C'est à toi de choisir. »

Elle se détourna encore une fois et regarda fixement de l'autre côté de la fenêtre comme si elle cherchait de l'aide, ou espérait une intervention divine. Fin vit les passagers, tête penchée en avant contre le vent et la pluie, se presser sur le tarmac jusqu'au pied de la passerelle. Parmi eux, les visages pâles de Strings, Skins et Rambo scrutaient la lumière qui émanait du bâtiment du terminal. À l'évidence ils avaient vu Fin avec Mairead. Ils échangèrent quelques mots. Mais il était trop tard pour qu'ils puissent faire demi-tour.

« Il faut que je passe un coup de fil », dit soudainement Mairead. Elle libéra son bras de la main de Fin et s'éloigna dans le hall tout en sortant son téléphone portable d'une des poches de son manteau. Elle sélectionna un numéro en mémoire et le colla à son oreille.

Fin l'observait de loin pendant qu'elle s'entretenait rapidement avec son interlocuteur. Un instant, il se demanda si cela pouvait être Strings, Skins ou Rambo qui embarquaient. Elle semblait se disputer. Elle agitait sa main libre dans les airs et il l'entendit brièvement élever la voix pour protester. Enfin, elle raccrocha. Elle resta immobile pendant plusieurs secondes, comme si elle repassait la conversation dans sa tête, puis elle revint vers Fin en rangeant son téléphone.

Son regard était dur, sans émotion. « Tu veux la vérité ? », dit-elle. Elle marqua une pause pendant ce qui sembla être un moment long et douloureux. « Rejoins-moi après-demain. À Malaga. »

II

« Je ne veux pas que tu y ailles », répétait-elle comme un refrain.

Fin la regarda par-dessus son ordinateur portable. Marsaili se tenait dans l'encadrement de la porte du bureau. La pièce qui avait été autrefois le repaire du père d'Artair, là où il avait enseigné les mathématiques, l'anglais, l'histoire et la géographie à Fin et Artair, pendant les longues soirées d'hiver. Fin aurait juré que le parfum de la fumée de la pipe de monsieur Macinnes flottait encore dans la pièce, même après toutes ces années.

Une lampe de bureau diffusait sa lumière sur le clavier de Fin tandis qu'il entrait les dates et les heures pour afficher la liste des prix.

« Je suis sérieuse, Fin. Je ne veux pas que tu partes. » Le même refrain que Mona quand on l'avait renvoyé sur l'île pour trouver l'assassin d'Angel Macritchie.

« Il faut que je sache, Marsaili.

— Il faut que tu ailles à la police et que tu leur dises ce que tu sais déjà. Ils sont persuadés que tu as quelque chose à voir avec le meurtre de Whistler, bon sang. C'est de la folie.

— J'irai les voir quand je saurai la vérité. Toute la vérité.

— Et tu crois que tu vas l'apprendre de Mairead ? » La manière dont elle prononçait Mairead dégoulinait de sarcasme.

Fin la regarda à nouveau. Elle commençait à lui hérisser le poil. « C'est uniquement à cause de cela, n'est-ce pas ? Parce que je vais retrouver Mairead en Espagne ?

— J'ai vu la manière dont elle te regarde, Fin. Et j'ai vu ton regard aussi. C'est un regard que je connais bien. Nous avons été amants aussi, tu te souviens ? »

Fin braqua ses yeux dans les siens. « Mairead ne m'intéresse pas, Marsaili. Je ne l'aimais pas avant et je ne l'aime pas plus maintenant. »

Il y eut un blanc. Marsaili digérait ce qu'il venait de dire, essayant d'y trouver un accent de vérité, mais n'aboutissait qu'à des conclusions floues, celles d'un esprit embrouillé par la jalousie.

« Je ne comprends pas que tu sois obligé d'aller làbas. Tout le monde sait qu'Amran a une propriété dans le sud de l'Espagne où ils composent et enregistrent. Si Mairead a quelque chose à te dire, pourquoi ne te l'at-elle pas dit quand elle était ici ? »

Fin perdait patience. « Je n'en sais rien ! Mais si je dois faire un aller-retour en Espagne pour découvrir la raison de la mort de Whistler, eh bien, je le ferai. Seigneur, Marsaili. Il m'a sauvé la vie. Par deux fois. Et le seul moment où il aurait vraiment eu besoin de moi, je n'étais pas là. » Cette idée le mit profondément mal à l'aise et il se reconcentra rapidement sur son écran.

Le site lui proposait un aller-retour Glasgow-Malaga sur deux jours, avec un départ juste après neuf heures du matin et un retour le lendemain. Il devrait se rendre à Glasgow le jour suivant et y passer une nuit. Il appuya sur la touche Entrée pour sélectionner le vol et régler sa commande.

Quand il regarda à nouveau au-dessus de son écran, Marsaili avait disparu.

CHAPITRE 25

Lorsque Fin déboucha dans le hall des arrivées après avoir passé les douanes et l'immigration, celui-ci était quasiment désert. Les passagers des voyages organisés s'étaient tous dirigés vers leurs bus et il ne restait qu'une poignée de voyageurs pour franchir les barrières qui menaient dans le hall sombre et immense. Le soleil de la mi-journée était haut dans le ciel et très peu de lumière parvenait à pénétrer par la haute baie qui s'étendait sur tout un côté. À l'extérieur, tout était extrêmement lumineux, surexposé. La lumière aveuglante délavait les couleurs des voitures et des bâtiments.

Mairead se tenait debout, seule sur le sol nu qui renvoyait les lumières du plafond. Fin cala son sac sur son épaule et traversa le hall à sa rencontre. Elle ne lui adressa pas de sourire de bienvenue, ses yeux n'exprimaient aucune chaleur. « Je suis garée sur le toit », annonça-t-elle avant de tourner les talons et de se diriger vers la porte.

À l'extérieur, comparativement à l'automne dans les Hébrides, Fin fut saisi par la chaleur et ôta rapidement sa veste tout en se maudissant de ne pas avoir apporté de vêtements plus légers.

Mairead conduisait une Nissan X-Trail bleue et poussiéreuse, avec boîte automatique. Ce n'était pas un véhicule de location et Fin se demanda si c'était la sienne, ou si elle appartenait au groupe, une voiture commune lorsqu'ils venaient ici pour enregistrer leurs nouvelles compositions.

C'était une belle journée. Le ciel, bleu pâle et vierge de tout nuage, s'étendait aussi loin que portait le regard. Ils quittèrent l'autoroute A7 et poursuivirent sur la route côtière à péage. Fin vit la Méditerranée qui scintillait en contrebas sur leur gauche, une couleur chatoyante à peine plus sombre que le ciel. Des voitures filaient à toute vitesse en direction de l'ouest et du sud, leurs pare-brise renvoyant la lumière du soleil par flashs.

« Où allons-nous ? » Fin jeta un coup d'œil à Mairead assise au volant, les lèvres serrées, les yeux rivés sur la route.

« À la villa », se contenta-t-elle de dire.

Fin mit sa curiosité en veilleuse et profita de leur position élevée pour observer la plaine côtière brûlée par le soleil que traversaient les six voies de l'autoroute. Au loin, sur leur droite, les pentes roses de la sierra Bermeja s'élevaient vers des hauteurs accidentées aux contours nets qui se détachaient sur le ciel comme du papier découpé. Des grappes de bâtiments aux murs blancs nichaient dans les vallées et sur les sommets des collines, d'antiques villages ayant survécu depuis l'époque des Maures. Cette partie du décor contrastait violemment avec les milliers d'appartements inachevés des immeubles qui longeaient l'autoroute de part et d'autre, laissés à l'abandon par les promoteurs dont l'argent s'était envolé au moment de la crise. Les grues avaient été enlevées quand la construction s'était arrêtée. Les arbres et les broussailles commençaient déjà à reprendre possession des sites. Les rares appartements qui avaient été terminés étaient inoccupés.

Mairead suivit son regard. « Ils n'arrivent pas à les vendre », expliqua-t-elle. « Personne n'a envie d'être le seul propriétaire dans un immeuble désert. Trop glauque. »

Ils passèrent sous des panneaux indicateurs où figuraient des noms de destinations que Fin n'avait jamais vus que dans des brochures touristiques. Marbella. Algésiras. Cadix. Ils passèrent deux *garitas de peaje*, où Mairead s'arrêta pour régler. Au bout d'une heure de route elle quitta l'autoroute à Estepona et suivit des panneaux qui les menaient vers un lieu nommé Casares. La route les conduisit ensuite à travers une immense forêt communale nommée Los Pedregales, longea une vaste centrale électrique et une usine de recyclage tentaculaire qui rejetait ses odeurs dans la chaleur vibrante du début d'après-midi.

Ils passèrent devant une série de petits restaurants de campagne où l'on installait le couvert en prévision du déjeuner tardif des Espagnols. Venta Victoria. Arroyo Hondo. Enfin, ils s'engagèrent sur une chaussée étroite, endommagée et raide qui s'enfonçait dans les montagnes au milieu des forêts de pins et de chênes-lièges.

La poussière s'élevait en volutes derrière eux tandis qu'ils progressaient sur les nids-de-poule, passant de temps à autre devant des portails derrière lesquels des allées serpentaient jusqu'à des maisons protégées des regards et que l'on apercevait parfois, l'espace d'un instant. Ils roulèrent encore vingt minutes avant que la route ne redevienne plate. Le terrain descendait brutalement sur leur droite, des pentes peuplées d'arbres qui dévalaient jusque dans les lits des rivières à sec se faufilant entre les montagnes. Le soleil se reflétait en scintillements argentés à la surface de l'océan, le contour de la côte se discernait à peine à travers la brume.

Des villas blanches se dissimulaient au milieu du feuillage, chacune isolée dans un océan de vert et de brun aride, cernées par la forêt. Fin se demanda ce qu'il en adviendrait si jamais le feu se déclarait parmi ces arbres sec comme de l'amadou.

« Voilà notre maison. » Mairead pointa un doigt en direction d'une ravine où Fin vit un fouillis de toits de tuiles romaines rouges et de murs blancs agglutinés autour d'une terrasse à mi-hauteur. Des buses planaient sur les courants chauds ascendants dans le ciel au-dessus d'eux. Même de là où ils étaient, on imaginait aisément que la vue devait y être extraordinaire. Comme si elle avait lu dans ses pensées, Mairead lui dit : « Par temps clair, on peut voir par-delà le détroit de Gibraltar, jusqu'aux monts de l'Atlas en Afrique. » Tout ce qui était au-delà des tourbières sans relief et de la côte battue par les tempêtes de l'île de Lewis était difficile à imaginer. Fin trouvait extraordinaire que ce soit ici, dans la chaleur et les forêts sauvages des montagnes du sud de l'Espagne, que la musique celtique issue de sa terre natale soit composée et enregistrée, chantée dans le gaélique magnifique et pur de Mairead.

Au sommet de la route, Mairead tourna brusquement à droite et le nez du X-Trail bascula sur une allée abrupte en béton encadrée de poteaux peints en blanc. Le nom de la villa était scellé sur l'un d'eux, composé de carreaux de céramique bleue et blanche. Finca Sòlas.

Ils accédèrent à un parking, plat et entouré de murs, et Mairead fit faire demi-tour à la voiture pour la placer face à l'allée avant de couper le moteur. Quand il posa le pied sur le béton, Fin ressentit une explosion de chaleur presque renversante après la fraîcheur de l'air conditionné.

Sous le mur à leur droite, derrière un écran d'arbres, une piscine bleu turquoise scintillait, tentatrice, sous le soleil de l'après-midi. Fin descendit quelques marches à la suite de Mairead et ils traversèrent un jardin envahi de figuiers de Barbarie et d'aloe vera. Ils passèrent sous une arche menant à un passage frais et couvert qui ouvrait à son extrémité sur une terrasse couverte de carreaux en terre cuite, décorée de fontaines et de bassins peuplés de poissons.

À l'autre bout de la terrasse, protégé par l'ombre d'un figuier aux feuilles charnues, un homme était assis à une table, de dos, tourné vers la mer. Posé à sa droite, cerné de condensation, un grand verre contenant quelque chose de rouge et de la glace. Un MacBook était posé devant lui et il tapait sur le clavier.

Il se tourna en entendant le portillon de la terrasse s'ouvrir. C'était un homme d'une quarantaine d'années, plutôt chauve sur le sommet du crâne mais dont les cheveux poussaient en boucles épaisses et abondantes sur les côtés et l'arrière. S'ils avaient été blonds, ils devenaient déjà gris. Il était plus gras qu'il n'aurait dû l'être pour préserver sa santé, ses jambes couleur noisette dépassaient d'un pantacourt. Il portait également des sandales ouvertes et une chemise blanche bâillant sur une bedaine imposante et bronzée. Il semblait en excellente forme pour un homme qu'on avait enterré deux fois.

« Salut Fin », dit-il. « Ça fait un bail. »

CHAPITRE 26

Ils laissèrent Mairead assise dans l'ombre tachetée de lumière que projetait un tapis de jonc tendu sur un cadre au-dessus de la table. Elle était restée discrète, les yeux dans le vague et n'avait pas dit grand-chose. Peut-être avait-elle réalisé que cette première fêlure dans leurs dix-sept années de silence marquait le début de la fin.

Roddy, au contraire, était exubérant. Agité à l'extrême. Fin suivit le fantôme de celui qui avait été autrefois son ami. Ils gravirent un escalier qui les conduisit jusqu'à un autre étage et ils traversèrent une terrasse orientée vers l'est jusqu'à une annexe située à l'arrière de la villa.

« La maison compte six chambres », dit Roddy. « Suffisamment pour loger tout le groupe lorsqu'on répète et enregistre. Bien sûr, Strings est là plus souvent que les autres. Nous composons toujours ensemble. » Il ouvrit une lourde porte insonorisée et actionna un interrupteur qui inonda de lumière la régie du studio. Des rangées de boutons, de potentiomètres et de cadrans parsemaient la surface légèrement inclinée d'une énorme table de mixage. À travers une vitre qui occupait la longueur d'un mur, les ombres coulaient à l'intérieur du studio lui-même, encombré de retours et de micros suspendus. Une batterie était installée dans son propre box insonorisé et le sol couvert de tapis qui l'entourait évoquait une mer des Sargasses de câbles.

« Nous travaillons sur notre douzième CD. La plus grande partie est déjà enregistrée. Je m'occupe du mixage. » Il se pencha au-dessus de la table de mixage et pressa un bouton. La pièce se remplit du son magnifique de la musique d'Amran. Un synthétiseur, un violon, les volutes envoûtantes d'une flûte celtique planaient sur le rythme répétitif d'une batterie et d'une basse rock, la voix pure et triste de Mairead chantait avec douleur et nostalgie le passé perdu des Hébrides. Roddy l'interrompit brutalement et le silence qui suivit sembla résonner dans la pièce. Ses yeux étaient humides. « C'est mon seul moyen de retourner à la maison », dit-il. « Grâce à ma musique. » La magie de l'instant s'estompa et il adressa à Fin un sourire empreint d'une affection sincère. « C'est vraiment formidable de te revoir Fin, vraiment. »

Fin était partagé. Dès l'instant où il avait lu le rapport d'autopsie, il s'était douté que Roddy était peut-être encore vivant. Mais se retrouver ainsi face à lui, en chair et en os, après l'avoir pleuré par deux fois, et l'avoir cru mort pendant dix-sept ans, était plus que vaguement surréaliste. « Roddy, je ne sais pas ce que ça me fait de te revoir. Je suis troublé, c'est certain. Et à cet instant, plutôt en colère », dit-il.

Roddy se mit à rire et le prit par le bras pour le ramener à l'extérieur, au soleil. « Ne sois pas en colère après moi, Fin. Rien de tout cela n'est de ma faute. Pas vraiment. » Ils traversèrent la terrasse et contemplèrent la vue. Fin remarqua le visage de Mairead qui, tournée vers eux, les observait depuis la terrasse en contrebas. « Le groupe va partir en tournée aux États-Unis l'année prochaine pour la promotion du nouveau CD. Mais, bien sûr, je ne serai pas avec eux. Même si je compose toujours les chansons avec Strings, et que c'est moi que l'on entend sur les enregistrements, je n'ai jamais pu rejouer sur scène avec Amran depuis cette horrible nuit, il y a dix-sept ans de cela. Tu n'as pas idée à quel point c'est frustrant. »

Il se tourna pour regarder Fin dans les yeux et fit un vague geste en direction de la villa.

« Regarde autour de toi, Fin. C'est le paradis, cet endroit. Du soleil toute l'année. Une vue belle à en mourir. L'Afrique à portée de bras. On vient tous les sept ans pour récolter le liège des arbres. On l'a fait deux fois depuis que je suis ici. Tu pourrais croire que je suis heureux. Mais j'ai l'impression d'être dans une putain de prison. »

Il se détourna et scruta l'horizon vers le détroit de Gibraltar, le regard vide, cramponné à la balustrade devant lui. Fin vit ses jointures blanchir. « Tu n'as pas idée de ce que je donnerais pour me retrouver sur Tràigh Uige, à contempler les montagnes jusqu'à Harris. Sentir le vent sur mon visage. Oui, et la pluie. J'échangerais volontiers tout cela juste pour me retrouver cinq minutes chez moi, un jour. »

Il se détendit, lâcha la rambarde et retrouva son sourire.

« Mais où ai-je la tête ? Quel hôte pitoyable je fais. Je ne t'ai même pas offert un verre. »

Fin laissa son regard se promener au-dessus du sommet des arbres dans la vallée que dominait la villa. À sa gauche, là où l'on avait pris sur la forêt, les sommets pelés de la sierra Bermeja semblaient toucher le ciel. Des marches descendaient vers un jardin en pente raide peuplé d'arbres noueux et d'arbustes poussiéreux, figuiers et oliviers, cactus et lauriers-roses. La saison était bien avancée, les herbes et fleurs sauvages étaient desséchées et brunies. Il se tourna, s'appuya contre la rambarde pour examiner la maison dont la toiture décrivait des angles bizarres. Un balcon couvert, sur lequel donnaient les portes-fenêtres des chambres, courait derrière une succession d'arches. Un bouddha était assis, les jambes croisées, au pied d'un bassin à poissons couvert et Mairead fumait, perchée sur le rebord d'une chaise. Elle n'avait pas adressé la parole à Fin depuis leur arrivée.

Roddy, de retour de la cuisine, émergea d'un passage voûté, avec un plateau chargé de boissons, de grands verres remplis d'un liquide rouge pétillant et de glaçons qui s'entrechoquaient. « Viens boire quelque chose. »

Fin se décolla de la rambarde et traversa la terrasse pour gravir les deux marches menant au coin repas. Il tira une chaise et s'assit face à Mairead installée dans l'ombre tandis que Roddy distribuait les boissons et disposait un plat en bois contenant des noix de macadamia.

« Je nous ferai quelque chose à manger dans un moment », dit-il. « De la paella, ça ira? » Il sourit. « C'est très espagnol, mais ils font probablement venir les crevettes de Stornoway. *Sláinte.* » Il leva son verre.

C'était étrange d'entendre du gaélique dans cet endroit, à des kilomètres de sa terre natale, sous un climat et une culture si étrangers à ses origines.

Roddy but une longue gorgée. « Rafraîchissant, hein? Les Espagnols appellent cela *tinto de verano*. Littéralement cela veut dire vin de l'été. Du vin rouge mélangé avec une boisson gazeuse au citron. J'adore ça. » Il but une autre gorgée. « J'ai appris qu'il y avait une distillerie à Uig maintenant. Abhainn Dearg. Le whisky de la rivière rouge. Il est bon? »

Fin hocha la tête. « Plutôt, oui. » Il prit une petite gorgée de son *tinto de verano* et fixa Roddy. « Roddy, qui a tué Whistler? »

Ce fut comme si quelqu'un avait actionné un interrupteur et qu'une lumière s'était éteinte quelque part derrière les yeux de Roddy. Son visage s'assombrit. « Je ne sais pas, Fin. Mais j'aimerais bien le rencontrer, parce qu'il ne respirerait pas longtemps. »

« Il me semble que vous vous détestiez cordialement, toi et Whistler », dit Fin. Il jeta un coup d'œil vers Mairead, assise, contemplant son verre d'un air maussade.

« Notamment à cause de l'affection que vous aviez pour une certaine jeune femme. » Elle lui lança un regard noir.

Mais Roddy secoua la tête. « C'est vrai. Nous nous sommes accrochés au fil des années, Whistler et moi. » Il eut un petit rire triste. « Whistler finissait toujours par avoir des embrouilles avec tout le monde, à un moment ou à un autre. » Il leva les yeux et croisa le regard de Fin. « Mais je l'ai toujours considéré comme l'un de mes meilleurs et de mes plus anciens amis. Il était comme un gros chien irascible, Fin. Il pouvait te mordre de temps à autre, mais il ne cessait jamais de t'aimer. »

Fin se dit qu'il n'avait jamais entendu un portrait de Whistler aussi juste en aussi peu de mots. Roddy posa son verre sur la table et le fit tourner du bout des doigts, fixant pensivement les bulles qui éclataient dans le liquide rouge. « Je lui dois plus que quiconque ne le saura jamais. »

— Tu veux dire à propos de ta… mort ? », demanda Fin.

Roddy opina du chef sans lever le regard.

« Raconte-moi. »

Roddy regarda furtivement Mairead. Il enregistra sa désapprobation mais n'en tint pas compte. Il prit une profonde inspiration. « Je suppose qu'il vaut mieux que je commence par le début.

— Eh bien, comme nous savons déjà comment cela se termine », intervint Fin, « cela me semble une bonne idée. »

Roddy se laissa aller sur sa chaise et sortit un paquet de cigares de sa poche de chemise. Il en prit un, l'alluma et, pensif, tira quelques bouffées. Une fumée bleue s'élevait autour de sa tête en des volutes aux courbes douces dans la chaleur écrasante de l'après-midi. « Tu te souviens certainement d'une petite amie que j'ai eue pendant notre deuxième année à Glasgow. Caitlin. Celle dont les parents avaient cette putain de grosse maison avec une piscine à Pollokshields. »

Fin acquiesça. Il se souvenait d'elle. La fille blonde qui nageait nue avec Roddy dans la piscine la nuit où Mairead et lui avaient couché ensemble pour la première fois.

« Et son enfoiré de frère aîné, Jimbo. » Roddy cracha presque son nom. « Un petit bâtard prétentieux avec une gueule dans laquelle on ne se lasserait jamais de balancer des coups de latte. »

Fin fut surpris par la hargne de Roddy. Il se souvenait de Jimbo, faisant le beau à propos de la maison de ses parents comme s'il la possédait. Un gosse de riche mal élevé.

On eût dit que Roddy était obligé de faire un effort pour se détendre afin d'être en mesure de poursuivre son récit. Il bascula la tête en arrière et souffla la fumée en direction du tapis de jonc au-dessus d'eux. Des rayons de soleil le traversaient et saupoudraient la table de particules lumineuses à l'aspect féerique. « J'imagine que c'est de ma faute. J'étais raide dingue de Caitlin. Obsédé. » Il regarda Mairead, apparemment embarrassé de confesser cela en sa présence. « Et je pensais qu'elle ressentait la même chose envers moi. » Elle sourit et secoua la tête. « Même si, d'une certaine manière, j'ai toujours su qu'il y avait de la groupie en elle. » Il ajouta, inutilement : « On commençait à être connus à l'époque.

— Restes-en aux faits, Roddy », dit Mairead avec un air de dégoût évident.

Roddy but une autre gorgée. « On pouvait imaginer, en voyant leur maison, qu'ils avaient pas mal d'argent. Elle disait que son père était dans la banque. Et elle avait des goûts de luxe. Vêtements, chaussures, bonne bouffe, bon vin. En revanche, la chose que je pouvais lui donner, Fin, et que personne d'autre n'était en mesure de lui donner, c'était le frisson de voler. Apprendre à piloter ce vieux Piper Comanche était le meilleur investissement que j'aie jamais fait. Elle adorait ça. Elle n'en avait jamais assez. Elle voulait voler dès que nous avions un moment de libre. Elle avait même avancé l'idée que cela l'intéresserait d'apprendre elle aussi. » Il souffla entre ses lèvres serrées. « Et comme un crétin, je lui ai même proposé de lui payer des leçons. »

Il resta assis sans rien dire pendant un long moment, perdu dans ses pensées, à tirer sur son cigare. Fin regarda Mairead, de l'autre côté de la table, mais elle veillait scrupuleusement à ne pas croiser son regard.

Roddy finit par poursuivre. « C'est Caitlin qui a eu l'idée de voler jusqu'à North Uist et de se poser sur la plage de Solas. » Ses yeux se posèrent un instant sur Fin. « Ironique, non ? Solas. Sans l'accent, bien sûr. Et le nom de l'endroit ne vient pas du terme confort. C'est même le contraire. » Fin le vit serrer la mâchoire. « Enfin, bref. Elle avait lu un truc là-dessus quelque part, m'a-t-elle dit. Dans un magazine. Il était possible de se poser avec un petit avion sur la plage à marée basse. Nous étions presque au milieu de l'été et elle trouvait que cela serait romantique que nous puissions voler jusque là-bas et nous poser sur la plage à minuit, pique-niquer pendant le solstice d'été. Peut-être rester toute la nuit. Dormir sous les étoiles. » Il haussa les épaules et sourit avec un air de regret. « Ça me paraissait une bonne idée. »

Pris d'une agitation soudaine, il vida son verre, se leva et se tourna vers le rebord de la terrasse où il se tint, debout, les mains appuyées sur la balustrade.

« J'avais déjà volé jusqu'aux Hébrides. Ce n'était pas sorcier. Mais je ne savais pas s'il serait possible de se poser sur la plage, et je risquais d'être obligé de faire demi-tour. Et il me fallait les épreuves de vol de nuit et de vol aux instruments pour pouvoir le faire. Même s'il ne faisait jamais complètement nuit à cette période de l'année. Comme il me restait suffisamment de temps pour compléter mon permis afin de voler la nuit ou avec une visibilité limitée, je les ai passées. Nous avons surveillé les prévisions météorologiques et tout semblait parfait pour le soir du 21 juin. Nous nous sommes donc organisés. »

Il se retourna, à demi assis sur la balustrade, les bras croisés sur la poitrine. Mairead lui tournait le dos. Elle alluma une autre cigarette et Fin eut l'impression que Roddy le regardait sans le voir, perdu dans ses souvenirs.

« Officiellement, aux alentours du solstice d'été, le coucher du soleil sur North Uist est à 22 h 30, et je savais que je ne pourrais pas m'y poser dans le noir. Nous avons donc décollé suffisamment tôt pour arriver avant le coucher du soleil. La nuit était magnifique, Fin. Parfaite pour voler. Je n'avais jamais vu un ciel d'un bleu sombre aussi profond et le feu rougeoyant du coucher de soleil enflammait l'océan, zébrant l'horizon d'orange et de jaune. Les dernières lueurs du jour s'accrochaient aux montagnes de Harris contre le ciel du nord tandis que nous exécutions notre approche au-dessus de la plage. Un croissant de sable presque sans défaut, exposé à marée basse. J'ai fait deux passages au-dessus pour m'assurer que les conditions étaient bonnes pour l'atterrissage et, au troisième, je me suis préparé à me poser. »

Fin vit qu'il s'y trouvait à nouveau par l'esprit, dans le cockpit de ce minuscule monomoteur, se préparant à le poser sur une plage étrange, par une nuit d'été, le souffle court, excité, effrayé. Avec une fille à impressionner à ses côtés.

« J'étais nerveux, c'est sûr. J'ai laissé les gaz, très légèrement, pour que l'atterrissage soit le plus doux possible, en arrivant plus vite qu'à l'accoutumée parce que je n'étais pas limité par la longueur de la piste. Et en gardant le nez relevé le plus possible pour m'assurer qu'il ne s'enfonce pas dans le sable mou. » Tandis qu'il revivait l'instant, son visage s'illumina, il y avait de la fierté dans sa voix. « Et soudain, nous étions à terre. J'ai stoppé l'engin, et Caitlin s'est jetée sur moi, comme si je venais de changer l'eau en vin. » Il secoua la tête. « C'était une sensation géniale, Fin, de se poser comme cela sur la plage. Et de sauter au bas du cockpit sur le sable dur et compact, le vent dans la figure avec les dernières lueurs du jour qui projetaient les ombres des dunes sur l'eau. Je me suis retourné pour aider Caitlin à descendre de l'aile, je l'ai prise dans mes bras et je l'ai embrassée… et je n'ai même pas remarqué à quel point elle était froide. Et pas seulement au toucher. » Son visage se durcit. « C'est à ce moment que je me suis tourné et que j'ai remarqué trois hommes qui traversaient la plage dans notre direction. Je ne m'en suis pas soucié tout d'abord. Je n'avais pas de raison de m'en inquiéter. Après tout, je n'avais rien fait de mal. » Il prit une inspiration, longue, profonde. « Je me suis alors rendu compte que l'homme qui marchait devant était le frère de Caitlin, Jimbo. »

Sa respiration s'accéléra tandis qu'il se remémorait cet instant. Son visage devint rouge sous son bronzage. Il revivait ce moment comme il l'avait vécu alors.

« Au début, je n'ai pas bien compris. Il m'a serré la main, il m'a accueilli comme un vieil ami qu'il n'aurait pas revu depuis longtemps et m'a félicité pour mon atterrissage. Puis, il s'est tourné vers Caitlin et lui a dit : "Bien joué, fillette." Et j'ai remarqué que les types qui l'accompagnaient transportaient des sacs en toile marron. Jimbo a dit : "Quelques bagages supplémentaires à rapporter avec toi, Roddy." » Roddy décroisa les bras, saisit la balustrade dans son dos et poursuivit son récit. « Tu peux me considérer comme quelqu'un de pas très futé, mais il m'a fallu un moment avant de comprendre qu'il s'agissait d'une livraison de drogue et que j'avais été piégé. Je me souviens m'être tourné vers Caitlin, et la manière dont elle évitait mon regard. Quel crétin ! »

Il se décolla de la balustrade et revint s'asseoir, tirant sur le mégot de son cigare.

« Il s'est avéré que le père de Caitlin n'était pas du tout dans la banque mais impliqué jusqu'au cou dans le trafic d'héroïne, de cocaïne et de cannabis. Une affaire de famille apparemment, et qui fonctionnait très bien, merci pour eux. Avec le projet de devenir le principal fournisseur du nord de l'Europe. Ambitieux. Ils voulaient prendre le dessus sur les barons de la drogue de Liverpool et de Manchester qui étaient sous la pression constante des flics. Et Caitlin était l'appât qu'ils avaient utilisé pour m'attraper. Moi et mon Comanche. Ils voulaient quelqu'un de "clean" pour effectuer les livraisons. Il y a cinq mille kilomètres de côtes en Écosse. Impossible de tout surveiller. » Il se pencha en avant pour éteindre soigneusement le mégot de son cigare dans le cendrier. « Bien sûr, j'ai commencé par refuser. Je ne voulais pas être impliqué. Mais Jimbo m'a clairement exposé les conséquences de mon refus de coopérer. Et comme ils venaient de me prendre dans leur toile, il était hors de question pour eux de me laisser m'en échapper. Non seulement ils m'ont menacé physiquement, mais en plus, si je refusais d'effectuer les vols pour eux, un appel anonyme à la police et un paquet planqué quelque part dans l'avion m'assureraient de passer la moitié de ma vie en prison. » Fin entendait sa respiration siffler entre ses dents serrées. « Ils me tenaient, Fin. J'avais bouffé l'hameçon, la ligne et le putain de plomb. »

Le crépuscule s'était installé subrepticement, tombant de nulle part comme une poussière de charbon très fine recouvrant la vallée. Derrière eux, les ombres des montagnes s'allongeaient jusqu'à la côte. Le soleil déjà masqué projetait encore de la lumière sur l'océan lointain. L'air chaud du soir était empli du chant des cigales et des grenouilles, et les dernières buses tournoyaient au-dessus d'eux, comme si elles espéraient qu'il reste quelque chose à chaparder une fois que Roddy aurait fini de remuer le passé.

Roddy était loin d'en avoir fini mais il se rendit soudain compte que la nuit tombait. « Excusez-moi », dit-il. « Vous devez mourir de faim. Je vais mettre la paella à chauffer. Tout est prêt, cela ne devrait pas prendre trop de temps. » Avant de s'en aller, il alluma de grosses bougies disposées sur la table et sur le pourtour de la terrasse, puis disparut dans la villa plongée dans la pénombre. Une lumière s'alluma dans la cuisine et un rai jaune vint depuis la fenêtre tomber sur la terrasse où les lueurs vacillantes des bougies projetaient d'étranges ombres dansantes tout autour d'eux, comme un théâtre de marionnettes bizarroïde.

Le visage de Mairead était presque entièrement plongé dans l'ombre. Seule la ligne de son nez et la courbe de son sourcil droit accrochaient la lumière. Ses yeux eux-mêmes étaient invisibles. La nuit avait suivi le crépuscule comme si un obturateur était descendu sur le jour. En silence, ils suivaient les bruits que faisait Roddy en préparant la paella dans la cuisine. Il écoutait de la musique. Une guitare flamenco accompagnait une voix gutturale chantant plaintivement la mélodie monocorde d'une culture ancienne qui devait plus à l'Afrique qu'à l'Europe. Fin ferma les yeux pendant un instant et se demanda comment il avait été possible de garder le secret aussi longtemps. Mairead alluma une cigarette et son visage s'illumina brièvement dans la nuit. « Tu étais au courant de tout cela ? », lui demanda-t-il.

Elle tira sur sa cigarette et souffla la fumée dans la nuit, en faisant non de la tête. « Absolument pas. Pas jusqu'à ce qu'il se confie à moi et m'explique comment il avait prévu de s'en sortir. » Elle tourna la tête dans sa direction, mais Fin ne voyait toujours pas ses yeux. « Tout cela se déroulait pendant que toi et moi avions notre… comment l'appellerais-tu ? Relation ? Flirt ? » Comme Fin ne répondait pas, elle poursuivit : « Bien sûr, j'avais noté un changement dans son comportement. Nous n'étions pas amants à l'époque, mais quand tu joues dans un groupe avec d'autres gens, c'est un peu comme si tu vivais avec eux. Enfin, je ne t'apprends rien. »

Fin acquiesça.

« Il est devenu morose, replié sur lui-même. Il n'était plus le Roddy que nous avions l'habitude de fréquenter. Et tu le connais. On lisait en lui comme un livre ouvert. Qu'il soit heureux ou déprimé, il fallait qu'il te dise pourquoi. Mais tout cela s'est arrêté soudainement. Il est devenu secret, il passait de moins en moins de temps avec le groupe. J'ai remarqué qu'il perdait du poids et je me suis même demandé s'il n'était pas malade. Il y avait quelque chose qui clochait, ça, j'en étais sûre. Mais je n'avais aucune idée de ce dont il s'agissait jusqu'à la nuit où il m'a tout confié. »

Elle fit tomber sa cendre dans le cendrier et prit une autre bouffée de sa cigarette. Fin aperçut ses yeux à la lueur de la braise. Elle rechignait à le regarder directement. Et il se demanda si ce qu'il y voyait était vraiment du regret.

« La nuit où il avait décidé de disparaître pour de bon. La nuit où j'ai rompu avec toi. » Elle marqua une pause. « C'était pour ça. »

Après toutes ces années, enfin, Fin comprenait.

« Roddy avait de gros problèmes, Fin. Il avait besoin de moi. Et l'histoire qui existait entre lui et moi était trop forte pour que je ne l'aide pas à cent pour cent. » L'explication n'était pas nécessaire.

Ils n'eurent pas le temps de s'attarder ni d'en discuter plus avant. Roddy revint de la cuisine avec dans les mains trois verres et une bouteille. Il les disposa sur la table et déboucha la bouteille d'un geste théâtral. Apparemment, sa bonne humeur était revenue.

« Rioja », dit-il. « Gran Reserva. Le meilleur que l'on puisse trouver. Fondant comme du beurre sur la langue, on a l'impression de boire de la soie. » Il remplit leurs verres. « Essaie-le, Fin. »

Fin goûta une gorgée et hocha la tête. « Il est bon. » Mais le vin n'était pas son truc et Roddy sembla déçu.

« La paella sera bientôt prête. » Il disparut à nouveau et revint avec trois assiettes et des couverts, puis une dernière fois, dix minutes plus tard, avec une grande poêle à paella fumante, pleine de riz, de crevettes, de poulet et de moules. Il la posa au centre de la table et s'assit. « Allez-y les amis, piochez. »

Ils se servirent et mangèrent en silence pendant un moment jusqu'à ce que Fin ne puisse plus contenir sa curiosité. « Alors, que s'est-il passé, Roddy ? »

Roddy lui jeta un coup d'œil. Son appétit sembla soudain retomber. Il soupira, repoussa son assiette à moitié vide et porta son verre à ses lèvres. Il laissa le vin glisser sur sa langue et le savoura un moment. « À la mi-juillet, j'avais dû faire dix ou onze livraisons pour eux, et Jimbo m'accompagnait toujours. Cela semblait ne jamais devoir finir, Fin. J'étais dedans jusqu'au cou et je ne pouvais pas me rendre à la police, je ne serais probablement pas resté en vie très longtemps si je m'y étais risqué. C'est là que j'ai échafaudé mon plan. » Il eut un rire amer et manqua de s'étouffer. Il prit une autre gorgée de vin. « Il était sans faille. J'allais disparaître. Moi et l'avion aussi. Quelque part en mer. S'ils pensaient que j'étais mort, ils ne pourraient pas m'atteindre. »

Il remplit à nouveau son verre puis se pencha sur la table et le fit tourner avec les paumes de ses mains. Fin voyait l'éclat trouble de ses yeux souligné par la lumière des bougies.

« Je ne remplissais jamais de plan de vol quand je partais pour Solas afin que l'on ne me pose pas de questions. Et je faisais un plein suffisant pour effectuer l'aller et le retour. Mais la nuit où j'avais prévu de disparaître, j'ai rempli un plan de vol pour l'île de Mull, la piste d'atterrissage de Glenforsa. Un vol rapide, aller et retour, comme cela, quand je serais signalé disparu, ils chercheraient au mauvais endroit. J'ai embarqué suffisamment de carburant pour arriver jusqu'aux Hébrides extérieures, pas plus. Cela allait être un aller simple. » Il sourit avec tristesse. « Vers l'éternité. »

Il reprit plusieurs gorgées de vin, sondant l'obscurité, l'air pensif, revisitant ces souvenirs douloureux.

« J'ai rasé les montagnes en volant vers la côte ouest pour échapper aux radars primaires. Je ne voulais pas que quelqu'un me suive. J'ai ignoré les appels répétés du contrôle aérien et j'ai lâché le radar secondaire en éteignant mon transpondeur et en informant le contrôle aérien qu'il était tombé en panne. Ensuite, silence radio. Bien sûr, pour Jimbo il ne s'agissait que d'une livraison de plus et nous nous sommes posés à Solas comme d'habitude.

« Il n'y avait jamais personne sur place. Simplement un endroit convenu où nous récupérions les colis. Il n'y a aucune maison qui ait vue sur la plage et le village de Solas est loin derrière les dunes. Mon plan consistait à attendre Jimbo dans l'avion pendant qu'il allait chercher les colis et de redécoller sans lui. »

Il soupira en se souvenant de ce qui avait mal tourné et secoua la tête.

« Mais, j'imagine que j'avais dû lui mettre la puce à l'oreille. J'étais hypernerveux et ça a dû le contaminer. Il a insisté pour que je l'accompagne. Qu'est-ce que je pouvais faire ? Impossible de refuser, alors on a laissé le moteur tourner et on s'est dépêchés d'aller chercher la marchandise planquée dans les hautes herbes. J'étais complètement désemparé, Fin. Tout était prévu. Si je ne le faisais pas maintenant, jamais je ne le ferais. Je portais un des sacs. Et il pesait assez lourd. Quelques kilos au moins. Je ne sais pas ce que c'était. Probablement de la came. Enfin, bref, je l'ai frappé avec, par-derrière, j'ai balancé le paquet vers son crâne de toutes mes forces. Il est tombé comme un sac de pommes de terre, et je suis parti en courant vers l'avion.

« Je pensais que j'étais tiré d'affaire. Mais, à peine arrivé à l'avion, je l'ai entendu derrière moi, soufflant comme un putain de train à vapeur. J'ai essayé de grimper sur l'aile, mais il m'a tiré en arrière. Il était fort comme un bœuf. Du sang lui coulait dans le cou et j'ai vu dans son regard qu'il avait l'intention de me tuer. »

Le regard de Roddy était perdu dans un abysse qui couvrait dix-sept années, le souffle court, comme s'il y était encore.

« Il fallait que je me débarrasse de lui, sinon j'étais foutu. Mais il était costaud, ce bâtard. Il a essayé de me frapper, je l'ai cogné à mon tour et je l'ai poussé. Il a titubé en arrière. » Roddy ferma les yeux. « Direct sur l'hélice. Elle lui a éclaté la moitié du crâne, un seul coup et il était par terre. »

Fin savait à présent comment le corps dans l'avion s'était retrouvé avec des blessures au crâne aussi atroces. Il ne pouvait qu'imaginer le bordel que ça avait dû être.

« Il était mort, Fin. Bel et bien mort. Son cerveau avait giclé sur cette putain de plage. Sur le moment, je ne savais plus quoi faire. Ma première idée a été de monter dans l'avion et de m'enfuir. Mais je me suis rendu compte que je ne pouvais pas le laisser là. Sa famille en aurait conclu que je l'avais tué, et jamais ils n'auraient admis que j'avais disparu pour de bon après ça. Personne ne l'aurait cru. » Il expira profondément et Fin entendit le tremblement de son souffle. « J'ai commencé à recouvrer mes esprits. Je lui ai passé ma veste, avec mon portefeuille et mes affaires dedans, au cas où on le découvrirait. Et puis je l'ai installé dans le cockpit. » Il se passa une main sur le visage pour évacuer l'horreur du souvenir. « Tu n'as pas idée à quel point ça a été difficile, Fin. C'était un poids mort. Littéralement. Il y avait du sang partout. Ça m'a pris vingt minutes pour l'installer sur le siège passager et réussir à fermer la porte du cockpit avant de redécoller. »

Il sembla soudain prendre conscience des deux visages qui le regardaient, fascinés par le récit qu'il faisait des événements de cette nuit. Mairead l'avait sûrement déjà entendu auparavant. De nombreuses fois. Mais elle était tout autant impressionnée que Fin de l'entendre à nouveau sous les étoiles de cette chaude soirée espagnole. Roddy se saisit de la bouteille et remplit leurs verres. Il sortit un autre cigare et l'alluma.

« J'ai embarqué la drogue avec moi et je l'ai balancée depuis l'avion une fois au-dessus de l'océan. Je savais que la marée montante effacerait les traces de la mort de Jimbo. Ensuite, j'ai calé ma trajectoire, comme je l'avais prévu, vers les montagnes du sud-ouest de Lewis.

« C'était la fin du mois de juillet. Le soleil se couchait officiellement à dix heures. Il était bien plus tard que ça, mais il y avait encore de la lumière et je savais exactement vers où je me dirigeais. Mealaisbhal me servait de repère pendant que je volais à basse altitude entre les montagnes. J'avais choisi un loch, situé juste au nord. Caché dans une vallée à des kilomètres de la première habitation. Ainsi, je savais qu'à cette heure de la nuit, personne ne me verrait ni ne m'entendrait. Je me suis dirigé droit dessus, en rase-mottes, bien droit, le train d'atterrissage rentré et je l'ai posé sur le ventre, à la surface du loch. Un moment effrayant. Mais pour être honnête, Fin, à ce stade j'avais passé le cap de la peur et il n'y avait pas de retour en arrière possible. J'avais consommé presque tout mon carburant, comme je l'avais prévu. Je ne voulais pas qu'il subsiste des traces suspectes à la surface du loch. »

Il tira sur son cigare et, à travers la fumée, leur raconta comment il était sorti du cockpit et avait tiré le corps de Jimbo sur le siège de pilotage avant de l'y harnacher.

« L'avion flottait, et il aurait probablement mis un bon moment pour couler. Trop longtemps par rapport à mon plan. Mais l'avantage avec le Comanche, c'est qu'il y a sur chaque aile, de part et d'autre du cockpit, un orifice par lequel on fait le plein. Les ailes étaient déjà passées sous la surface. Je suis donc grimpé dessus et j'ai ouvert les réservoirs. Ils se sont remplis d'eau et l'avion a coulé.

— L'eau devait être glacée, même en juillet », dit Fin.

« Putain, oui, elle était froide, Fin. Ça, je peux te le dire. Mais au moins j'y ai passé juste assez de temps pour me laver du sang de Jimbo. Parce qu'il y avait quelqu'un qui m'attendait sur la rive, avec des vêtements secs, et je ne voulais pas qu'il voie le sang, ou sache quoi que ce soit à propos du corps dans l'avion.

— Whistler », intervint Fin.

Roddy opina du chef d'un air gêné. « Je n'aurais pas pu faire ça tout seul. Il me fallait des vêtements et un moyen de transport pour quitter les montagnes. Whistler était le seul en qui j'avais confiance. Je lui avais tout raconté.

— Non, Roddy, pas tout. Tu ne lui as rien dit au sujet de Jimbo. Et cela a fait de lui un complice du meurtre, même s'il ne savait rien.

— Je n'ai pas assassiné Jimbo ! », protesta Roddy en haussant le ton. « C'était un accident.

— Je crois que tu aurais du mal à en convaincre un jury. »

Pendant un moment, Roddy le regarda d'un œil mauvais puis se résigna à admettre l'interprétation que, sans aucun doute, tout un chacun en ferait. Sa voix était redevenue calme. « C'était un accident.

— Donc, Whistler t'a retrouvé sur le rivage », relança Fin.

« Oui. Il m'attendait, comme promis. J'ai ôté mes vêtements mouillés et nous les avons enterrés dans la tourbe. Je me suis habillé et, à la clarté de la lune, nous avons rejoint le chemin au fond de la vallée où Whistler avait laissé un 4×4 qui nous attendait. Nous avons roulé jusqu'à Harris et j'ai pris le ferry de Tarbert jusqu'à Skye à la première heure le matin suivant. Harnaché comme un randonneur. Un bonnet de laine sur la tête, surmonté d'une capuche pour que personne ne me reconnaisse. »

Subitement, Mairead intervint et sa voix qui fusa dans le noir les fit presque sursauter. « Je l'ai retrouvé à Skye, à la descente du ferry. Je m'y étais rendue en voiture la veille, juste après t'avoir quitté au Cul-de-Sac.

— Je lui ai tout raconté », dit Roddy. « À propos de Jimbo. Et nous avons pris l'avion ensemble pour l'Espagne, pour chercher un endroit où vivre. Quelque part où je puisse encore faire partie du groupe, au moins pour composer et pour enregistrer, tout en étant mort pour le reste du monde. Perdu avec mon avion, quelque part en mer vers les Hébrides intérieures.

— Donc, apparemment, le reste du groupe connaît toute l'histoire », dit Fin.

« Oh non, pas ce qui concerne Jimbo », expliqua Roddy. « Nous n'en avons jamais parlé à personne. »

Fin regarda Mairead. « Cela a dû être bizarre comme situation vis-à-vis des autres quand le corps de Jimbo a été retrouvé dans l'avion. »

Elle baissa les yeux. « Nous essayons de régler le problème. »

Roddy braqua son regard dans celui de Fin, presque suppliant. « Si cela devait se savoir, Fin. Le fait que je sois encore vivant. Il y a encore des gens qui essaieraient de me retrouver. »

Fin contempla longuement son verre avant de prendre une petite gorgée. « Si je ne dis rien, maintenant que je sais, cela me rend complice, après coup, de meurtre et de fraude.

— Je t'avais prévenu qu'il ne fallait rien lui dire », lança Mairead. La tension rendait sa voix dure et tranchante.

Mais Roddy ne quitta pas Fin des yeux. « Il ne dira rien à personne, pas vrai, Fin ? Franchement, à qui cela bénéficierait-il ? À aucun de nous, c'est certain. Cela ne servirait à rien. Cela ne ferait que mettre des vies en danger. »

Fin lui rendit son regard. « La tienne.

— Oui, la mienne. »

Fin y réfléchit. Après tout, il n'y avait aucune connexion évidente entre le meurtre de Whistler et le corps dans l'avion. Pourtant, la coïncidence était troublante. Whistler avait été choqué par la découverte du corps. Il avait dû comprendre que Roddy ne lui avait pas raconté toute la vérité, qu'il l'avait peut-être trompé délibérément. Et que Mairead était complice. Fin se rappela la manière dont il l'avait regardée au cimetière. La colère qui l'habitait devant le Cabarfeidh.

En même temps, la requête de Roddy pour que Fin garde cette histoire pour lui n'était pas sans fondement. Il avait dû peser les risques de son aveu, mais il avait dû aussi compter sur le fait qu'un vieil ami ne le trahirait pas. À l'évidence, Mairead n'était pas du même avis.

Fin soupira et repoussa son assiette. Il avait toujours le sentiment que quelque chose clochait. Quelque chose d'évident lui échappait, une connexion qu'il ne parvenait pas à établir. « Qui d'autre est au courant ? », demanda-t-il. « Pas pour Jimbo, mais au sujet de ta fausse mort.

— En dehors du groupe ? »

Fin acquiesça.

Roddy secoua la tête. « Personne.

— Tu en es sûr ?

— Oui. » Il sembla hésiter. « Enfin… il y a une autre personne. Mais c'est quelqu'un en qui nous avions totalement confiance. Et c'est toujours le cas. Il n'a pas dit un mot de tout cela pendant toutes ces années. »

Fin plissa le front. « Qui est-ce ? »

CHAPITRE 27

I

Il s'agissait du même soleil que celui qui lui avait brûlé la peau en Espagne mais, à quatre mille kilomètres plus au nord, il n'était plus qu'un disque pâle dans un ciel brumeux et atténuait à peine la morsure du vent froid qui soufflait du nord-ouest.

Quand Fin descendit de l'avion à Stornoway, les bourrasques traversaient la lande avec force. Il se hâta en direction du bâtiment du terminal. L'été indien était terminé depuis bien longtemps, mais la journée était lumineuse et sèche et, pour une fois, la pluie semblait ne pas devoir tomber avant quelque temps.

Fin avait passé le trajet du retour l'esprit préoccupé par Roddy, Whistler et le corps découvert dans l'avion. Malgré les efforts qu'il avait déployés pour se sortir cette pensée de la tête, il ressentait une immense culpabilité. Vu la réaction de Whistler, il avait compris sur-le-champ que le corps qu'ils avaient trouvé cachait autre chose. Et malgré cela, il avait laissé filer le problème. S'il avait été plus pugnace, Whistler serait peut-être encore en vie. Et, il le savait, cette pensée le hanterait pour le restant de ses jours. Mais quand toutes les autres émotions et les autres pensées furent épuisées, il lui en restait cependant une à l'esprit. Un seul nom. Un nom prononcé en Espagne par un homme que l'on pensait mort et qui avait laissé Fin troublé, incertain pour la suite.

Son Suzuki l'attendait sur le parking, là où il l'avait laissé, encore humide et luisant de la dernière averse. Il y grimpa, essuya le pare-brise à l'intérieur et quitta l'aéroport en passant sur la colline menant vers Oliver's Brae. Au loin, la lumière du soleil s'étalait sur le port extérieur de Stornoway et scintillait sur les vitres du terminal récent du ferry. De multiples croisements ponctuaient la ville, lui offrant là aussi de nombreux choix. Le genre de chose qu'il n'avait jamais très bien su gérer tout au long de sa vie. Ce n'est qu'au tout dernier moment qu'il se décida, tournant vers le sud pour quitter la ville au rond-point derrière le Co-op et prenant la direction de Uig.

Il avait complètement oublié la fête. Le retour des soixante-dix-huit figurines de Lewis dans leur dernière demeure pour une seule journée. Soixante-sept d'entre elles étaient conservées de manière permanente au British Museum de Londres, cet entrepôt d'objets volés partout autour du monde. Les onze restantes se trouvaient à Édimbourg, mais elles étaient encore loin de leur foyer. Il se souvint de la déclaration de Whistler le jour où ils s'étaient revus dans sa ferme, pour la première fois depuis leur adolescence. Elles devraient être à Uig toute l'année. Une exposition spéciale. Pas bloquées dans des musées à Édimbourg et à Londres. Les gens viendraient les voir ici et ça procurerait des revenus.

En tout cas, pensa Fin, aujourd'hui elles généraient des revenus. Il y avait des centaines de voitures et une ribambelle de taxis garés sur le côté de la route et le long du machair, et un millier ou plus de gens sur la plage que l'on avait transformée, à marée basse, en une sorte de fête foraine.

Fin se gara à proximité de l'auberge de Uig, traversa le machair à pied et se posta pour contempler la plage. Le vent soufflait, comme toujours, mais Dieu était clément avec les figurines de Lewis et avait apporté le soleil avec Lui. C'était une chose totalement incongrue de voir cette plage habituellement déserte, sur le coin le plus isolé de l'île, envahie par des centaines de touristes, de gens du coin et la presse, qui s'agglutinaient autour de stands en bois et sous des tentes aux toits pointus. On aurait dit une toile géante de Lowry. Des bateaux proposant des balades allaient et venaient vers le rivage le plus éloigné et l'on pouvait effectuer des baptêmes de l'air à bord d'un hélicoptère qui prenait son envol à côté de l'église de Baile na Cille. Il y avait aussi un château gonflable grouillant d'enfants qui hurlaient et rebondissaient et un petit train touristique. Les stands proposaient une tombola, un jeu de massacre et un test pour deviner le poids d'un saumon. Il y avait des concours de traite et de lancer de panse de brebis farcie. C'était une extraordinaire démonstration d'optimisme sous un climat qui avait neuf chances sur dix de venir gâcher la fête.

L'église elle-même était une véritable attraction. C'était là que les figurines étaient exposées dans des vitrines en verre sous haute surveillance et deux grands maîtres disputaient un combat intellectuel avec trente-deux des pièces originales. Une foule importante était rassemblée autour de l'église, un flot constant de gens qui y entraient et en sortaient et formaient une queue qui serpentait depuis la plage.

La pièce maîtresse du spectacle qui se déroulait sur la plage consistait en un échiquier géant dont chaque case mesurait plus de cinquante centimètres de côté. Les sculptures de Whistler étaient disposées dessus, de fiers guerriers vikings qui avançaient noblement sur leur champ de bataille noir et blanc en reproduisant la partie qui se déroulait dans l'église, chaque coup étant transmis par talkie-walkie à des volontaires qui déplaçaient les pièces.

Whistler aurait été fier de voir ses œuvres ainsi animées, pensa Fin. Le problème causé par leur commande avait dû être réglé d'une manière ou d'une autre. Mais si Whistler n'avait pas été payé avant, il ne le serait certainement jamais.

Fin regagna sa Jeep et roula jusqu'au croisement qui menait à la ferme de Whistler. Le rectangle de terre soigneusement entretenu qui s'étendait vers le bas de la colline allait sans aucun doute être laissé à l'abandon. Le travail de Whistler serait rapidement anéanti par une nature qui n'avait que peu de considération pour les efforts éphémères déployés par l'homme. Il stoppa son véhicule sur le gravier devant la *blackhouse* et constata que les hélices des éoliennes continuaient à produire une électricité qui ne serait jamais employée.

Il n'y avait plus trace de la bande de plastique placée en travers de la porte immédiatement après le meurtre de Whistler. La police scientifique avait dû relever les empreintes, prendre les photographies nécessaires, recueillir le sang et les fibres présents sur le sol et était repartie depuis un bon moment. La porte n'était pas verrouillée. Fin la poussa. Il flottait dans l'air immobile, moite et étouffant, une odeur légère d'antiseptique. Les meubles avaient été redressés et le sol nettoyé. Le seul témoignage subsistant du drame qui était survenu ici était le tracé baveux et presque effacé, grossièrement dessiné à la craie autour du corps, de la tache de sang répandue sur le sol et de la traînée laissée par son ami quand il avait tenté de ramper vers le mur opposé.

Fin s'assit sur le rebord du vieux canapé usé et troué et balaya la pièce du regard. Il se souvint de l'indignation de sa tante quand elle avait découvert l'état dans lequel se trouvait cet endroit et sa colère quand elle avait vu qu'il n'y avait que de la bière dans le frigo. Il se souvint de la nuit où il s'était retrouvé assis sur ce même canapé, encore tremblant après avoir été sauvé d'une mort certaine dans la rivière de Tathabhal, à boire un thé allongé avec le whisky de monsieur Macaskill. Il se souvenait aussi de la manière dont Whistler l'avait pris dans ses bras quand ils s'étaient retrouvés pour la première fois après toutes ces années. Son grand visage mal rasé qui frottait contre celui de Fin, la chaleur et l'affection qui émanaient de son regard. Il sentit le chagrin l'envahir. Suivi quelques instants plus tard par de la colère et une volonté farouche de découvrir la vérité.

Il cligna des yeux pour éclaircir sa vision et examina le tracé au sol. Une jambe tendue, l'autre repliée au niveau de la taille. L'un des bras de Whistler, allongé sur le côté, l'autre tendu au-dessus de la tête. Fin se rappela les paroles de George Gunn quand il s'était glissé dans sa cellule au commissariat. « Apparemment, il a rampé sur le sol pendant que vous étiez inconscient. Il a laissé une traînée de sang. Comme s'il avait essayé d'atteindre quelque chose. »

Fin essaya de s'imaginer ce qu'il avait bien pu chercher à attraper. Et, soudain, il eut une révélation, tout s'emboîta et trouva sa place, comme les rouleaux d'une machine à sous. Il était à présent certain de savoir qui avait tué Whistler. Mais il ne savait toujours pas pourquoi.

Il extirpa son téléphone portable de sa poche et composa un des numéros enregistrés en mémoire.

Gunn répondit à la troisième sonnerie.

« George ? »

Gunn soupira. « Les faveurs, c'est terminé, monsieur Macleod.

— Pas de faveur, George. En revanche, j'ai besoin que vous veniez à Uig et je pense que je pourrai vous montrer qui a tué Whistler. »

Il y eut un long silence. « Pourquoi ne pouvez-vous pas tout simplement me le dire ?

— Parce qu'il faut d'abord que j'en sois sûr. Et j'ai besoin que vous m'apportiez quelque chose.

— Quoi ?

— Les photographies du corps prises sur la scène du crime. Seulement les plans larges. »

Il entendit Gunn manquer de s'étouffer. « J'espère que vous plaisantez, monsieur Macleod !

— Je sais que vous y avez accès, George. Vous n'avez qu'à faire des photocopies.

— Vous allez réussir à me faire virer de la police. »

Fin ne put s'empêcher de sourire. « Merci, George. » Il hésita. « Et il y a une dernière chose. » L'exaspération de Gunn lui éclata littéralement à l'oreille.

II

Fin quitta l'ambiance oppressante de la *blackhouse* à la recherche d'un endroit où s'installer sur la colline qui dominait la plage, en attendant Gunn. Il n'arriverait que dans une bonne heure et demie.

Il avait perdu le compte du nombre de fois où Whistler et lui s'étaient assis côte à côte sur la colline située en bas de la maison, juste pour bavarder. Parfois pendant des heures. Ils n'avaient jamais été à court de sujets de discussion, mais leurs silences avaient été également agréables.

Il vit une silhouette rouge et bleue, habillée de vêtements imperméables deux fois trop grands pour elle, remonter le chemin dans sa direction. Seul un petit morceau du tatouage de son cou était visible sous le grand col bleu et la capuche qui lui couvrait l'arrière de la tête. Elle portait des bottes en caoutchouc sous ses jambières et, sous ses vêtements imperméables, quelque chose qui ressemblait à une combinaison de plongée. Les clous et les boucles avaient disparu de son visage qui semblait étrangement nu. Ses yeux étaient cernés, son visage livide et vierge de tout maquillage.

322

Elle s'arrêta devant lui. « J'étais sur la plage et je vous ai vu monter vers la maison. » Elle vit l'air intrigué de Fin qui examinait son accoutrement et cela la fit presque sourire. « J'avais promis il y a un bon moment de ça que je filerais un coup de main pour les balades en bateau. J'ai failli ne pas le faire et puis je me suis dit que ça me changerait les idées. » Elle haussa les épaules et tourna le regard vers la plage au loin, l'air morose. « Mais toutes ces personnes qui s'amusent… » Elle lui adressa un sourire triste. « Ça a un peu tendance à me déprimer. » Elle hésita. « Ça ne vous embête pas si je m'assois à côté de vous ?

— Non, pas du tout. »

Il eut une drôle de sensation. Avoir ainsi la fille de Whistler assise à ses côtés, là où Whistler s'asseyait autrefois.

« Pourquoi vous êtes venu ici ? », demanda-t-elle.

Fin évitait de croiser son regard. Il posa ses avant-bras sur ses genoux et laissa son regard vagabonder au-delà de la plage, là où la marée commençait à remonter et où de petites vagues blanches venaient s'échouer en longues lignes irrégulières sur le sable doré et humide. « Je voulais voir par moi-même l'endroit où ton père a été tué. Je ne me souviens pas de grand-chose. Quelqu'un m'a fracassé le crâne quelques instants après que je l'ai découvert.

— Pourquoi ? Enfin, je veux dire, qu'est-ce que vous pensiez y trouver ?

— J'ai été flic pendant de nombreuses années, Anna. Je me suis dit que, peut-être, je ne sais pas, je risquais de voir un élément qui aurait échappé aux autres.

— Et ça a donné quelque chose ? »

Il resta silencieux une fraction de seconde avant de secouer la tête. « Non. » Il se tourna pour l'observer et fut à nouveau surpris de constater à quel point elle avait le même regard de son père. Cela le perturba quelques instants pendant lesquels elle essaya de déceler dans ses yeux ce qu'il pouvait penser. « Qui a donné l'autorisation d'utiliser les reproductions des figurines ? », l'interrogea-t-il.

« C'est moi. Jamie Wooldridge m'a dit qu'ils en avaient besoin pour la fête. »

Fin se rappela comment Jamie avait nié être au courant de quoi que ce soit à ce sujet.

« Il m'a raconté qu'il y avait eu un malentendu, ne sachant pas si son père les avait commandées ou pas, mais que tout avait été tiré au clair et il s'est excusé de ne pas les avoir payées avant. Il m'a dit qu'il me les réglerait après la fête. » Elle tourna son regard vers la mer et Fin vit sa mâchoire se serrer et lui donner l'air têtu qu'il avait si souvent vu chez son père. « Je ne veux pas de son argent. Je veux les sculptures. Je veux les garder. » Elle avait du mal à contrôler sa voix. « Mon père les a faites. Ça veut dire qu'elles sont à moi maintenant, non ? » Elle tourna vers lui le même regard enflammé que son père.

Fin opina du chef. « En effet.

— Tout ce qui s'y rapporte. Chaque courbe, chaque ligne, chaque relief sculpté a été exécuté par mon père. Elles sont nées de son cœur et de sa main, et s'il ne reste qu'une seule chose de lui en ce monde, ce sont ces figurines. »

Fin fut pris de court par son éloquence inattendue, la profondeur de ses sentiments et sa capacité à les exprimer. Après tout, il s'agissait de la fille qui, moins d'une semaine auparavant, avait avoué à contrecœur « Eh merde, j'aime mon père », après l'avoir décrit comme le dernier des cons et ajouté « il me fait honte ». Une fille qui pouvait à peine faire une phrase sans la parsemer de gros mots. Il comprenait maintenant qu'il ne s'agissait que d'une attitude. Une carapace protectrice. Pour obtenir le respect de ses pairs et ne pas exposer ses faiblesses. Tout cela était balayé à présent, en même temps que les piercings. Il se souvint de la description que Fionnlagh en avait faite. C'est une gosse intelligente. Mais elle n'en fait rien. La fille de son père, quel que soit l'angle par lequel on la prenne.

« Je veux les conserver pour toujours », dit-elle. « Ainsi, j'aurai une part de lui avec moi pour la vie. »

Fin tendit la main pour lui toucher le visage. « Tu es la plus importante et la meilleure part de lui sur cette terre, Anna. Fais en sorte qu'il en soit fier. »

Ses yeux se remplirent de larmes et elle se mit rapidement debout. « Je ferais mieux d'y aller. Ils vont avoir besoin de moi là-bas. Avec ce temps, on doit se bousculer pour faire des promenades en bateau. »

Pendant qu'elle parlait, un hélicoptère survola les dunes et leur passa à basse altitude au-dessus de la tête. « Des balades en hélicoptère aussi », cria Fin pour couvrir le bruit du moteur. Il se leva. Elle parut avoir une hésitation.

« Est-ce que je pourrais venir discuter avec vous de temps en temps, monsieur Macleod ? Je ne veux surtout pas vous embêter. Mais j'ai l'impression que vous le connaissiez mieux que quiconque. Et j'aimerais bien pouvoir le connaître un peu mieux moi aussi.

— Ça me fera plaisir », répondit Fin. Il eut une envie soudaine de la prendre dans ses bras, comme si de la serrer contre sa poitrine lui permettrait d'être proche de Whistler une dernière fois. Mais il n'en fit rien.

Elle sourit d'un air las. « Merci. » Et elle se pressa le long du chemin qui menait vers la plage.

III

L'inspecteur George Gunn gara sa voiture au pied du chemin qui menait à la *blackhouse* de Whistler. Il leva le regard et vit Fin, assis au milieu des hautes herbes, les genoux ramenés sous le menton, un léger vent d'ouest lui soulevant les cheveux. Le vent en provenance de la plage portait le son de cornemuses lointaines. Il entama l'escalade de la colline d'un pas lourd.

Fin l'observait tandis qu'il montait et entendit les frottements du Nylon noir de son anorak avant de percevoir sa respiration, rendue difficile par l'effort de la montée. Il avait un dossier vert glissé sous un bras. Il s'arrêta et lança un regard noir à Fin. Celui-ci remarqua ses chaussures parfaitement cirées et le pli de son pantalon. Une dose supplémentaire d'huile capillaire aidait à tenir ses cheveux en place en dépit du vent.

« Vous avez très largement dépassé les bornes de l'amitié cette fois-ci, monsieur Macleod. Il a fallu que je mette le nez dans une enquête qui ne me concerne pas pour obtenir ce que vous vouliez. Cela s'est remarqué et on m'a posé des questions.

— Mais vous avez pu tout récupérer ? »

Gunn le fusilla du regard. « En ce qui concerne le tribunal, le rapport de l'assistante sociale n'est plus d'aucune utilité. Monsieur Macaskill est mort, par conséquent l'affaire de contestation du droit de garde est caduque. Il a toutefois été considéré comme utile pour l'enquête sur le meurtre et a été versé au dossier comme pièce à conviction.

— Et vous avez pu le consulter ?

— J'en ai même une copie. » Il tapota le dossier vert. « Et ?

— L'assistante sociale préconisait au tribunal que la garde de sa fille soit confiée à John Angus Macaskill, sur la base du souhait exprimé par sa fille elle-même. »

Fin laissa choir sa tête et ferma les yeux. Il se demanda si son intervention n'avait pas contribué à aboutir à cette situation. Il prit une profonde inspiration et se releva. « Et les photographies de la scène du crime ?

— Je les ai également. »

Fin prit Gunn par le bras. « Suivez-moi à l'intérieur et montrez-les-moi. »

Il dégagea de la place sur la table de Whistler et Gunn étala la dizaine de photos couleur en 20 × 25 sur la surface rayée et tachée par les années. C'était choquant de voir Whistler au milieu des débris. Son sang était d'une teinte criarde et anormalement rouge à la lueur des éclairages du photographe de la police et son visage brutalement pâle en comparaison. Le sang qui entourait sa bouche et son nez était presque noir. Un tel colosse, réduit à néant. Toute cette intelligence, perdue quand son cœur s'était arrêté de battre. La mosaïque de souvenirs qui constituaient sa vie disparue à jamais, comme s'ils n'avaient jamais existé. Fin se surprit à penser qu'en cet instant il aurait aimé avoir la foi de Donald. Que tout ceci ait un sens et que cela ne soit pas simplement perdu comme autant de larmes dans la pluie.

Il examina les photographies avec soin avant de se saisir de la troisième du lot. « Regardez, George. On le voit clairement sur celle-ci. La main tendue, elle touche presque la figurine qui est à terre. »

Gunn fronça les sourcils. « Pourquoi donc aurait-il essayé d'atteindre cette figurine en bois, monsieur Macleod ? Il était mourant, pour l'amour de Dieu ! »

— Et il en avait certainement conscience. Il essayait de nous dire qui l'avait tué, George. »

Gunn adressa un regard consterné à son cadet. « En pointant du doigt une pièce d'échecs ? »

Fin sentait la nausée le gagner. « Pas n'importe quelle pièce. Celle-ci représente ce que l'on appelle un berserk », dit-il en posant le doigt sur la photographie. « Le plus sauvage des guerriers Vikings. Apparemment, il se mettait dans un état de transe qui l'empêchait de ressentir la peur et la douleur. Pour toutes les autres pièces, Whistler s'est contenté de faire une exacte reproduction, mais il a donné sa propre version du berserk. » Il marqua une pause. « À l'image de Kenny John Maclean. C'était sa manière de se venger de Kenny pour lui avoir volé sa femme et sa fille. »

Gunn resta la bouche entrouverte le temps de digérer l'information. « Vous me dites que Kenny John a tué Whistler Macaskill ? »

Fin hocha la tête. « Oui, George.

— Et pourquoi ? »

Fin aspira longuement et lentement en essayant de donner un sens à tout cela. « Ce n'est qu'une supposition, mais je pense que Big Kenny a dû découvrir ce qu'il y avait dans le rapport de l'assistante sociale.

— Comment ?

— Je n'en sais rien. Peut-être Anna a-t-elle dit quelque chose. Peut-être lui a-t-elle fait part de ce qu'elle avait demandé à l'assistante sociale.

— Et vous pensez que Kenny John a tué Whistler pour l'empêcher de récupérer sa fille ? »

Mais Fin fit non de la tête. « Non, ce n'est pas aussi simple que cela. Je pense que quand nous avons découvert le cadavre dans l'avion, cela a fourni à Kenny un moyen de pression dont il n'aurait même pas osé rêver. Quelque chose qui pouvait ruiner les chances de Whistler d'avoir un jour la garde d'Anna. Il a dû menacer Whistler. Je ne pense pas qu'il ait eu le projet de le tuer. Mais je connais Whistler. Et j'imagine comment il a dû réagir. » Il ferma les yeux et s'imagina la scène. Deux géants, amis depuis l'enfance, mettant à sac cette pièce, prisonniers d'un conflit désespéré. Les meubles qui volent. Les assiettes et les tasses réduites en miettes autour d'eux.

La voix de Gunn le tira de sa rêverie. « Il n'y a aucune preuve de tout cela. »

Fin ouvrit les yeux, l'air presque surpris. « Cela ne fait que quelques jours que Whistler a été tué, George. La bagarre qui a eu lieu ici a dû être terrible. Kenny doit encore en conserver des séquelles. Et il doit y avoir des preuves irréfutables dans ce que la police scientifique a tiré de cette pièce. Si seulement votre patron voulait bien arrêter de me coller ça sur le dos et commencer à regarder au bon endroit. »

Il y eut un long silence puis la voix de Gunn s'éleva dans le calme de la *blackhouse*. « De quel moyen de pression parlez-vous, monsieur Macleod ? »

Fin jeta un coup d'œil vers Gunn.

« Vous avez dit que la découverte du corps dans l'avion avait fourni à Kenny John un moyen de pression inespéré. »

Fin sut à ce moment-là qu'il ne pourrait pas protéger le secret de Roddy.

IV

Le trajet jusqu'à l'auberge de Suaineabhal dura moins d'un quart d'heure, suffisamment pour que Fin puisse exposer à Gunn une version résumée de l'histoire que Roddy lui avait racontée moins de vingt-quatre heures plus tôt.

Une fois qu'ils se furent garés, Gunn coupa son moteur et resta assis derrière son volant, regardant à travers le pare-brise, au-delà des arbres, la surface ondulée du lac. « Seigneur, monsieur Macleod, c'est une sacrée histoire. » Il tourna la tête vers Fin. « Et Roddy Mackenzie a vécu en Espagne pendant toutes ces années alors que le reste du monde le croyait mort ? » Ce n'était pas tant une question qu'une manière de se convaincre de la réalité de la chose. « Il va avoir de sérieux problèmes. »

Fin opina du chef. En effet. Il sentit un pincement de culpabilité. Mais il n'y était pour rien et tout cela ne dépendait plus de lui à présent.

Ils remontèrent le chemin qui menait à la maison de Kenny et frappèrent à la porte. Comme personne ne répondait, Gunn l'ouvrit et avança dans l'obscurité de l'entrée. « Bonjour ? Monsieur Maclean ? » Sa voix résonna dans le silence. Au bout d'un instant, il retourna à l'extérieur, dans le vent frais qui soufflait en bourrasques. « Essayons le bureau du domaine. »

La secrétaire de Jamie Wooldridge leva les yeux, surprise de les voir. Ni Jamie ni Kenny n'étaient là, leur expliqua-t-elle. Ils étaient tous les deux sur la plage, à la fête. Fin était déconcerté. « Qu'est-ce que Kenny John fait là-bas ?

— Il pilote l'un des bateaux de la fête, monsieur Macleod. »

CHAPITRE 28

Les bateaux semblaient très éloignés tandis que Fin et Gunn traversaient la plage. Le sable était ferme et sec sous le pied, légèrement ridé par les courants qui circulaient sous la surface de la marée descendante. La fête battait son plein et la foule qui se trouvait sur la plage avait augmenté. Le château gonflable débordait d'enfants dont les cris d'excitation couvraient le bourdonnement des cornemuses qui dérivait dans le vent à travers Tràigh Uige. Des haut-parleurs diffusaient de l'accordéon à plein volume et, alors qu'ils passaient à côté de l'échiquier géant, ils entendirent au loin la voix pure et plaintive de Mairead qui planait au-dessus de la foule, le chant d'un violon et le gémissement d'une flûte celtique. Une chanson de Roddy Mackenzie sortant d'une sono installée sur l'un des stands. Sa musique, au bout du compte, de retour chez elle.

Fin s'arrêta quelques instants à côté de l'échiquier. Gunn, qui avait fait quelques pas avant de s'en rendre compte, stoppa son élan et suivit le regard de Fin qui contemplait la sculpture d'un mètre de haut du berserk que deux volontaires déplaçaient selon les instructions de la fille au talkie-walkie. On reconnaissait aisément les traits de Kenny John Maclean, les lèvres épaisses et la cicatrice qui suivait la ligne de la pommette. Les dents découvertes mordaient rageusement le sommet du bouclier.

Les yeux des deux hommes se croisèrent et l'aura qui émanait du berserk renforça en eux l'impression de danger qui les habitait déjà. Gunn fit demi-tour et allongea le pas en direction du rivage. Fin accéléra pour le rejoindre.

Une structure faite d'épais piquets de bois avait été plantée dans le sable et des pontons y étaient amarrés, attachés les uns aux autres pour constituer une jetée flottante à l'usage des bateaux. Une longue passerelle dotée d'une rampe en cordage rejoignait la plage, montant et descendant à l'unisson de la jetée. Une cabane en bois installée sur une remorque servait de point de distribution pour les gilets de sauvetage et les vêtements imperméables à destination des longues files de gens qui patientaient pour faire un tour dans la baie.

Quand Gunn et Fin arrivèrent à proximité de la jetée, ils virent que les deux bateaux y étaient encore amarrés. Il s'agissait de bateaux pneumatiques rigides de location *Delta Deep One* rouge et noir équipés de puissants moteurs à quatre temps de 150 chevaux. Des rangées de sièges alignés deux par deux à l'avant et à l'arrière du cockpit ouvert des Delta permettaient de transporter jusqu'à douze passagers. L'un des bateaux venait juste de finir de débarquer ses voyageurs et des candidats à l'excursion faisaient patiemment la queue et avançaient avec prudence sur la passerelle pour embarquer dans l'autre.

Fin scruta les visages sur la jetée à la recherche de Kenny John. Soudain, il l'aperçut qui se levait à l'intérieur du cockpit du pneumatique qui venait juste de laisser ses passagers descendre. Kenny se retourna presque au même instant et vit Fin et Gunn qui se dirigeaient vers lui d'un pas décidé. Pendant un instant, son visage resta impassible, dissimulant une nuée de pensées confuses. Mais, lorsque son esprit s'éclaircit, son visage retrouva son expressivité et Fin vit dans son regard la panique s'emparer de lui.

Il fit brusquement demi-tour et relança son moteur qui tournait au ralenti, projetant le *Deep One* loin de la jetée, le nez en l'air. Une petite silhouette habillée de vêtements imperméables qui se tenait debout sur la proue en train d'enrouler une amarre tomba en arrière dans le bateau avec un cri. Fin eut à peine le temps de voir son visage pâle à l'air surpris.

« Seigneur, George ! Anna Bheag est sur le bateau ! » Il remonta la passerelle en courant, écartant les passagers, leur criant de dégager le passage. Ceux qui avaient déjà embarqué à bord du deuxième bateau se retournèrent, alarmés par les cris. « Descendez ! Descendez du bateau ! », leur hurlait Fin.

Gunn était juste derrière lui, agitant sa plaque de police au-dessus de sa tête. « Police. Veuillez évacuer le bateau immédiatement. »

Les touristes effrayés se bousculaient pour regagner la jetée et le canot pneumatique tangua dangereusement. Le pilote se tourna vers Fin quand celui-ci sauta à bord. Fin le connaissait. C'était un homme âgé, du nom de Donnie Dubh, qui travaillait sur le domaine. Fin lut la consternation dans son regard et vit son visage devenir soudainement blême. « Fin, que se passe-t-il, bon sang ?

— Donnie, il faut que tu te lances à la poursuite de Big Kenny. Nous pensons qu'il a tué Whistler Macaskill.

— Seigneur !

— Et la petite Anna est avec lui sur ce bateau. »

Gunn sauta aux côtés de Fin. « Démarrez, pour l'amour de Dieu ! »

Donnie se précipita dans le bateau pour dénouer les amarres puis regagna le cockpit, lança le moteur Yamaha et accéléra dans la baie à la poursuite de Kenny.

Le vent leur projetait au visage des embruns salés soulevés par la proue du canot qui frappait la surface de la marée montante. Gunn s'accroupit à l'abri du minuscule

pare-brise, un doigt dans l'oreille, il criait dans son téléphone portable. Fin ne parvenait pas à comprendre ce
qu'il disait, mais il devait à coup sûr demander du renfort. Il jeta un regard rapide vers le rivage et vit l'étendue
immense de sable qui s'étalait en direction de l'auberge
de Uig sur la montée, l'écho distant des clameurs d'excitation tandis que les participants à la fête abandon-
naient stands, promenades en train et échiquier géant
pour rejoindre en courant le bord de l'eau.

Fin se tenait debout à côté de Donnie, agrippé à la
structure tubulaire noire au-dessus du cockpit et essayait
de voir à travers les embruns et la brume quelle direction Kenny avait empruntée. Il n'aperçut que de brefs
flashs orange à travers l'écume et les brusques montées
des vagues. Le vent fouettait ses cheveux et ses vêtements, l'assourdissait tandis que l'eau de mer le trempait.
Soudain, il se sentit vulnérable, sans gilet de sauvetage.
Maladroitement accrochés aux tubes noirs ses doigts
s'engourdissaient rapidement et le bateau tanguait et
gîtait de plus en plus violemment.

George Gunn était toujours accroupi sur le sol, le dos
collé contre le capot du moteur, il avait rangé son téléphone dans sa poche et son visage avait pris la couleur
de la cendre. Il leva vers Fin une paire d'yeux sombres
et chavirés avant de les refermer aussitôt. Il respirait à
grosses bouffées, longues et profondes, et Fin se demanda
s'il allait encore tenir longtemps avant de vomir.

Ils quittèrent la baie de Uig tandis que, de part et
d'autre, la côte s'élevait en strates noires et déchiquetées. Les minuscules îles de Tom and Tolm et de Triassamol s'évanouirent dans un brouillard gris sombre. Une
fois qu'ils eurent quitté l'abri de la baie, la houle aug-
menta, une mer d'un vert émeraude presque translucide
les faisait passer de creux profonds à des déferlements
d'écume bouillonnante avant de les refaire plonger soudainement dans le creux suivant. On eût dit que la mer

les avalait avant de les recracher, encore et encore. Fin s'inquiétait de savoir si le Delta pourrait supporter ce traitement encore longtemps quand ils mirent le cap au nord, le bateau de Kenny, à peine visible, les précédait de plus de cinq cents mètres.

Ils longèrent la côte qui, à partir de là, émergeait à pic hors de l'eau. La marée s'était inversée et venait s'abattre avec rage sur le gneiss noir en une furie mousseuse, poussée par le vent qui ne cessait de forcir et de fraîchir. Fin sentait le froid lui envahir les os et il commença à s'interroger sur l'intérêt de tout cela. Si Kenny avait été seul, la question ne se serait peut-être pas posée. Il aurait fini par débarquer quelque part et se serait fait cueillir. Mais il avait Anna avec lui et, étant donné son état d'esprit, il était impossible de prédire ce qu'il pouvait faire.

« Nous ne nous rapprochons pas », cria Fin par-dessus le rugissement du moteur.

« Je ne peux pas aller plus vite que lui », cria à son tour Donnie. Il avait déjà fort à faire pour empêcher le bateau d'aller heurter les rochers, emporté par les vagues qui se ruaient sur son flanc et menaçaient de les faire chavirer. Fin contempla les falaises et les geodhas profondes qui les entaillaient, l'eau de mer qui bouillonnait autour des récifs à chaque entrée, envoyant des embruns à plus de dix mètres dans les airs.

Au bout de vingt minutes de poursuite, ils atteignirent la pointe de la péninsule à Gallan Head où, pendant un moment, ils se retrouvèrent complètement exposés à la colère de l'océan qui montait. Le bateau de Kenny avait disparu de leur vue depuis deux minutes. George Gunn, défait, gagna péniblement à quatre pattes l'arrière du bateau où il vit son vomi se faire emporter par le vent.

Une fois passé le cap, ils se retrouvèrent immédiatement protégés du vent et l'océan se calma en une houle profonde et régulière. L'eau était d'un vert opaque et il n'y avait aucune trace du bateau de Kenny.

Fin plissa le regard et inspecta le littoral qui leur faisait face. Au loin s'étendait une plage vide et, sur leur gauche, après le cap suivant, les falaises bleues et luisantes des îles de Pabaigh Beag et Pabaigh Mór émergeaient des eaux houleuses d'An Caolas.

« Où diable sont-ils passés ? »

Donnie réduisit le régime du moteur à un rythme de croisière assez lent. « Il y a par ici des criques et des grottes disséminées tout le long de la côte, Fin. Il a pu se cacher n'importe où. »

Gunn, la démarche chancelante, regagna le cockpit. Il était de la même couleur que la mer. « L'hélicoptère est en route », dit-il. « Ils devraient parvenir à le repérer. »

Pendant les dix minutes qui suivirent, ils progressèrent lentement le long de la ligne déchiquetée des hautes falaises qui projetaient leurs ombres à la surface de l'eau. Ils entendaient les bruits de succion et les grognements de la mer qui fouettait les ouvertures rocheuses des grottes et des geodhas. Fin leva les yeux en entendant le moteur de l'hélicoptère qui, à peine une demi-heure plus tôt, emmenait quelques têtes brûlées voler au-dessus des montagnes. Le téléphone de Gunn retentit. Il décrocha et le colla à son oreille. Il hocha la tête et jeta un coup d'œil à Fin.

« Ils ont repéré son sillage. Il semble disparaître directement dans les falaises. Soit il a coulé, soit il est dans une grotte.

— À quelle distance ? », demanda Donnie par-dessus son épaule.

« Ils m'ont dit que c'était à environ un demi-kilomètre. »

Donnie accéléra et le bateau prit de la vitesse sur les dernières centaines de mètres, la proue levée au milieu des vagues, leur envoyant encore davantage d'embruns dans le visage. Fin tremblait sans parvenir à se contrôler.

« Là », dit Donnie, et ils ralentirent à nouveau. Fin aperçut le remous blanc laissé par le sillage du bateau de Kenny John, clairement visible sur le vert sombre et profond. Il se dirigeait vers des piles rocheuses qui émergeaient d'une écume tourbillonnante et ils virent les dents menaçantes de granit et de gneiss qui, s'ils déviaient un tant soit peu de la trajectoire suivie avant eux par Kenny, déchireraient leur canot pneumatique. Soit il connaissait ces eaux comme sa poche, soit il était guidé par la main de Dieu, sachant l'agitation émotionnelle que provoquait ce genre de prise de risques insensée.

Donnie ramena la vitesse du bateau à un ou deux nœuds. Ils dérivèrent doucement vers l'avant sous une voûte naturelle, profonde, qui se projetait au-dessus de leurs têtes. Elle avait été ciselée par les éléments pendant des millions d'années dans la roche la plus ancienne de la planète et la lumière du jour jouait sur chacune de ses facettes couvertes de sel. À présent qu'ils étaient abrités par les falaises, le vent n'était plus qu'un murmure et le son du moteur Yamaha rebondissait sur les parois de la galerie et revenait vers eux. L'hélicoptère sortit de leur champ de vision et le bruit de son moteur s'évanouit. Autour d'eux l'eau n'était que clapotis, soupirs et échos, jusqu'à ce qu'ils émergent dans une minuscule baie totalement encerclée de falaises dont les rochers étaient zébrés de guano. Le rugissement de l'hélicoptère revint, renvoyé par la surface impénétrable de cet espace confiné. Les mouettes tournoyaient et hurlaient au-dessus d'eux, s'amusant dans les courants d'air.

Fin se tourna vers Gunn. « Pour l'amour de Dieu, George, dites-leur de dégager. On n'entend absolument rien. »

Gunn aboya dans son téléphone et l'hélicoptère disparut. Un silence irréel descendit. Seule la mer chuchotait dans l'obscurité, sous le ronron morne et répétitif de leur moteur.

Le sillage pâle du bateau de Kenny traversait la petite étendue d'eau et disparut dans une fente profonde qui

337

entaillait la paroi de la falaise. Des veines nettes de roches aux couleurs vives se dessinaient au-dessus de l'entrée de ce qui semblait être une grotte. Des couches de bleu luminescent, de jaune, d'orange, de vert et de rouge. L'écume se rassemblait en un cercle tourbillonnant devant l'entrée, plus avant dans la noirceur de la grotte la mer gémissait comme un animal piégé.

Tandis que la lumière du jour s'estompait doucement derrière eux, Donnie avançait centimètre par centimètre vers une destination obscure et incertaine.

« Coupez le moteur », ordonna Fin. Dans le calme qui s'installa, ils entendirent au-devant d'eux le ronronnement du moteur de Kenny et le son perçant de voix habitées par la colère qui leur parvenait en écho rebondissant sur les parois de la cathédrale de pierre. Fin leva la main au-dessus de sa tête et découvrit l'un des projecteurs fixés sur la barre transversale qui surplombait le bateau. Il trouva l'interrupteur du bout des doigts et soudain, dans la grotte inondée de lumière, les couleurs des rochers leur apparurent, criardes et saisissantes.

Le Delta de Kenny tanguait sur la houle paisible à une dizaine de mètres d'eux. Anna et lui, en pleine dispute, se tenaient debout à la proue du bateau. La voix d'Anna, troublée et chargée de colère, couvrait celle de Kenny. Tous deux se tournèrent vers la lumière, surpris, les yeux écarquillés, avant de les plisser, éblouis par le faisceau dirigé sur eux. Kenny leva la main pour se protéger, comme quelqu'un surpris par le flash d'un appareil photo. Dans l'obscurité, son visage semblait brûlé par la lumière. Sa bouche, ses narines et ses yeux n'étaient plus que des trous noirs qui exprimaient sa peur.

« Qu'est-ce qui se passe, bordel ? » La voix d'Anna Bheag résonna dans la grotte.

Fin l'ignora et porta toute son attention sur Kenny. Il l'appela, masqué par la lumière. « Kenny, c'est de la folie. Laisse tomber. »

Kenny se tourna vers lui, comme un cerf pris dans les phares d'une voiture. « Je ne peux pas, Fin. Je ne peux pas. »

Fin vit la salive qui s'accumulait aux coins de sa bouche. « Roddy m'a raconté ce qui s'est passé la nuit où il a abandonné l'avion, Kenny. Que tu étais tombé sur eux dans les montagnes. Que faisais-tu là-bas ? »

Kenny respirait avec difficulté. Il secoua la tête. « J'étais encore à l'institut agronomique cette année-là. Je passais mes étés à travailler comme surveillant pour le domaine.

— Tu as cru qu'il s'agissait de braconniers ?

— Je n'en avais aucune idée. Je remontais la vallée quand j'ai entendu l'avion. Et je l'ai vu passer, bien trop bas, avant qu'il ne disparaisse, j'ai cru qu'il s'était écrasé. Quand je suis arrivé au sommet de la colline et que je suis descendu dans la vallée sur l'autre versant, il était au milieu du loch et coulait rapidement. Mais il était entier. C'est là que j'ai vu Roddy et Whistler sur la rive opposée.

— Comment diable toi et Whistler avez-vous pu garder ce secret pendant toutes ces années ?

— C'est ce qui nous liait, Fin. Un lien plus fort que les mariages brisés ou les disputes pour avoir la garde d'une enfant.

— Mais tu as brisé ce lien. Ils t'avaient fait jurer de garder le secret, Kenny. » La phrase de Fin fusa comme une balle dans l'obscurité. Une accusation de trahison.

Kenny se rebiffa. « Ils m'avaient menti. Ils ne m'ont jamais dit qu'il y avait un corps dans l'avion. »

Fin secoua la tête. « Whistler n'en savait rien. C'était le secret de Roddy. Whistler ne l'a découvert que quand nous avons trouvé l'avion l'autre jour. Il était bouleversé, Kenny. Au plus profond de lui-même. »

Kenny sembla troublé. Mais quelles que fussent les pensées qui traversaient son esprit, il ne put les exprimer.

« Que s'est-il passé le matin où tu es allé le voir, Kenny? Qu'as-tu fait? Tu as menacé de le dénoncer s'il ne laissait pas tomber sa demande de garde pour Anna? »

Un son étrange et sauvage s'échappa de la bouche de Kenny, comme de celle d'un animal blessé. Il ferma les yeux avant de les ouvrir en grand. Il leva la tête vers la voûte de la grotte avant de les baisser à nouveau vers Fin. « J'aime cette petite de tout mon cœur, Fin. À chaque fois que je la regarde, je vois sa mère. » Comme Fin y voyait Whistler. « J'ai cru que si je le menaçais de dire à la police ce que je savais à propos de l'avion, il laisserait tomber la procédure devant le tribunal. Ce n'était pas Roddy dans le cockpit, et je le savais. Et si Whistler était impliqué dans la mort du type que vous avez trouvé dans l'avion il perdrait Anna pour toujours. » Il marqua une pause, le souffle court. « Mais je ne l'aurais jamais dit. Jamais. Je pensais que cela suffirait de le menacer. Mais il est devenu fou furieux. » Fin repensa au berserk. Si quelqu'un correspondait bien à ce personnage, c'était Whistler. Un homme qui avait toujours été au bord de l'explosion, victime d'un tempérament qui l'emportait toujours trop loin, encore et encore, l'empêchant d'agir avec discernement. « Il est devenu fou et s'est jeté sur moi. Je ne m'y attendais pas. Seigneur, je n'ai jamais voulu le tuer. Mais c'était lui ou moi.

— Pour l'amour de Dieu, Kenny. Tu l'as menacé de lui enlever sa fille et tu n'as pas pu t'imaginer comment il allait réagir? » Fin sentit la nausée le gagner. Il lui apparaissait clairement que, par un coup du sort étrange et inéluctable, Whistler avait semé les graines de sa propre fin quand il avait accepté de couvrir le subterfuge de Roddy, dix-sept ans plus tôt. C'était la menace de Kenny de briser le pacte de silence que les trois anciens amis avaient respecté pendant tout ce temps qui l'avait tué.

Kenny leva les mains l'air désespéré et secoua la tête, les larmes qui coulaient sur ses joues luisaient dans la lumière du projecteur. « Je n'ai jamais eu l'intention de le tuer », répéta-t-il. Comme si cela pouvait encore changer quelque chose.

Le cri qui retentit dans la caverne glaça le sang de Fin. Il n'eut même pas le temps d'ouvrir la bouche pour crier « Non ! » avant de voir l'éclat de la pointe recourbée de la gaffe que la petite Anna tenait à deux mains et qu'elle enfonça avec fureur dans la poitrine de Kenny John.

CHAPITRE 29

I

L'Église libre d'Écosse située dans Kenneth Street à Stornoway était un grand édifice triste, crépi de rose, au clocher couronné de quatre flèches miniatures, surmontées chacune d'une girouette. Le temps était une préoccupation majeure sur l'île de Lewis.

Un avis à l'entrée annonçait que des offices en anglais étaient célébrés pendant le sabbat à 11 heures et à 18 h 30 et, aux mêmes heures, des offices en gaélique au séminaire de Francis Street. Sur l'île, dans les églises de campagne, les offices étaient normalement célébrés en gaélique, mais à Stornoway, les personnes qui le parlaient étaient minoritaires.

La salle paroissiale courait sur le côté droit de l'église. Un bâtiment récent aux fenêtres percées haut dans les murs pour que la lumière de Dieu pénètre au maximum entre ses murs lugubres.

C'est là qu'un quorum de douze membres du Comité judiciaire désigné par l'assemblée générale de l'Église se trouvait réuni un mercredi maussade et pluvieux d'octobre pour faire le procès du pasteur Donald Murray. Devant la salle, un grand marronnier avait pratiquement perdu toutes ses feuilles. Elles jonchaient la pelouse comme pour annoncer la fin définitive de l'été. Un mauvais présage.

Le parking était rempli de véhicules luisants de pluie et certains avaient dû stationner de part et d'autre de Kenneth Street sur des emplacements interdits, une autorisation spéciale avait été accordée pour la journée et des contractuels avaient été postés à chaque extrémité de la rue pour contrôler les entrées. C'était un petit théâtre inédit qui se jouait ce jour-là sur l'île, la mise en scène d'un drame humain qui aurait sans doute choqué l'Église elle-même s'il avait été écrit par un dramaturge et exécuté par des acteurs.

Mais ces débats n'étaient pas une comédie. Le futur d'un homme était en jeu. Malgré la décision du procureur de ne pas engager de procès criminel, un groupe des aînés de la paroisse de Donald Murray avait déposé une plainte privée auprès du Consistoire. Ils l'accusaient, dans une déclaration détaillée et signée, d'avoir commis un crime contraire à la « Parole de Dieu et aux Lois de l'Église ». Après avoir examiné la plainte, le Consistoire l'avait transmise au Comité judiciaire pour que soit organisé un procès en recommandant que si le pasteur Murray venait à être déclaré coupable, il soit immédiatement démis de ses fonctions de pasteur de l'Église libre de Crobost.

Malgré la pluie, Fin avait préféré se garer à South Beach et faire le chemin à pied. Il voulait pouvoir se sauver rapidement à la fin de l'audience et cela serait plus aisé à pied. Marsaili et lui avançaient en partageant un parapluie. Ils passèrent devant le musée et le théâtre à An Lanntair et virent la foule qui attendait sous un assemblage de parapluies de toutes les couleurs sur le trottoir de l'église en haut de la colline. Les habitants du quartier se penchaient à leur fenêtre, au-dessus du salon de coiffure pour hommes et de la librairie religieuse située en face, pour observer l'agitation. La presse locale et nationale avait largement parlé du tribunal religieux et les médias s'étaient installés à côté de l'église, des camionnettes équipées d'antennes satellites étaient garées sur le parking, des photographes, des cameramen et des journalistes s'agitaient au milieu de la foule.

Même si Marsaili avait pris le bras de Fin, on sentait une distance entre eux. Son voyage en Espagne et ses conséquences avaient rouvert dans leur relation une brèche qu'ils avaient essayé de masquer pendant des mois. Ni l'un ni l'autre ne voulait admettre que, malgré leur passé commun, leur futur demeurait incertain et que la possibilité d'un échec était omniprésente. Tandis qu'ils remontaient la rue, deux âmes à des kilomètres l'une de l'autre, Fin songeait qu'il aurait aimé pouvoir simplement lever la main et dire halte. Et tout recommencer. Depuis le début. Depuis ce premier jour à l'école où la petite fille avec des couettes tenues par des rubans bleus lui avait souri et avait dit à l'institutrice qu'elle traduirait pour le garçon qui ne parlait que le gaélique.

Cela ne faisait que quelques jours que l'enterrement de Whistler avait eu lieu. Par miracle, Kenny John avait survécu, la plus grande partie de la gaffe ayant été absorbée par son gilet de sauvetage. Mais il était encore à l'hôpital et très mal en point. Sur les trois garçons qui s'étaient rendus tant d'années auparavant au monument de Holm Point et s'étaient découvert une histoire commune dans le désastre de l'*Iolaire*, l'un était mort et un autre était accusé de meurtre. Anna était enfermée dans un centre pour délinquants juvéniles hors de l'île en attendant que les autorités décident de la meilleure manière de traiter le cas de cette enfant qui avait tenté de tuer le meurtrier de son père.

Fin se demanda comment il était possible qu'une vie et tant d'innocence disparaissent ainsi.

Amran, ex-Sòlas, le groupe qui avait été la bande-son de son adolescence, était empêtré dans des querelles internes, des procès, et se délitait sous les projecteurs des médias internationaux. Pendant des jours, la presse et les journaux télévisés n'avaient parlé que de Roddy, de sa mort simulée, du fait qu'il était encore vivant dix-sept ans après. Son extradition avait été demandée à l'Espagne sur la base d'une possible accusation de meurtre. Ce n'était qu'une question de temps avant qu'un mandat européen ne soit émis pour son arrestation.

À présent, c'était au tour de Donald de faire face à son moment de vérité. Marsaili n'était pas venue pour accompagner Fin mais pour soutenir Donald moralement et apporter son témoignage. Après tout, c'était lui qui avait pris sa virginité quand ils étaient adolescents. Et Fin se souvenait de son soulagement quand il avait appris qu'il ne s'agissait pas d'Artair.

Dans la salle, les rangées de sièges installés derrière eux étaient toutes occupées. Fin, George Gunn, les accusateurs de Donald et les autres témoins étaient assis au premier rang derrière des tables où s'étaient regroupés, à gauche, les avocats de l'Église et, seul à droite, Donald Murray.

Face à l'assemblée les douze membres du Comité judiciaire siégeaient à une longue table, tels Jésus et ses apôtres lors de la cène. À cette différence près qu'ils étaient tous vêtus de costumes sombres et affichaient un visage grave, prêts à juger l'un des leurs, une tâche qui, à l'évidence, pesait lourdement sur leurs épaules. Au moins la moitié d'entre eux étaient pasteurs. L'atmosphère était tendue, il y avait de l'électricité dans l'air. Le président abattit son marteau pour obtenir le silence et un greffier, qui avait également la charge d'enregistrer les débats, se leva pour lire l'acte d'accusation. C'était un petit homme, presque complètement chauve et Fin était fasciné par le mauve de ses lèvres luisantes et humides. Il écoutait à peine l'énoncé. « Alors que la nuit tombait sur l'île d'Eriskay un soir de printemps plus tôt dans l'année, le pasteur Donald Murray a ôté la vie à un homme

en faisant feu sur lui avec un fusil. Cet acte était clairement, et sans équivoque, en contravention avec le sixième
commandement transmis par Dieu à Moïse sur le mont
Sinaï. *Tu ne tueras point.* Un commandement consacré
par les lois de l'Église. »

Le président tourna la tête vers Donald. C'était un
homme plus âgé, très certainement dans la soixantaine,
les cheveux gris et abondants coiffés en arrière avec des
plis et des vagues. Il avait des yeux marron, humides et
sombres qui exprimaient, si ce n'est de la sympathie,
au moins de la neutralité. « Vous êtes en droit de faire
une déclaration préliminaire pour votre défense, pasteur Murray. »

Donald se leva. Il portait un costume gris clair sur
sa chemise en coton noir et son col romain. Il posa les
extrémités de ses doigts sur le bureau devant lui, comme
pour conserver son équilibre. La couleur de sa peau était
la même que celle de son costume et d'une texture qui
faisait penser à du mastic. Ses cheveux avaient perdu
leur éclat blond. Presque tous ceux qui étaient présents
dans la salle entendirent résonner sa voix, claire et assurée. Mais Fin qui le connaissait mieux y détecta un léger
tremblement. « Je n'ai rien à dire pour ma défense, Monsieur. Les faits sont connus et parlent d'eux-mêmes. Vous
prendrez aujourd'hui la décision qui vous semblera juste
sur la base des témoignages qui vous seront présentés.
Et je l'accepterai sans la discuter. Mais je ne serai pas
jugé, si ce n'est par Dieu, notre Seigneur.

— Jugé par le Seigneur, vous le serez, pasteur Murray,
comme nous le serons tous. Et cela sera entre vous et Lui.
Nous sommes ici aujourd'hui pour déterminer si oui ou
non vous avez enfreint Ses lois et, ce faisant, jeté le dis-
crédit sur Son Église. Et, je peux vous en assurer, c'est un
jugement que nous avons la ferme intention de rendre. »

Le procès dura plus de deux jours. La plupart des
preuves présentées le premier jour furent les témoignages

des aînés qui avaient porté l'accusation contre leur pasteur. Un défilé d'hommes tristes, d'une foi résolue et impitoyable, arguant de l'intangibilité des Dix Commandements et de l'indignité de Donald à diriger leur congrégation. Des arguments légaux et doctrinaires interminables qui sapèrent l'énergie de l'assemblée.

Ce n'est que le deuxième jour que les faits furent exposés. Le témoignage le plus important était celui de l'inspecteur George Gunn. Fin l'observa tandis qu'il se déplaçait vers l'avant de la salle et prenait place derrière la table réservée aux témoins. Durant sa longue carrière dans la police, il avait déjà témoigné dans d'innombrables procès sur l'île et en dehors. C'était un officier de police expérimenté. Mais Fin ne l'avait jamais vu si nerveux. Le greffier s'adressa à lui.

« Veuillez indiquer votre nom, s'il vous plaît.

— George William Gunn.

— Déclarez-vous solennellement que vous direz la vérité, que vous n'avez pas l'intention de nuire par le biais de votre témoignage et que vous n'êtes en aucune façon de parti pris ?

— Oui. »

Le président fit un signe de tête à l'attention de l'avocat de l'Église, un juriste d'Édimbourg à la retraite. « Monsieur Kelso ? »

Kelso se leva derrière son bureau, face à la salle. Il était petit et rond, vêtu d'un costume sombre, les quelques cheveux qui lui restaient étaient teints en noir et coiffés en travers de son crâne plat et carré. Fin se l'imaginait avec sa perruque et sa robe, dans les tribunaux d'Édimbourg, faisant sa plaidoirie avec la confiance d'un professionnel exerçant depuis plus de trente ans. Mais, aujourd'hui, il n'avait pas la panoplie de son ancienne profession pour se cacher et la Bible n'était pas une loi votée par le parlement à l'interprétation claire. C'était un recueil d'histoires et d'anecdotes qui avaient engendré un grand nombre de sectes religieuses, chacune en ayant tiré ses propres interprétations et y ayant plaqué sa vision du monde.

« Vous êtes inspecteur de la brigade criminelle de la police de Stornoway, est-ce exact ?

— Oui, monsieur.

— Vous avez été appelé sur les lieux d'une fusillade sur l'île d'Eriskay au printemps de cette année.

— En effet.

— Cela se trouve à plusieurs heures de Stornoway par la route. Comment vous y êtes-vous rendu ?

— Je me suis assuré de l'assistance des garde-côtes, monsieur. Plusieurs officiers en uniforme et moi-même y avons été transportés par hélicoptère pour assister la police locale.

— Et quand vous êtes arrivé là-bas, qu'y avez-vous trouvé ?

— Un homme gisait, sans vie, sur le sol du salon de la maison. Il avait été touché en pleine poitrine. Un deuxième homme avait été fait prisonnier par les personnes présentes dans la maison. Il a ensuite été arrêté par les officiers de police de South Uist.

— Je crois savoir, inspecteur, que vous avez recueilli les témoignages de toutes les personnes sur place, dont certaines n'ont pas pu ou voulu être présentes aujourd'hui. Sur la base de ces témoignages, je vais vous demander de faire au Comité judiciaire un exposé aussi clair que possible des événements qui ont abouti à la fusillade. »

Gunn prit une profonde inspiration. « Cette situation est née de ce qui semble être un cas de vengeance, monsieur, pour un fait, ou des faits, qui ont pu se dérouler, ou non, il y a de cela plus de cinquante ans. Nous ne sommes pas en mesure de le vérifier. Ce qui est certain, c'est qu'un chef de gang connu de la ville d'Édimbourg, arrivé sur l'île de Lewis plus tôt ce jour-là, accompagné d'un complice, avait l'intention de nuire à un Niseach du nom de Tormod Macdonald. Un Niseach… c'est quelqu'un originaire de Ness, monsieur. »

Kelso opina du chef.

« Monsieur Macdonald est un homme âgé souffrant d'une forme avancée de démence sénile. Le matin même, sa famille l'avait amené en visite à la maison d'une vieille amie à Eriskay. En découvrant que monsieur Macdonald n'était pas chez lui, les deux hommes d'Édimbourg ont kidnappé l'arrière-petite-fille de monsieur Macdonald, ainsi que sa mère, et les ont emmenées à Eriskay où ils avaient l'intention de les abattre sous les yeux de monsieur Macdonald.

— Avec tout le respect qui vous est dû, inspecteur, je ne crois pas que vous puissiez établir quelles étaient les intentions du défunt. Je vous serai donc reconnaissant de vous en tenir aux faits tels que vous les connaissez. »

Fin vit Gunn se hérisser. « Avec tout autant de respect, monsieur Kelso, le fait d'abattre l'arrière-petite-fille de monsieur Macdonald, et sa mère était l'intention du défunt, une intention énoncée de vive voix en présence de plusieurs témoins dont j'ai recueilli les dépositions. Et ce sont les faits tels que je les connais. »

Si Kelso fut surpris par la réplique de Gunn, il n'en montra rien. Mais se faire ainsi contredire par un policier insulaire qu'il devait certainement considérer comme un plouc avait dû être plus qu'humiliant. Fin esquissa un sourire. Kelso consulta quelques-uns des papiers étalés sur son bureau. « Examinons le témoignage que vous avez recueilli auprès du petit-fils de monsieur Macdonald et père de l'enfant. Fionnlagh Macinnes. Au dire de tous, les personnes venant d'Édimbourg l'avaient laissé ligoté dans sa maison de Ness pendant qu'ils se rendaient en voiture à Eriskay. Et pourtant, il était avec le pasteur Murray au moment de la fusillade. Comment cela est-il possible ? »

Gunn s'éclaircit la gorge. « Selon Fionnlagh Macinnes, il est parvenu à se libérer de ses liens et à se rendre à la maison du pasteur Murray pour lui apprendre ce qui venait de se passer.

— Pourquoi est-il allé voir le pasteur Murray au lieu de la police ?

— Parce que Donna, la mère de l'enfant, est la fille du pasteur Murray.

— Et donc, le pasteur Murray s'est rendu à la police ?

— Non, monsieur.

— Qu'a-t-il fait ?

— Il a pris un fusil et une boîte de cartouches dans le coffre du presbytère et il s'est rendu en voiture à Eriskay.

— En compagnie de Fionnlagh Macinnes ?

— Oui, monsieur.

— Pourquoi n'a-t-il pas appelé la police ?

— Il faudra que vous le lui demandiez vous-même, monsieur. »

Kelso soupira, visiblement irrité. « Pourquoi pensez-vous qu'il n'a pas averti la police ?

— Avec tout le respect que je vous dois, monsieur, je ne crois pas pouvoir parler pour l'accusé. Je préfère m'en tenir aux faits tels que je les connais. »

Kelso eut du mal à masquer son agacement. « Vous avez recueilli la déposition du pasteur Murray ?

— En effet.

— Et vous a-t-il dit pourquoi il n'avait pas appelé la police ? »

Gunn hésita. Il ne pouvait plus esquiver. « Il a déclaré qu'il n'avait pas confiance dans les policiers de South Uist, inexpérimentés et non armés, pour s'occuper de criminels endurcis, décidés à faire du mal à sa fille et à sa petite-fille.

— En d'autres termes, il a décidé de se faire justice lui-même.

— Je ne crois pas que je dirais cela, monsieur.

— Il n'a pas signalé un crime en train de se dérouler et a préféré s'en charger. Cela ne revient-il pas à se faire justice soi-même ? »

Gunn changea de position, mal à l'aise. « Je suppose que c'est le cas. »

Kelso enregistra la réponse avec un sourire ironique. « Merci, inspecteur. » Il cala une paire de demi-lunes sur l'extrémité de son nez, consulta d'autres documents, puis les ôta d'un geste théâtral. « Il serait donc juste de considérer qu'ayant fait le choix de ne pas informer la police et étant armé d'un fusil, il avait l'intention de l'utiliser.

— Vous pouvez énoncer cette hypothèse, monsieur Kelso. Mais d'après ce que je sais, le pasteur Murray et Fionnlagh Macinnes ont essayé à plusieurs reprises de joindre la fille de monsieur Macdonald, Marsaili, sur son téléphone portable pour l'avertir que les membres du gang d'Édimbourg étaient en route.

— Certes, mais quand bien même il serait parvenu à les prévenir, cela ne change rien au fait que sa fille et sa petite-fille avaient été kidnappées par des criminels dangereux. Qu'il était armé et à leur poursuite. Il est peu probable qu'il avait l'intention de leur lire un passage de la Bible. »

Sa remarque déclencha des rires dans la salle.

Le président du Comité judiciaire, en revanche, ne sembla pas apprécier la plaisanterie. Il se pencha au-dessus de la table. « Je ne crois pas, monsieur Kelso, que ce soit le lieu ou le moment d'amuser la galerie. »

Kelso acquiesça d'un léger mouvement de tête. « Mes excuses, monsieur le président. » Il se tourna vers Gunn. « Merci, inspecteur. Ça sera tout. »

Gunn était stupéfait. « Vous ne voulez pas savoir ce qui s'est passé dans la maison ?

— Nous l'apprendrons de la bouche de ceux qui s'y trouvaient. Merci. »

En regagnant sa place, Gunn regarda Donald Murray d'un air contrit, mais Donald resta impassible.

Ce fut au tour de Marsaili d'être appelée comme témoin pour raconter ce qui s'était passé à l'intérieur de la maison. Fin l'observa pendant qu'elle parlait d'une voix ferme et assurée, exposant les événements qu'il avait lui-même vécus. Elle était encore belle. Une beauté triste et pâle. Son visage au teint clair était à peine maquillé, ses cheveux ramenés en arrière et coiffés en queue-de-cheval. Il voyait encore en elle la petite fille d'autrefois. La petite fille qu'il avait aimée de tout son cœur sans savoir encore ce qu'était l'amour. La petite fille qui, par deux fois, lui avait brisé le cœur. La petite fille qui lui avait donné son amour sans retenue jusqu'à ce qu'il la trahisse. Était-ce à ce point étonnant qu'ils éprouvent tant de difficulté à retrouver ceux qu'ils avaient été ?

Elle fit un récit convaincant de ce qui s'était passé cette nuit-là. Le parrain d'Édimbourg levant le canon de son fusil pour le décharger sur Donna et le bébé. Sa revanche pour une histoire ancienne, entre lui et le père de Marsaili. Au lieu de cela, du verre avait volé en éclats à travers la pièce quand Donald avait tiré au travers de la fenêtre, projetant le gangster contre la fenêtre opposée, sauvant une jeune mère et son enfant d'une mort certaine. Les habitants de Lewis qui étaient venus s'entasser ce jour-là dans la salle paroissiale retenaient leur souffle comme un seul homme.

Fin se rendit à peine compte que le témoignage de Marsaili touchait à sa fin puis que l'on appelait son nom. Ce ne fut que lorsque Marsaili vint se rasseoir à côté de lui et lui chuchota, « C'est à toi », qu'il comprit que c'était son tour.

Il prit place derrière le bureau des témoins et jura solennellement de dire la vérité sans arrière-pensée ni parti pris.

Kelso le dévisagea avec attention. « Vous avez été officier de police, monsieur Macleod, n'est-ce pas ?

— En effet.

— Pendant combien de temps ?

— Pendant quinze ans environ.

— Et quel grade avez-vous atteint ?

— Inspecteur principal.

— Vous avez donc une expérience considérable dans tout ce qui touche au crime et aux criminels.

— En effet.

— Existe-t-il des circonstances dans lesquelles vous recommanderiez aux gens de se faire justice soi-même ?

— Je crois, monsieur Kelso, que vous vous méprenez sur ce qu'est la loi.

— Oh, vraiment ? » Kelso semblait amusé. « Je la pratique pourtant depuis plus de trente ans, monsieur Macleod.

— Et je suis certain que la pratique mène à la perfection, monsieur Kelso. Mais ce n'est pas seulement votre loi ou la mienne. La loi appartient à tous. Nous élisons des représentants pour la faire en notre nom, et nous employons des policiers pour la faire respecter. Et quand ils ne sont pas dans les parages, nous devons quelquefois nous en charger. C'est pour cela qu'existe, par exemple, le concept "d'arrestation citoyenne". Et si nous armons un policier et lui donnons la permission de tirer sur un criminel à notre place, cela revient à se faire justice soi-même. Mais par le biais d'un intermédiaire.

— Vous croyez donc que le pasteur Murray a eu raison d'agir comme il l'a fait ?

— Non seulement je crois qu'il a eu raison, mais j'aimerais pouvoir dire que j'aurais eu le courage de faire de même.

— Vous ne pensez pas que l'issue aurait été différente si le pasteur Murray avait appelé la police ?

— Oh oui, monsieur, l'issue aurait été très différente. Donna Murray et son bébé seraient morts ainsi, probablement, que tous ceux qui étaient présents dans la maison ce soir-là. En l'état, seul un homme est mort. Un homme dont l'intention déclarée était d'assassiner une jeune mère innocente et son enfant. »

Kelso ricana. « Comment pouvez-vous en être sûr ?

— Parce que j'y étais et que vous n'y étiez pas. Et avec près de quinze ans d'expérience en tant qu'officier de police, je peux vous affirmer sans aucun doute que la police locale, désarmée et inexpérimentée comme elle l'est, n'aurait jamais été capable de gérer la situation. »

Kelso le gratifia d'un regard appuyé et glacial puis chaussa ses demi-lunes et baissa les yeux sur la feuille qu'il tenait à la main. « Bien, revenons-en au détail des événements de cette soirée.

— Non », dit Fin en secouant la tête. « Je pense que nous en avons suffisamment entendu à ce propos. »

Kelso releva soudainement la tête sous l'effet de la surprise.

« J'ai passé ma journée d'hier assis là », poursuivit Fin, « à écouter un tas de bigots déverser leur bile sous couvert de piété. » Un murmure de stupeur parcourut l'assemblée tandis que Fin les scrutait du regard, cherchant quelque chose. Puis, subitement, il pointa le doigt. « Là. Torquil Morrison. Il se saoulait et battait sa femme. Jusqu'à ce qu'il trouve Dieu. Ou que Dieu le trouve. À présent, il est devenu si glacial qu'un morceau de beurre ne lui fondrait pas dans la bouche. » Des « oh ! » et des « ah ! » se firent entendre. Fin désigna un autre visage. « Et là. Angus Smith. Me viennent à l'esprit au moins deux enfants illégitimes qu'il n'a jamais reconnus. Je parierais qu'il n'aurait pas le courage de tuer un homme pour sauver leurs vies. Je ne connais pas les autres accusateurs du pasteur Murray. Mais, laissez-moi vous dire : *que celui parmi vous qui n'a jamais péché lui jette la première pierre.* »

Le président du Comité judiciaire laissa tomber son marteau, le visage congestionné par la colère et la gêne. « Cela suffit, monsieur Macleod ! »

— Je n'ai pas fini », ajouta Fin. « Je suis ici par ma volonté et non la vôtre. Je suis ici parce qu'un homme bien a fait la seule chose qu'il pouvait faire dans des circonstances extraordinaires. Ne rien faire n'était pas un choix envisageable. Ne rien faire signifiait condamner des vies innocentes. Ce qu'il a fait a sauvé des vies au prix d'une autre qui, franchement, ne valait pas grand-chose. Et je ne crois pas à cette connerie de sixième commandement. Tu ne tueras point ? Non. À moins que tu sois un Allemand pendant la Première ou la Seconde Guerre mondiale, ou un Irakien durant la guerre du Golfe. Dans ce cas-là, ça passe, parce que c'est… justifié. Je ne savais pas qu'il y avait une annexe au sixième commandement, monsieur le président. Tu ne tueras point – à moins que cela soit justifié. »

Fin leva la tête et renifla l'air ambiant.

« Je sens ici quelque chose que je connais bien. » Il renifla de nouveau. « Je sais ce que c'est. Je l'ai déjà senti. C'est l'hypocrisie. C'est une odeur fétide, et elle ne devrait pas flotter en ces lieux. » Il pivota en direction de Donald et fut presque surpris de voir ses yeux se remplir de larmes. Fin, étranglé par l'émotion, finit par retrouver sa voix. « Ton Dieu te jugera, Donald. Et s'Il est seulement la moitié du Dieu que tu penses qu'Il est, alors Il t'a probablement aidé à appuyer sur la gâchette. »

Au moment où Fin sortit, avec Marsaili à son bras, le silence se fit parmi la foule massée devant la salle. Les gens s'écartèrent silencieusement, ouvrant un passage vers la porte pour le couple. Ce n'est que lorsqu'ils eurent parcouru la moitié de Kenneth Street que Marsaili serra son bras et qu'elle tourna vers lui ses yeux couleur de bleuet, comme elle l'avait fait ce premier jour d'école. « Je suis fière de toi », dit-elle.

II

Le Comité judiciaire rendit son verdict le troisième jour. Dans la salle paroissiale, tout le monde se tenait debout et des centaines de gens se pressaient dans la rue. Donald était assis à sa place, calme et absent, les mains jointes devant lui. Il ne tourna la tête qu'une seule fois pour observer les visages dans la foule derrière lui avant que les membres du Comité judiciaire ne reviennent prendre leur siège. Cela n'échappa pas à Fin. Il regarda Marsaili et l'interrogea d'un haussement de sourcil. Elle haussa les épaules. « Toujours aucun signe d'elle. »

La seule personne qui avait brillé par son absence pendant le procès était l'épouse de Donald, Catriona. Fin en avait le cœur brisé pour lui. Quel que soit le verdict, sa femme, la mère de sa fille, ne serait pas là pour le réconforter ou partager sa joie. Donald semblait si seul à l'avant de la salle.

Quand les membres du Comité s'installèrent, le silence se fit soudainement. Il était impossible de dire, en déchiffrant l'expression grave de leurs visages, quelle décision ils avaient pu prendre.

Les débats s'ouvrirent, comme les jours précédents, par une prière. Puis, le président se tourna vers Donald. « Voulez-vous bien vous lever, s'il vous plaît, pasteur Murray ? »

Donald se mit debout, prêt à affronter son destin.

« Ce fut une décision très difficile pour le Comité. Nous avons été, comme vous le fûtes vous-même, confronté à un choix moralement complexe. Et, alors que nous avons pu bénéficier de temps pour parvenir à une décision réfléchie, nous avons tenu compte du fait que cela n'avait pas été votre cas. Dieu vous a confronté à une épreuve, pasteur Murray, comme il l'a fait avec nous. Damné pour avoir agi, damné pour n'avoir pas agi. Au bout du compte, quels que soient les arguments moraux ou religieux, nous ne pouvons que nous demander, chacun de nous en toute humanité, ce que nous aurions fait dans les mêmes circonstances et mesurer nos actes à l'aune des attentes de Dieu notre Seigneur. Et, en vérité, au bout du compte, Lui seul en est le juge. »

Il prit une profonde inspiration, regardant brièvement ses mains posées sur la table devant lui. Lorsqu'il releva les yeux, le silence était absolu.

« Toutefois, nous avons la charge de rendre une décision. En conséquence, nous avons décidé de ne retenir aucune charge contre vous. Vous êtes libre de poursuivre votre ministère à Crobost, aussi longtemps que votre congrégation le voudra. »

La clameur qui s'éleva de la foule et les applaudissements qui suivirent furent assourdissants. Il n'y avait pas de doute possible concernant le sentiment du public. Tous se précipitèrent pour féliciter Donald et, parmi ceux qui lui serraient la main après le verdict, se trouvaient ceux qui n'avaient pas osé prendre son parti. Donald lui-même semblait stupéfait, perdu dans une mer de visages, un enchevêtrement de voix. L'annonce faite par le président qu'un compte rendu écrit, complet et détaillé, du verdict serait publié sous deux semaines se perdit dans le brouhaha.

Fin et Marsaili attendaient dehors parmi la foule que Donald sorte de la salle. Il émergea, pâle et bouleversé. Il n'avait pas de manteau mais semblait indifférent à la pluie qui lui tombait dessus sous un ciel de plomb. Sur le parking, il fut assailli par les sympathisants et les journalistes. Les projecteurs de la télévision donnaient à la scène un aspect surréaliste.

Il tomba avant que quiconque entende le coup de feu. À cause de sa chemise noire, le sang qui sortit là où la balle avait pénétré ne fut pas immédiatement visible. La foule crut tout d'abord qu'il avait trébuché et qu'il était tombé. Dans la fraction de seconde qui suivit, Fin reconnut le claquement d'une carabine.

Tandis que tous se ruaient vers Donald, il se tourna vers les immeubles opposés et vit disparaître la silhouette d'un homme et le canon de son arme au-dessus des toits.

Des cris s'élevèrent dans l'air humide du matin quand le sang de Donald commença à se répandre sur le bitume et la foule se dispersa, paniquée. Fin et Marsaili furent les premiers à l'atteindre. Ils s'accroupirent à ses côtés pour mesurer l'ampleur des dégâts. Il avait les yeux grands ouverts et les regardait, paniqué et perdu. Tout son corps tremblait. Marsaili glissa sa main derrière son crâne pour le décoller du sol mouillé. « Une ambulance ! Vite ! », hurla Fin. Il ôta sa veste pour couvrir le buste de Donald. Il se souvint de ce jour, quand ils n'étaient encore que des petits garçons, et que Donald avait fait demi-tour, en pleine nuit pour le mettre en sécurité après que des brutes l'avaient abandonné en sang, au bord de la route. Et quand ils avaient emmené la tante de Fin faire la balade de ses rêves en décapotable, quelques mois avant qu'elle ne meure. Il sentit la main de Donald lui serrer le bras un peu plus fort. Sa voix n'était plus qu'un murmure.

« J'ai l'impression que Dieu vient de rendre Son verdict. On dirait que je vais avoir à répondre de beaucoup de choses. »

Il toussa. Quelques bulles sanguinolentes apparurent au bord de ses lèvres, puis il mourut.

ÉPILOGUE

La lumière du soleil se répandait sur les pentes ver-doyantes de Salisbury Crags et remontait jusqu'aux falaises qui dominaient les toits d'Édimbourg. Le taxi de Fin tourna dans St. Leonard's Street et le déposa devant le numéro 14, là où se situait le bâtiment en briques couleur de grès qui abritait le commissariat de la division A.

Se retrouver dans cet endroit lui semblait surréaliste. Comme de se voir parachuté dans une vie passée pour découvrir que tout ce qui lui avait semblé si familier autrefois lui était devenu totalement étranger. Plus petit, plus moche, plus sale. Complètement différent de son souvenir. St. Leonard's Lane était plus étroite, coincée entre des immeubles délabrés et, au-delà, les Crags, plus petits eux aussi, moins impressionnants.

Une semaine s'était écoulée depuis l'enterrement de Donald. La plus longue procession funéraire à Crobost de mémoire d'homme. La cérémonie avait été couverte par les médias nationaux. Mais tout cela était déjà parti aux oubliettes, avec les recherches que la police menait pour retrouver son tueur. Fin doutait qu'il soit capturé un jour. C'était un contrat. Une vengeance pour le meurtre d'Eriskay. Le tireur avait disparu sans laisser de traces et l'arme n'avait pas été retrouvée. Tout ce que Fin ressentait à la suite de cet événement était une sensation de vide, si tant est que l'on puisse exprimer cela par une sensation.

Mona l'attendait devant la haute façade de verre de l'entrée. Bizarrement, elle semblait avoir rajeuni. La vie sans Fin lui était peut-être bénéfique. Elle portait un long manteau beige foncé et arborait une nouvelle coupe, plus courte, qui lui allait bien. Comme un retour à sa jeunesse. Elle mettait en valeur ses traits affirmés. Elle n'était pas vraiment jolie, mais, de bien des manières, presque belle. Il eut un pincement de regret quand elle le salua en lui serrant la main sans ôter ses gants et en lui faisant une bise sur la joue.

Elle pencha la tête sur le côté. « Tu as idée de ce dont il s'agit ?

— J'imagine que c'est à propos de Robbie. Je ne vois pas une autre raison pour laquelle ils nous auraient fait venir tous les deux. »

Le coup de fil de l'inspecteur principal Black avait été bref et concis. Il ne voulait pas parler de cela au téléphone ni leur envoyer un courrier. Fin et Mona pouvaient-ils le rencontrer en personne ?

Black avait toujours le même teint terreux, la mine d'un homme qui ne voyait pas souvent le soleil. La courbe de son nez et ses petits yeux noirs lui donnaient l'apparence d'un faucon en quête d'une proie. Son bureau était en désordre et ses vêtements sentaient la cigarette froide. Fin vit que ses doigts étaient tachés par la nicotine. Ce n'était pas le genre d'homme à faire des cérémonies. Après des salutations on ne peut plus laconiques, il se saisit d'un dossier en plastique transparent contenant une note manuscrite froissée. Il la tendit au couple qui se tenait de l'autre côté de son bureau. Fin la lui prit des mains. Il se tourna vers la lumière pour que lui et Mona puissent lire. Des mots griffonnés à l'encre bleue.

« Cela fait quelque temps que j'y pense. Je sais que la plupart des gens ne comprendront pas pourquoi, particulièrement ceux qui m'aiment et que j'aime. Tout ce que je peux dire, c'est que personne ne sait quel enfer j'ai vécu. Ces dernières semaines, c'est devenu tout bonnement insupportable. Il est temps pour moi de partir. Je suis profondément désolé. »

Fin leva les yeux vers Black à la recherche d'une explication.

« Il a fallu quelques semaines avant que ce message arrive entre les mains des officiers qui enquêtent sur l'accident et le délit de fuite dont votre fils a été victime. Les liens n'étaient pas évidents. C'est un ramassis de délires tourmentés dans son journal intime qui ont amené les enquêteurs à faire le lien avec Robbie. »

Mona était livide. « Il s'agit de l'homme qui a tué Robbie ? »

Black hocha la tête. « Si cela peut vous consoler quelque peu, il semblerait que pour lui aussi la vie s'est arrêtée ce jour-là. Et lorsqu'il ne l'a plus supportée, il a placé un tuyau entre son pot d'échappement et l'intérieur de sa voiture et il a mis le moteur en route. »

Fin secoua la tête. « Non », dit-il. « Ce n'est pas une consolation. » Il jeta un coup d'œil vers Mona. « Mais au moins, c'est terminé. »

Le taxi de Mona attendait et crachait ses gaz d'échappement dans l'air froid de novembre. Ils s'étaient déjà séparés, mais c'était encore plus difficile cette fois-ci car cela serait certainement la dernière. Fin songea à quel point il était difficile de laisser partir une si grande part de son existence. Il se souvint de l'instant où elle était tombée sur ses genoux à cette fête où ils s'étaient rencontrés, et son visage au-dessus de lui le lendemain matin quand elle l'avait réveillé pour lui annoncer que l'avion de Roddy avait disparu.

« Tu repars sur l'île, je suppose.

— Je crois que c'est ce que je vais faire. »

Elle lui tint le bras pendant qu'elle se penchait en avant pour l'embrasser une dernière fois. « Adieu, Fin. »

Il la regarda monter dans le taxi qui accéléra en direction de la ville. Un morceau de sa vie qui faisait dorénavant partie de sa mémoire. Il s'interrogeait sur le fait de savoir si Marsaili et lui avaient un avenir. S'il serait un jour possible de redécouvrir l'amour qui les avait unis, cet été-là, avant de partir pour l'université.

Quelle vie l'attendait sur l'île de son enfance ? Il avait fait tant d'efforts pour s'en éloigner mais, à la fin, elle l'avait ramené vers elle. Il pensa à ce qui n'était plus et à ce qui allait être. Le grand chapitre encore vierge du reste de sa vie. Seules deux choses étaient certaines. Il avait un fils qui allait avoir besoin de lui. Et il y avait une jeune fille de quinze ans qui avait besoin d'un avocat. La dernière trace sur cette terre de l'homme qui avait été son ami et son sauveur. Une petite orpheline tourmentée qui avait besoin de quelqu'un pour la défendre, parler en son nom et lui donner de l'espoir, un futur.

Et il savait que cela ne pouvait être que lui.

REMERCIEMENTS

Je souhaite adresser mes plus vifs remerciements à ceux qui m'ont si généreusement offert de leur temps et de leur expérience lors de mes recherches pour *Le Braconnier du lac perdu*. J'aimerais en particulier exprimer ma gratitude au médecin légiste Steven C. Campman, M. D., San Diego, Californie ; le US Army Central Identification Laboratory (Laboratoire central d'identification de l'armée américaine) pour leurs informations détaillées sur la décomposition des corps ; Stewart Angus, habitant de Lewis, écrivain et conseiller spécial sur l'écologie côtière pour le Scottish Natural Heritage (Patrimoine naturel écossais) ; Ronald Turnbull, marcheur, écrivain et photographe, pour ses indispensables conseils sur la marche en montagne ; Sarah Egan, experte es-Uig, chercheuse extraordinaire, qui fut aussi mon sherpa lors d'une randonnée à travers les montagnes au sud ouest de Lewis par le pire temps que l'on puisse imaginer ; Keith Patrick Stringer, réalisateur à Lewis, pour son court-métrage, *Hunter*, qui a inspiré le personnage de Whistler ; Lewis Crombie de Highland Aviation, Inverness, pour ses conseils sur les petits avions, le plan de vol et les conditions d'atterrissage sur la plage de Solas, ainsi que pour ses photographies aériennes du site ; George Murray de la police de Stornoway, île de Lewis ; Robin Reid, garde forestier, domaine de North Harris ; Pasteur Nigel Anderson, Église libre d'Écosse ; Innes Morrison, directeur du domaine d'Amhuinnsuidhe Castle, île de Harris ; et Margaret Martin de la bibliothèque de Stornoway.

Retrouvez Fin Macleod et l'île de Lewis
dans la collection Babel noir.

L'ÎLE DES CHASSEURS D'OISEAUX
traduit de l'anglais par Jean-René Dastugue

Chargé de l'enquête sur un assassinat commis à Édim-
bourg, Fin Macleod est envoyé sur son île natale de
Lewis, en Écosse, quand un second cadavre exécuté
selon le même modus operandi *y est découvert. Il doit*
composer avec un décor et des gens qu'il a quittés dix-
huit ans auparavant… Sur fond de traditions ancestrales
d'une cruauté absolue, un roman palpitant parsemé de
scènes glaçantes.

Prix des lecteurs – Ancres noires en 2010 (Le Havre)

L'HOMME DE LEWIS
traduit de l'anglais par Jean-René Dastugue

En rupture de ban avec son passé, Fin Macleod retourne sur son île natale de Lewis, où on découvre le cadavre d'un jeune homme miraculeusement préservé par la tourbière. On retrouve la figure d'un enquêteur entier et émouvant, indécis à la croisée des chemins, tenté de construire son avenir sur les cendres du passé. L'Écosse mystérieuse, majestueuse et sauvage est un écrin de rêve pour ces vies dans la tourmente, magistralement orchestrées par Peter May.

DU MÊME AUTEUR

LA SÉRIE CHINOISE
MEURTRES À PÉKIN, Le Rouergue, 2005 ; Babel noir n° 9.
LE QUATRIÈME SACRIFICE, Le Rouergue, 2006 ; Babel noir n° 15.
LES DISPARUES DE SHANGHAI, Le Rouergue, 2006 ; Babel noir n° 19.
CADAVRES CHINOIS À HOUSTON, Le Rouergue, 2007 ; Babel noir n° 26.
JEUX MORTELS À PÉKIN, Le Rouergue, 2007 ; Babel noir n° 34.
L'ÉVENTREUR DE PÉKIN, Le Rouergue, 2008 ; Babel noir n° 44.
LA SÉRIE CHINOISE (édition intégrale), volume 1, Le Rouergue,
2015 ; volume 2, Le Rouergue, 2016.

LA TRILOGIE ÉCOSSAISE
L'ÎLE DES CHASSEURS D'OISEAUX (prix Cezam Inter-CE), Le Rouergue,
2009 ; Babel noir n° 51.
L'HOMME DE LEWIS (prix des lecteurs du *Télégramme*), Le Rouergue,
2011 ; Babel noir n° 74.
LE BRACONNIER DU LAC PERDU (prix Polar international de Cognac),
Le Rouergue, 2012.
LA TRILOGIE ÉCOSSAISE (édition intégrale), Le Rouergue, 2014.

SÉRIE ASSASSINS SANS VISAGES
LE MORT AUX QUATRE TOMBEAUX, Le Rouergue, 2013 ; Rouergue en
Poche, 2015.
TERREUR DANS LES VIGNES, Le Rouergue, 2014 ; Rouergue en Poche,
2016.
LA TRACE DU SANG, Le Rouergue, 2015 ; Rouergue en Poche, 2017.
L'ÎLE AU RÉBUS, Le Rouergue, 2017.

SCÈNE DE CRIME VIRTUELLE, Le Rouergue, 2013 ; Babel noir n° 141.
L'ÉCOSSE DE PETER MAY, Le Rouergue, 2013.
L'ÎLE DU SERMENT (Trophée 813 du meilleur roman étranger 2015),
Le Rouergue, 2014 ; Babel noir n° 163.
LES FUGUEURS DE GLASGOW, Le Rouergue, 2015.
LES DISPARUES DU PHARE, Le Rouergue, 2016.

OUVRAGE RÉALISÉ
PAR L'ATELIER GRAPHIQUE ACTES SUD
REPRODUIT ET ACHEVÉ D'IMPRIMER
EN DÉCEMBRE 2020
PAR NORMANDIE ROTO IMPRESSION S.A.S.
À LONRAI
POUR LE COMPTE DES ÉDITIONS
ACTES SUD
LE MÉJAN
PLACE NINA-BERBEROVA
13200 ARLES

DÉPÔT LÉGAL
1re ÉDITION : JANVIER 2014
No d'impression : 2004904
(Imprimé en France)